Ihr MANZ Buch

Die Republik Österreich stellt Ihnen Buch und E-Book für Ihre Ausbildung zur Verfügung.
Ihre Professorinnen und Professoren helfen Ihnen, den Stoff zu erlernen und so eine gute Basis für Ihr späteres Berufsleben oder Ihr Studium zu legen. Übernehmen Sie aber auch selbst Verantwortung für Ihren Lernerfolg und nutzen Sie die vielfältigen Möglichkeiten, die Ihnen dieses Buch und das zugehörige E-Book zum Lernen, Üben, Sichern und Wissen bieten.

Autorinnen und Autoren:

Univ.-Prof. Dr. Bettina Greimel-Fuhrmann
Institut für Wirtschaftspädagogik an der WU Wien

Prof. Mag. Dr. Gerhard Geissler, MSc.
Institut für Wirtschaftspädagogik an der WU Wien

Prof. Mag. Gabriele Andre
International Business College Wien 12

Prof. Mag. Elisabeth Scheicher-Gálffy
HLA Baden

Wien 2017

Buch-Nr. 180.784

Dieses Arbeitsbuch wurde vom Bundesministerium für Bildung und Frauen mit Bescheid vom 22. September 2016, Geschäftszahl 5.025/0020-IT/3/2016, für den Unterricht im IV. Jahrgang an höheren Lehranstalten für wirtschaftliche Berufe im Unterrichtsgegenstand Betriebswirtschaft und Projektmanagement für geeignet erklärt.

⚠ **Kopierverbot**
Wir weisen darauf hin, dass das Kopieren zum Schulgebrauch aus diesem Buch verboten ist – § 42 Abs. 6 der Urheberrechtsgesetznovelle 2003:
„Die Befugnis zur Vervielfältigung zum eigenen Schulgebrauch gilt nicht für Werke, die ihrer Beschaffenheit und Bezeichnung nach zum Schul- oder Unterrichtsgebrauch bestimmt sind."

© MANZ Verlag Schulbuch GmbH, Wien 2017
Schulbuchvergütung/Bildrechte © VBK/Wien
Dieses Werk ist urheberrechtlich geschützt. Die dadurch begründeten Rechte, insbesondere das der Übersetzung, des Nachdrucks, der Entnahme von Abbildungen, der Funksendung, der Wiedergabe auf fotomechanischem oder ähnlichem Wege und der Speicherung in Datenverarbeitungsanlagen, bleiben, auch bei nur auszugsweiser Verwertung, vorbehalten.
Printed in the EU, ISBN 978-3-7068-5299-9

Das vorliegende Buch wurde auf chlorfrei gebleichtem Papier gedruckt.

Umschlaggestaltung: buero8, Wien

Herzlich willkommen im neuen Schuljahr!

Das innovative MANZ Lernpaket

Als führender Verlag im berufsbildenden Schulwesen wissen wir, dass Sie Lernpakete benötigen, die Sie zielgerecht zum Lernerfolg – zu Wissen und Kompetenz – führen. Wir wollen, dass Sie nach Abschluss Ihrer Ausbildung Ihre persönlichen Chancen am Arbeitsmarkt bestmöglich wahrnehmen können. Wir arbeiten täglich an der Produktion zeitgemäßer Lernpakete und stehen dabei im ständigen Dialog mit erfahrenen Schulbuchautorinnen und -autoren sowie Wissenschaftlerinnen und Wissenschaftlern.

Ihr Lernpaket besteht aus einem übersichtlich gegliederten Schülerbuch und abwechslungsreichen Ergänzungen inklusive des MANZ Lernraums im E-Book. Alle Teile des Lernpakets sind aufeinander abgestimmt und folgen dem MANZ 4-Schritte-Lernmodell.

Das MANZ 4-Schritte-Lernmodell

Dieses Buch ist ein speziell für Sie gestaltetes, modernes Lern- und Arbeitsbuch. Der Lernstoff ist in diesem Buch in Kapitel und innerhalb der Kapitel in Lerneinheiten gegliedert. Die Lerneinheiten sind nach dem MANZ 4-Schritte-Lernmodell aufgebaut und ein spezielles Leitsystem erleichtert die „Navigation" im Buch.

LERNEN (Input)
Information aufnehmen, Zusammenhänge erkennen, Theorie erfassen

ÜBEN (Anwendung)
Routine erwerben, Zusammenhänge verstehen, Erfahrung sammeln

SICHERN (Festigung)
Gelerntes zusammenfassen, Übersicht gewinnen, Inhalte wiederholen

WISSEN (Kontrolle)
Wissen testen, Kompetenz überprüfen, Können beweisen

SbX Zu diesem Lern- und Arbeitsbuch gibt es im Rahmen des E-Books vielfältige Online-Ergänzungen sowie ein Lernmanagementsystem, den **MANZ Lernraum.** Auch die Online-Ergänzungen sind nach dem MANZ 4-Schritte-Lernmodell aufgebaut und ermöglichen Ihnen zusammen mit dem Buch abwechslungsreiches und nachhaltiges Lernen.

Dem Verlag MANZ ist es ein grundlegendes Anliegen, …

… Chancengleichheit wo immer möglich zu fördern. Frauen und Männer werden in den Texten und Beispielen dieses Buches gleichberechtigt behandelt. Um den Lesefluss nicht zu stören, wird aber – wo nötig – auf das Nebeneinander weiblicher und männlicher Formen verzichtet.

Das Schülerbuch als E-Book inklusive SbX

Ihr MANZ Lernpaket

Zusatzmaterial
Alle Download-Dateien (Angaben, Lehrbeispiele, Zusatzinfos) sind hier gesammelt.

Der MANZ Lernraum
ist Ihr Arbeits- und Kommunikationsbereich.

Suchfeld
Suchen Sie hier nach Schlagworten und wählen Sie dann aus den Vorschlägen.

Selbstkontrolle
Hier können Sie Ihre Lernerfolge einsehen.

Seiteneingabe
Geben Sie hier die gewünschte Seitenzahl ein.

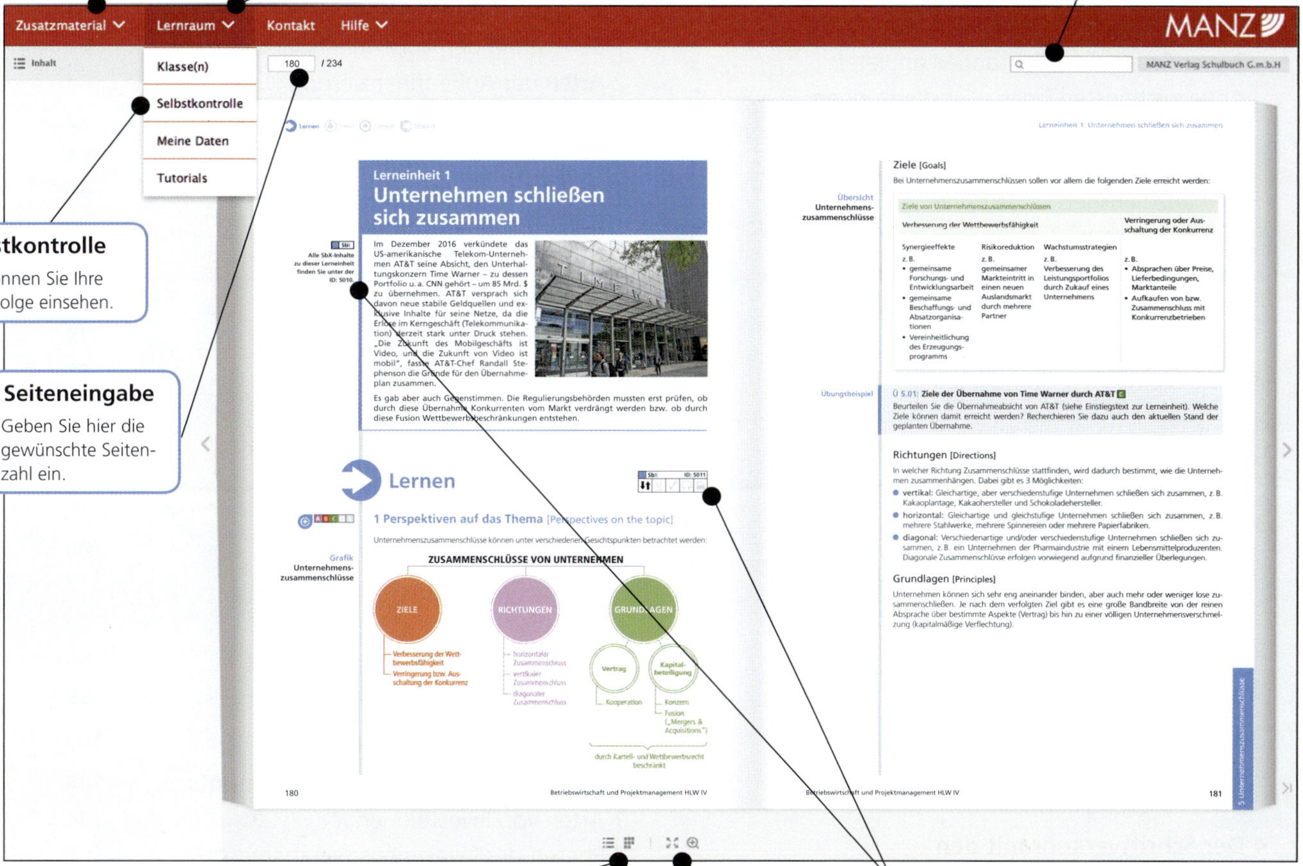

Ansicht
Sie können zwischen der Inhaltsansicht mittels Inhaltsverzeichnis und einer Miniaturansicht der Buchseiten wählen.

Zoomfunktion und Vollbildmodus
Die Lupe oder ein Doppelklick ermöglichen eine Detailansicht. Der Vollbildmodus öffnet sich in einem neuen Fenster.

SbX-Leiste und SbX-ID
Ein Klick auf die SbX-ID öffnet eine Übersicht der passenden SbX-Inhalte zum aktuellen Lernschritt.

Das E-Book finden Sie online unter:

www.wissenistmanz.at

Startcode: 00255299

Inhaltsverzeichnis

Betriebswirtschaft und Projektmanagement HLW IV

7. Semester

Kapitel 1: Finanzdienstleistungen ... 1

1 Finanzdienstleistungen ... 2
  1 Was Finanzdienstleistungen sind ... 2
  2 Wer Finanzdienstleistungen braucht ... 2
  3 Wer Finanzdienstleistungen anbietet ... 3
  4 Die wichtigsten Finanzdienstleistungen ... 3
  5 Finanzdienstleistungen zwischen Standardisierung und Individualisierung ... 4
  6 Finanzdienstleistungen sind Vertrauenssache ... 4

2 Die Geschäfte der Kreditinstitute ... 7
  1 Die Aufgaben der Kreditinstitute ... 7
  2 Die Geschäftsfelder der Kreditinstitute ... 8
  3 Die rechtlichen Grundlagen der Banken in Österreich ... 11
  4 Wie sich Kreditinstitute finanzieren ... 12
  5 Wie Kreditinstitute ihre Mittel verwenden ... 14

3 Versicherungsbetriebe ... 23
  1 Risiko und Risikopolitik ... 23
  2 Risikopolitik und Versicherung ... 24
  3 Individualversicherung und Sozialversicherung ... 26
  4 Der Versicherungsvertrag ... 27
  5 Die Versicherungsaufsicht ... 29
  6 Das Angebot der Versicherungen ... 30
  7 Versicherungsformen ... 33

4 Der Schriftverkehr mit den Versicherungen [SbX] ... 42/1
  1 Vom Vertrag bis zum Schadensfall ... 42/1
  2 Der Schriftverkehr im Schadensfall ... 42/2

Kapitel 2: Finanzmanagement ... 43

1 Die Finanzplanung als Basis ... 44
  1 Die Geldflüsse des Unternehmens ... 44
  2 Die Planung von Einzahlungen und Auszahlungen ... 45
  3 Der Finanzplan als Planungshilfe ... 46

2 Die Finanzierung des Unternehmens ... 51
  1 Zwei Anlässe zur Finanzierung ... 51
  2 Finanzquellen des Unternehmens ... 52

3 Die Innenfinanzierung ... 56
  1 Bedeutung der Innenfinanzierung ... 56
  2 Arten der Innenfinanzierung ... 57

4 Die Außenfinanzierung ... 61
  1 Bedeutung der Außenfinanzierung ... 61
  2 Arten der Außenfinanzierung ... 61
  3 Besicherung der Kreditfinanzierung ... 62
  4 Kosten der Kreditfinanzierung ... 64
  5 Arten der Kreditfinanzierung ... 65
  6 Kurz- und langfristige Sonderfinanzierungsformen ... 66
  7 Weitere Kreditformen ... 69

5 Finanzierungskennzahlen ... 79
  1 Kennzahlenbereiche ... 79
  2 Aussage der Kennzahlen ... 80
  3 Einschränkungen der Aussagekraft ... 87
  4 Kennzahlensysteme ... 88
  5 Vorgangsweise bei der Kennzahleninterpretation ... 89

6 Kreditprüfung durch Banken und Lieferanten ... 96
  1 Kreditprüfung durch Banken ... 96
  2 Kreditprüfung durch Lieferanten ... 99

Kapitel 3: Investitionsmanagement ... 103

1 Phasen des Investitionsmanagements ... 104
  1 Arten von Investitionen ... 104
  2 Phasen des Investitionsmanagements ... 105

2 Tools für das Investitionsmanagement ... 109
  1 Tools für die Investitionsentscheidung ... 109
  2 Scoringmethode (Punktwertmethode) ... 110
  3 Statische Investitionsrechenverfahren ... 112
  4 Beurteilung der statischen Investitionsrechenverfahren ... 118
  5 Dynamische Investitionsrechnung ... 118
  6 Die Zinseszinsenrechnung (Exkurs) ... 119
  7 Die Kapitalwertmethode ... 120
  8 Herausforderungen bei der dynamischen Investitionsrechnung ... 121

8. Semester

Kapitel 4: Geld- und Kapitalanlage 131
1 Welche Wertpapiere gibt es? 132
   1 Was sind Wertpapiere und welche gibt es? 132
   2 Grundbegriffe des Wertpapiergeschäfts 133
   3 Die Aktie 134
   4 Die Anleihe 136
   5 Das Investmentzertifikat 141
2 Kapitalanlageentscheidungen 151
   1 Anlagekriterien und Anlageentscheidung 151
   2 Anlegerprofile und Wertpapier-Portfolio 154
   3 Anlage in Sachwerten 158
3 Börse 163
   1 Wertpapierbörsen 163
   2 Der Handel mit Wertpapieren 168
   3 Die Emission von Wertpapieren an Börsen 171
   4 Warenbörsen 172

Kapitel 5: Unternehmenszusammenschlüsse .. 179
1 Unternehmen schließen sich zusammen 180
   1 Perspektiven auf das Thema 180
   2 Unternehmenszusammenschluss
      durch Vertrag 182
   3 Unternehmenszusammenschluss
      durch Kapital 183
   4 Konsequenzen von
      Unternehmenszusammenschlüssen 187
   5 Wettbewerbsrechtliche Grundlagen 189
   6 Unternehmensentflechtungen 191
2 Unternehmen bewerten 197
   1 Grundlagen der Unternehmensbewertung 197
   2 Die Bewertung von kleinen und mittleren
      Unternehmen 198
   3 Die Probleme der Unternehmensbewertung .. 201
   4 Der Firmenwert („Goodwill") 202

**Kapitel 6: Kaufverträge in der
internationalen Geschäftstätigkeit** 207
1 Liefern über die Grenze 208
   1 Die Bedeutung des Außenhandels
      für Österreich 208
   2 Risiken im Außenhandel 209
   3 Dokumente im Außenhandel 210
   4 Die Lieferbedingungen im Außenhandel 210
2 Zahlungsbedingungen im Außenhandel 219
   1 Welche Zahlungsbedingungen gibt es im
      Außenhandel? 219
   2 Das Dokumentenakkreditiv 220
   3 Das Dokumenteninkasso (D/P und D/A) 224

Stichwortverzeichnis 232
Bildnachweis 234

1 FINANZDIENSTLEISTUNGEN

Worum geht's in diesem Kapitel?

Sie haben bestimmt selbst bereits viele Finanzdienstleistungen in Anspruch genommen, beispielsweise bei der Eröffnung eines Sparbuchs, beim Abheben von Bargeld bei einem Bankomaten oder auch wenn Sie eine Diebstahlversicherung für Ihr neues Fahrrad abgeschlossen haben.

Aber: Was machen Unternehmen, die Finanzdienstleistungen anbieten? Welche Besonderheiten weisen sie im Vergleich zu anderen Unternehmenstypen auf?

Wenn Sie dieses Kapitel bearbeiten, erwerben Sie die folgenden in der Bildungs- und Lehraufgabe des Lehrplans angeführten Kompetenzen:

Sie können
- die Geschäftsfelder von Kreditinstituten erläutern,
- die Rolle von Kreditinstituten in der Volkswirtschaft beschreiben,
- die wesentlichen Geschäfte, die Banken für bzw. mit Privatpersonen und Unternehmen tätigen, durchführen,
- Risiken im Privatbereich und im Unternehmen erkennen,
- Möglichkeiten aufzeigen und eine Strategie entwickeln, um sich vor Risiken zu schützen,
- Versicherungen auswählen, um die Folgen von Risiken zu minimieren,
- die grundlegende Funktionsweise des Kapitalmarkts beschreiben.

In diesem Kapitel finden Sie Übungsaufgaben, praxisbezogene Fallbeispiele und Aufgaben zur Lernkontrolle zur Überprüfung Ihrer Kompetenzen auf den Handlungsebenen **A Wiedergeben**, **B Verstehen**, **C Anwenden** und **D Analysieren & Interpretieren**.

Dieses Kapitel umfasst folgende Lerneinheiten:

1 Finanzdienstleistungen

2 Die Geschäfte der Kreditinstitute

3 Versicherungsbetriebe

Ergänzungs-Lerneinheit:

4 Der Schriftverkehr mit den Versicherungen
SbX Download: ID: 1045

▶ Lernen ⦿ Üben ⦿ Sichern ⦿ Wissen

Lerneinheit 1
Finanzdienstleistungen

Finanzdienstleister sind aus einer modernen Wirtschaft nicht mehr wegzudenken. Alle Wirtschaftsteilnehmer haben mit Geld zu tun, wollen es anlegen oder ausborgen, viele auch beides. Finanzdienstleister vermitteln Kapital zwischen den Wirtschaftsteilnehmern.

SbX – Alle SbX-Inhalte zu dieser Lerneinheit finden Sie unter der ID: 1010.

Lernen

SbX ID: 1011

1 Was Finanzdienstleistungen sind [What are financial services?]

Finanzdienstleistungen sind Dienstleistungen, die im Zusammenhang mit der **Kapitalaufnahme** bzw. **Kapitalveranlagung** von **Haushalten**, **Unternehmen** und dem **Staat** erstellt werden. Sie sind wesentlicher Bestandteil eines modernen Wirtschaftssystems.

Beispiele

Für die Anschaffung der ersten gemeinsamen Wohnung nehmen Sebastian und Teresa einen Bausparkredit in Anspruch. Sie nehmen Kapital auf, um den Wohnungskauf zu finanzieren.

Für die private Altersvorsorge möchte Fadime einen Teil ihres Einkommens ansparen. Sie vereinbart einen Beratungstermin mit einem Vermögensberater.

Marie bekommt zu ihrem 15. Geburtstag den von ihr seit langem gewünschten Hund geschenkt. Um sich gegen Schäden, die der Hund verursachen könnte, abzusichern, schließt die Familie eine Hundehaftpflichtversicherung ab.

Der österreichische Staat benötigt Kapital und begibt eine Staatsanleihe.

Eine Aktiengesellschaft erhöht ihr Grundkapital und bietet an der Börse neue Aktien zum Kauf an.

Eine Hundehaftpflichtversicherung ist in vielen Bundesländern Österreichs Pflicht.

2 Wer Finanzdienstleistungen braucht
[Who needs financial services?]

Die oben genannten Beispiele zeigen, dass die Haushalte, der Staat und die Unternehmen Finanzdienstleistungen brauchen: Denn sie **erwirtschaften Finanzüberschüsse**, die sie veranlagen möchten. Dadurch entsteht das **Kapitalangebot**. Gleichzeitig **benötigen** die drei Wirtschaftsteilnehmer aber auch **Finanzmittel**. Dadurch entsteht die **Kapitalnachfrage**.

Finanzdienstleister

Kapitalangebot und Kapitalnachfrage treffen auf dem Kapitalmarkt aufeinander. **Finanzdienstleister** sind Unternehmen, die **zwischen dem Kapitalangebot und der Kapitalnachfrage vermitteln.**

Das ist aus verschiedenen Gründen wichtig:
- Sehr viele Wirtschaftsteilnehmer wollen Geld anlegen, kleinere und größere Beträge, manche nur für eine kurze Dauer, andere langfristig.
- Ebenso wollen sehr viele Wirtschaftsteilnehmer Geld ausborgen. Auch hier gibt es unterschiedliche Wünsche im Hinblick auf Kapitalhöhe und Dauer.
- Der Markt für Kapitalanlage und -aufnahme ist daher unübersichtlich.
- Es braucht Unternehmen, die für einen Ausgleich zwischen den unterschiedlichen Wünschen der Wirtschaftsteilnehmer sorgen, z. B. durch die Annahme von Kapital (in unterschiedlicher

Höhe und für unterschiedlich lange Zeiträume) und durch das Vergeben von Kapital (ebenfalls in unterschiedlicher Höhe und für unterschiedlich lange Zeiträume).

**Grafik
Finanzdienstleister im Wirtschaftskreislauf**

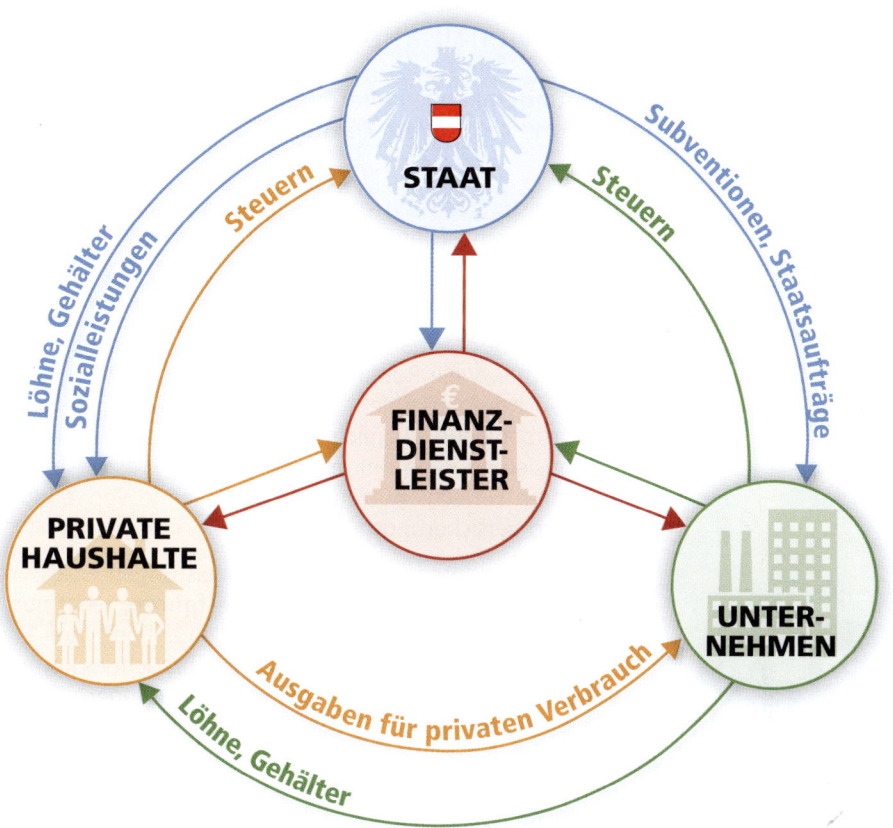

3 Wer Finanzdienstleistungen anbietet
[Who offers financial services?]

Die wichtigsten Finanzdienstleistungsunternehmen in Österreich sind
- Banken,
- Versicherungen,
- die Börse und
- selbständige Finanzdienstleister, wie z. B. Vermögensberater, Versicherungsmakler, Investmentgesellschaften, FinTechs etc.

Die **intensive Nutzung des Internets** auch für Bank- und Versicherungsgeschäfte hat die Entwicklung von **FinTechs** begünstigt, die – manchmal selbständig, manchmal in Kooperation mit einer Bank – verschiedene Finanzdienstleistungen (z. B. Bezahlen, Kreditvermittlung, Fondsverwaltung) kostengünstig anbieten. In Österreich spielen sie noch eine untergeordnete Rolle, aber international ist der FinTech-Markt stark wachsend und konkurrenziert vor allem das klassische Bankgeschäft.

FinTechs (financial services and technology) verbinden moderne Technologien mit Finanzdienstleistungen.

4 Die wichtigsten Finanzdienstleistungen
[The most important financial services]

Die Finanzdienstleister ermöglichen es,
- Geld zu **sparen** (durch das Angebot verschiedener Sparformen),
- Geld und anderes Vermögen zu **verwalten** und sicher aufzubewahren (durch Konten und Aufbewahrung in Safes),
- Geld **aufnehmen** (ausborgen) zu können (durch verschiedene Kreditangebote),
- Geld **anlegen** zu können (durch verschiedene Anlagemöglichkeiten und Investments),
- **sich** gegen Risiken (gegen die finanziellen Folgen von Schäden) **abzusichern**.

5 Finanzdienstleistungen zwischen Standardisierung und Individualisierung [Financial services between standardisation and individualisation]

Dienstleistungen können **allerdings nicht** wie Produkte **auf Vorrat** produziert und gelagert werden. Sie müssen **zu dem Zeitpunkt** erstellt werden, zu dem sie **vom Kunden nachgefragt** werden.

Finanzdienstleistungen sind einerseits standardisiert, wie etwa die Bankdienstleistung, eine Überweisung durchzuführen, oder die Dienstleistung einer Versicherung, eine Schadensmeldung entgegenzunehmen. Andererseits sind Finanzdienstleistungen sehr beratungsintensiv, wie etwa bei der Frage der Geldanlage.

Die fortschreitende Standardisierung von Finanzdienstleistungen ist insbesondere im Bankenbereich gut sichtbar. Viele Routinegeschäfte, wie das Durchführen von Überweisungen oder der Ausdruck von Kontoauszügen, können mittlerweile jederzeit entweder über Internetbanking oder im Selbstbedienungsbereich der Bankfilialen von den Kunden selbst erledigt werden. Durch die Automatisierung kann rationalisiert werden, was Kosten sparen hilft. Insbesondere die bereits genannten FinTechs nutzen die zunehmende Verwendung des Internets zur Abwicklung von Bank- und Versicherungsgeschäften.

Unter **www.bankenrechner.at** bietet die **Arbeiterkammer** ein Online-Tool, mit dem man die aktuell günstigsten Girokonten, Sparbücher oder Kredite herausfinden kann.

Bei beratungsintensiven Finanzdienstleistungen ist es wichtig, die **Bedürfnisse und Erwartungen** der Kunden **genau** zu **erfahren**, nicht nur, um bestmögliche Ergebnisse zu erzielen, sondern auch, weil die Kunden anhand ihrer Erwartungen beurteilen, ob sie mit der Dienstleistung zufrieden sind. Dazu braucht es kompetente Kundenberater, die stabile Kontakte zu ihren Kunden aufbauen und pflegen. Deshalb ist das Finanzdienstleistungsgeschäft – wenn es individuelle Angebote umfasst – personalintensiv und in der Folge auch teuer.

Außerdem haben Kunden verschiedene Möglichkeiten, **Preise** für Finanzdienstleistungen zu **vergleichen** (z. B. Online-Vergleichsrechner für Privatkredite, Leasingangebote etc. und Berichte von Konsumentenschutzorganisationen).

Der richtige **Marketing-Mix** und die ständige **Beobachtung** des **Markts** und der **Konkurrenz** sind daher für Finanzdienstleister besonders wichtig.

6 Finanzdienstleistungen sind Vertrauenssache
[Financial services are a matter of trust]

Finanzgeschäfte sind oft auch vergleichsweise **heikle Geschäfte** (Kredite, Kapitalanlage, Sparen). Eine wichtige Grundlage ist daher das **Vertrauen** der Kunden in das Unternehmen (Bank, Versicherung). Wird es verloren, ziehen die Kunden ihr Geld ab und vertrauen es einem anderen Finanzdienstleister an. Da Banken in den letzten Jahren immer wieder mit riskanten Geschäften oder mit Verlusten in die Schlagzeilen gekommen sind, wurde das grundsätzliche Vertrauen vieler Kunden in das Bank- und Finanzwesen erschüttert. Will ein Finanzdienstleistungsunternehmen seine Kunden halten und neue gewinnen, ist es wichtig, dieses Vertrauen durch ein seriöses und glaubwürdiges Verhalten herzustellen und zu festigen.

Üben – Anwenden

Ü 1.01: Bedeutung des Finanzdienstleistungssektors
Könnte Ihrer Meinung nach die moderne Wirtschaft auf das Angebot von Finanzdienstleistern verzichten? Diskutieren Sie in Kleingruppen und sammeln Sie die vorgebrachten Argumente.

Ü 1.02: Verschiedene Finanzdienstleistungen C

Anna hat gerade maturiert und wird in zwei Monaten beginnen, als Angestellte in einer Werbeagentur zu arbeiten. Davor fährt sie aber noch mit ihrem Freund vier Wochen in die USA, um dort mit einem Mietwagen die Ostküste entlangzufahren. Sie hat während ihrer Schulzeit schon gearbeitet. Anna hat insgesamt 10.000 Euro gespart, die Hälfte davon möchte sie weiter sparen, die andere Hälfte braucht sie für die Kaution und ein paar Möbel für die kleine Mietwohnung, in die sie einziehen wird. Zur Matura hat ihre Oma ihr Goldmünzen geschenkt, die sie ebenfalls für ihre Zukunft aufheben will.

Welche Finanzdienstleistungen wird Anna brauchen? Welche würden Sie ihr zusätzlich empfehlen?

Ü 1.03: FinTechs D

FinTechs haben in Österreich noch vergleichsweise geringe Bedeutung, aber in den USA, Großbritannien und Deutschland ist der FinTech-Markt schon bedeutend und stark wachsend.

1. Recherchieren Sie ein konkretes Beispiel für ein FinTech-Unternehmen und sein Angebot.
2. Finden Sie heraus, ob es selbständig agiert oder mit einer Bank oder Versicherung kooperiert.
3. Geben Sie Gründe an, die einen Kunden dazu bewegen würden, dieses Angebot zu nutzen, sowie auch mögliche Gründe, die ihn davon abhalten könnten.

Ü 1.04: Selbständige Finanzdienstleister D

Mitgliederstatistik — WKO Wirtschaftskammer Österreich

Fachverband FINANZDIENSTLEISTER (702):

Aktive Berufszweigmitglieder 2016* nach Bundesländern

Berufszweig (Code)**	B	K	NÖ	OÖ	S	St	T	V	W	Ö
0100-Auskunfteien	2	7	12	15	10	5	3	4	30	88
0200-Bausparvermittler	10	22	82	56	24	42	34	9	65	344
0300-Finanzdienstleistungsassistenten	3	3	0	0	1	0	0	0	0	7
0400-Gewerbliche Vermögensberater ohne Lebensvers. u. Unfallvers.	25	55	156	178	99	113	101	81	238	1.046
0500-Gewerbliche Vermögensberater mit Leben u. Unfall - Agent	11	31	84	48	42	48	64	41	92	461
0600-Gewerbliche Vermögensberater mit Leben u. Unfall - Makler	63	104	415	325	105	228	139	35	387	1.801
0700-Gewerbliche Vermögensber. m.Leben u.Unfall-Vers.vermittler	13	11	17	15	6	15	11	2	25	115
0800-Leasingunternehmer	5	4	13	81	21	11	19	23	110	287
0900-Pfandleiher	2	8	15	12	7	12	8	2	26	92
1000-Tippgeber, Geschäftsvermittler	35	62	301	164	43	243	64	6	408	1.326
1100-Versteigerer von beweglichen Sachen	2	5	14	11	8	16	9	1	37	103
1200-Wertpapierfirmen und Wertpapierdienstleistungsunternehmer	1	6	9	11	11	8	0	6	81	133
1300-sonstige Finanzdienstleister	0	3	10	5	2	3	1	3	27	54
1400-Wertpapiervermittler	6	13	51	77	8	38	16	3	42	254
1500-Zahlungsdienstleister	1	0	5	24	12	11	0	11	139	203
SUMME	**179**	**334**	**1.184**	**1.022**	**399**	**793**	**469**	**227**	**1.707**	**6.314**

* Stand: 31.12.
** die Zuordnungspraxis zu Berufszweigen kann zwischen Bundesländern variieren; daher ist die Berufszweigauswertung zT nur bedingt aussagekräftig
Quelle: WKO (Mitgliederstatistik); Mehrfachzählung bei Mitgliedschaft in mehreren Berufszweigen

Quelle: WKO (Mitgliederstatistik); Mehrfachzählung bei Mitgliedschaft in mehreren Berufszweigen

Analysieren Sie die abgebildete Grafik der WKO und bearbeiten Sie im Anschluss die nachfolgenden Aufgaben:

1. Welcher Berufszweig der Finanzdienstleister ist in Ihrem Bundesland am stärksten vertreten und wie viele Mitglieder umfasst dieser?
2. Recherchieren Sie, welche Leistungen dieser Berufszweig anbietet, und versuchen Sie, ein entsprechendes Unternehmen in Ihrer Umgebung zu finden.

SbX ID: 1013

Finanzdienstleistungsunternehmen

Finanzdienstleistungsunternehmen vermitteln zwischen der Kapitalnachfrage und dem Kapitalangebot der drei Wirtschaftsteilnehmer Staat, Unternehmen und private Haushalte.

Die wichtigsten Finanzdienstleistungsunternehmen sind Banken, Versicherungen, die Börse und selbständige Finanzdienstleister.

financial services providers

Financial services providers act as agents between the capital demand and the capital supply of the three market participants: the state, businesses and private households.

The most important financial services providers are banks, insurance companies, the stock exchange and independent financial services providers.

Finanzdienstleistungen

Die wesentlichsten Finanzdienstleistungen beziehen sich auf das:
- Sparen von Geld (verschiedene Sparformen)
- Verwalten und Aufbewahren von Geld und anderem Vermögen
- Überlassen von Geld (Kredite)
- Anlegen von Geld
- Absichern gegen Risiken (die finanziellen Folgen von Schäden)

financial services

The basic financial services relate to:
- saving money (various types of saving)
- administrating and safekeeping of money and other assets
- lending money (loans)
- investing money
- protecting against risks (the financial consequences of damage)

ID: 1013

Im SbX finden Sie eine Audio-Wiederholung der englischen Beiträge sowie eine Bildschirmpräsentation mit den Grafiken dieser Lerneinheit.

Wissen

W 1.01: Finanzdienstleistungen A
Geben Sie einen Überblick über verschiedene häufig genutzte Finanzdienstleistungen.

W 1.02: Finanzdienstleistungen A
Welche Funktion erfüllen Finanzdienstleistungsunternehmen?

W 1.03: Finanzdienstleistungen A
Welche Unternehmen bieten die wichtigsten Finanzdienstleistungen an?

English questions

E 1.01: State who the main participants in financial services are.

E 1.02: Of the following, decide which are financial services:
a) ☐ You borrow money from the bank.
b) ☐ You insure your car.
c) ☐ You go to a restaurant, have dinner and pay for it.
d) ☐ You ask a bank to look after your money and to make more money for you.

Ein kurzer Kompetenz-Check, bevor's weitergeht!

Kompetenz-Check

	☺	😐	☹
Ich kann einen Überblick über das Finanzdienstleistungsgeschäft geben.			
Ich kann erklären, was Finanzdienstleistungen sind.			
Ich kann wesentliche Finanzdienstleistungen aufzählen und ihren Nutzen kurz erklären.			

Lerneinheit 2
Die Geschäfte der Kreditinstitute

SbX
Alle SbX-Inhalte zu dieser Lerneinheit finden Sie unter der ID: 1020.

Hauptaufgabe der Kreditinstitute ist es, Einlagen der Kunden zu übernehmen und mit diesen Mitteln Kredite an andere Kunden zu vergeben. Kreditinstitute müssen auch Eigenkapital aufbringen und legen selbst Mittel am Kapital- und am Immobilienmarkt an. Außerdem erbringen die Kreditinstitute zahlreiche Dienstleistungen für ihre Kunden.

Die wichtigste Dienstleistung ist die Abwicklung des Zahlungsverkehrs im In- und Ausland. Außerdem vermitteln sie den An- und Verkauf von Wertpapieren, verwahren Wertpapiere und handeln mit Fremdwährungen, Münzen und Medaillen.

→ Lernen

SbX ID: 1021

1 Die Aufgaben der Kreditinstitute
[The tasks of financial institutions]

Sowohl Private und Unternehmen als auch der Staat sind manchmal Einleger von Geld und in anderen Fällen Kreditnehmer. Um zwischen vielen Einlegern und Kreditnehmern vermitteln zu können, wandeln die Kreditinstitute viele kleine Einlagen in große Kredite bzw. große Einlagen in viele kleine Kredite um bzw. vermitteln zwischen kurzfristigen und langfristigen Einlagen und Krediten. Außerdem übernehmen sie einen Teil des Risikos von Krediten oder Veranlagungen und beraten ihre Kunden.

Grafik
Aufgaben der Kreditinstitute

Die folgende Übersicht zeigt die wichtigsten Aufgaben der Kreditinstitute und stellt ihre Vermittlungsfunktion grafisch dar.

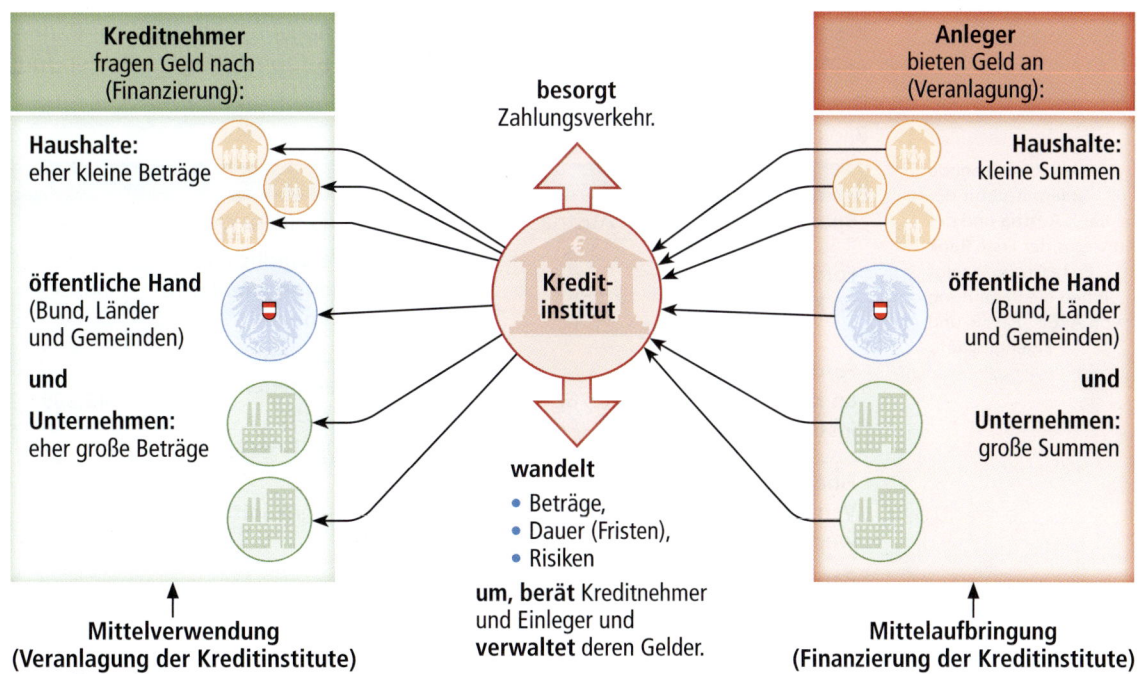

2 Die Geschäftsfelder der Kreditinstitute
[The business activities of financial institutions]

Die Kreditinstitute sind vor allem in den folgenden Geschäftsfeldern tätig:

Grafik: Geschäftsfelder der Kreditinstitute

GESCHÄFTSFELDER DER KREDITINSTITUTE

- **AKTIVGESCHÄFT**: Kreditgeschäft
- **PASSIVGESCHÄFT**: Einlagengeschäft
- **DIENSTLEISTUNGSGESCHÄFT**: Zahlungsverkehr; Vermittlung von Wertpapiergeschäften; Verwahrung von Wertpapieren; Handel mit Wertpapieren, Münzen und Fremdwährungen
- **EIGENGESCHÄFT**: selbständige Geschäfte auf dem Kapital- und Immobilienmarkt

oft verbunden mit Beratung und Information der Kunden

(1) Aktivgeschäft

Das Kreditgeschäft wird auch als Aktivgeschäft bezeichnet. Kredite stellen aus der Sicht der Banken Forderungen gegenüber Bankkunden dar. Sie sind daher auf der Aktivseite der Bilanz der Bank erfasst.

(2) Passivgeschäft

Das Einlagengeschäft wird auch als Passivgeschäft bezeichnet. Einlagen der Bankkunden sind Verbindlichkeiten der Bank gegenüber den Kunden. Sie sind daher auf der Passivseite der Bilanz der Bank erfasst.

(3) Das Eigengeschäft

Beim Eigengeschäft wird das Kreditinstitut nicht für seine Kunden tätig, sondern schließt für sich selbst Geschäfte ab. So versuchen Banken, die ihnen zur Verfügung gestellten Mittel ertragbringend am Geld- und Kapitalmarkt anzulegen bzw. die von ihnen gewährten Kredite – z. B. bei der Nationalbank – zu refinanzieren. Kreditinstitute sind auch auf dem Immobilienmarkt tätig.

Besonders ertragbringende Geschäfte sind in der Regel riskant, weshalb Banken einer Aufsicht unterliegen und gesetzliche Bestimmungen für ihre Kapitalanlage beachten müssen.

Die folgende Tabelle zeigt die typische Struktur einer Bankbilanz anhand der Bilanzzahlen von Bank Austria (2016) und Erste Group (2016):

Die nebenstehende Bilanzstruktur der Bank Austria und des Konzerns der Erste Bank („Erste Group") zeigt Ihnen die Bedeutung von Aktiv-, Passiv- und Eigengeschäft.

AKTIVA in Mio. Euro			PASSIVA in Mio. Euro		
Bilanzposition	Bank Austria	Erste Group	**Bilanzposition**	Bank Austria	Erste Group
Forderungen an Kunden	60.926	130.654	Verbindlichkeiten gegenüber Kunden	56.239	138.013
Forderungen an Kreditinstitute	20.762	3.469	Verbindlichkeiten gegenüber Kreditinstituten	13.939	14.631
Finanzielle Vermögenswerte[1]	15.791	19.886	Eigenkapital	7.892	18.893
Barreserve	165	18.353[2]			
Bilanzsumme	105.785	208.227	**Bilanzsumme**	105.785	208.227

[1] available for sale (zur Veräußerung verfügbar)   [2] Kassenbestand und Guthaben

Wie Sie sehen können, haben Kreditinstitute nur ein geringes Eigenkapital. Dies ergibt sich aus der Aufgabe der Banken, aus einer Vielzahl von Einlagen (= hohe Verbindlichkeiten gegenüber Kunden) eine Vielzahl von Krediten zu machen (= hohe Forderungen gegenüber Kunden).

Übungsbeispiel

Ü 1.05: Analyse der Bankbilanzen D

1. Berechnen Sie sowohl für die Bank Austria als auch für die Erste Group den prozentuellen Anteil

   a) der Forderungen gegenüber Kunden am Gesamtvermögen:

   b) der Forderungen gegenüber anderen Kreditinstituten am Gesamtvermögen:

2. Berechnen Sie außerdem den prozentuellen Anteil

   a) der Verbindlichkeiten gegenüber Kunden am Gesamtkapital:

   b) der Verbindlichkeiten gegenüber Kreditinstituten am Gesamtkapital:

   c) des Eigenkapitals am Gesamtkapital:

3. Vergleichen Sie die Bankbilanzen der Bank Austria und der Erste Group mit der nachstehenden typischen Bilanz eines Industriebetriebs und analysieren Sie, worin die wesentlichen Unterschiede liegen:

Industriebetriebs-AG			
Aktiva	(ca. %)	**Passiva**	(ca. %)
Anlagevermögen (Grundstücke, Gebäude, Maschinen)	40–95	**Eigenkapital** **Fremdkapital**	30–40 60–70
Umlaufvermögen (Vorräte, Forderungen, Bar- und Buchgeld)	5–60		

4. Überlegen Sie noch Folgendes: Eine gute Eigenkapitalausstattung bedeutet für ein Unternehmen, dass es auch im Falle eines Verlusts nicht sofort in seiner Existenz bedroht ist. Was bedeutet es für ein Kreditinstitut, wenn es die für ein Kreditinstitut typische Bilanzstruktur aufweist?

(4) Das Dienstleistungsgeschäft

Das Dienstleistungsgeschäft der Banken umfasst

- den Zahlungsverkehr mit dem In- und Ausland,
- die Vermittlung (Vermittlung von Wertpapiergeschäften, Betreuung der Ausgabe von Wertpapieren, das sind Anleihen und Aktien, das sogenannte Emissionsgeschäft),
- die Verwahrung (Wertpapierdepots, Schließfächer),
- den Handel (mit Wertpapieren, Fremdwährungen, Münzen).

(5) Ergänzende Hinweise zum Zahlungsverkehr

Das wichtigste Dienstleistungsgeschäft ist der Zahlungsverkehr. Er stellt die Basis für viele weitere Geschäftsbereiche dar. Jedes Unternehmen hat Konten und jeder Arbeitnehmer oder Pensionist erhält bargeldlos den Lohn, das Gehalt oder die Pension. Daraus ergeben sich zahlreiche ertragbringende Aktivgeschäfte (z. B. schon bei Kontoüberziehungen) bzw. Dienstleistungsgeschäfte (z. B. die Beschaffung und Verwahrung von Wertpapieren).

Die Einlagen auf **Girokonten** stellen für das Kreditinstitut eine günstige Mittelbeschaffung dar. Da die Kreditinstitute wissen, dass nicht die gesamten Mittel auf den Girokonten jederzeit verfügbar sein müssen, können sie einen Teil (den sogenannten **Bodensatz**) ertragbringend als Kredit vergeben. Andererseits ist der Zahlungsverkehr mit hohen Kosten verbunden. Die eingehobenen Gebühren sind nicht kostendeckend und Gebührenerhöhungen führen regelmäßig zu Kundenprotesten und sogar zu Klagen.

Um Kosten zu senken, schließen viele Banken Filialen. Österreich galt lange als „overbanked", weil es eine hohe Bankfilialdichte gab, die aber in den letzten Jahren immer mehr abgebaut worden ist. Dies ist auch darauf zurückzuführen, dass man für viele Bankgeschäfte nicht mehr persönlich in die Bank gehen muss, da man sie über die Websites der Banken im Internet erledigen kann.

Das ist praktisch für die Kunden, aber auch kostensparend für die Bank. Sie standardisiert und automatisiert daher möglichst viele Bankgeschäfte.

Die einzelnen Geschäftsbereiche der Kreditinstitute sind eng miteinander verbunden.

> Laut EU-Regelung müssen z. B. Auslandsüberweisungen innerhalb der EU zu den gleichen Kosten wie Inlandstransaktionen durchgeführt werden.
> Bei diesen sog. EU-Binnenüberweisungen wird – unter Angabe der IBAN – in Euro überwiesen.
> **SEPA** (Single Euro Payments Area) ist der einheitliche Euro-Zahlungsverkehrsraum.

Beispiele

Der Unternehmer Franciszek Lachowski eröffnet ein Konto und zahlt € 30.000,– ein.
Kontoführung → **Dienstleistung**
Einlage → **Passivgeschäft**

Lachowski vereinbart mit dem Kreditinstitut einen Kreditrahmen von € 50.000,– zur Abdeckung von kurzfristigen Liquiditätsengpässen und nützt den Kreditrahmen teilweise aus.
Ausnützung des Kreditrahmens → **Aktivgeschäft**

Lachowski beauftragt das Kreditinstitut, 15.000 Britische Pfund an einen Lieferanten in England zu überweisen.
Zahlungsverkehr → **Dienstleistung**
Verkauf Britischer Pfund → **Handel/Dienstleistung**

Lachowski beauftragt das Kreditinstitut, zulasten des Kreditrahmens Flughafenaktien um € 20.000,– zu kaufen.
Wertpapierankauf → **Dienstleistung**
Ausnützung des Kreditrahmens → **Aktivgeschäft**
Verwahrung der Wertpapiere → **Dienstleistung**

(6) Beratung und Information

Die Abwicklung der Bankgeschäfte wird von einer umfangreichen Beratungstätigkeit begleitet. Neben der Beratung im Rahmen der Aktiv-, Passiv- und Dienstleistungsgeschäfte stellen die Kreditinstitute ihren Kunden auch allgemeine Informationen zur Verfügung.

Beispiele

Informationen über
- die allgemeine Wirtschaftslage und die Entwicklung in den einzelnen Branchen
- die Kursentwicklung an der österreichischen Wertpapierbörse und an den internationalen Wertpapierbörsen
- ausländische Märkte (Entwicklungstendenzen, Usancen, Risiken)

Übungsbeispiel

Ü 1.06: Geschäfte der Kreditinstitute

Die Tullner Gärtnerei Huber eröffnet bei der Raiffeisenbank Tulln ein Konto und nimmt einen **Kredit von € 40.000,–** zur laufenden Finanzierung ihres Warenlagers auf. Alle **Zahlungen,** darunter auch **Zahlungen in das und aus dem Ausland,** werden über dieses Konto abgewickelt. Zur Aufbewahrung wichtiger Dokumente wird ein **Schließfach gemietet.** Der Firmeninhaber Huber eröffnet für seine beiden Kinder je ein **Sparbuch** und legt je **€ 1.000,–** ein. Zu Weihnachten erhält jeder Angestellte der Gärtnerei Huber eine **Goldmünze,** die bei der Raiffeisenbank **gekauft** wurde.

Bitte ordnen Sie die **fett gedruckten Aktivitäten** den Begriffen Aktiv-, Passiv-, Dienstleistungs- und Eigengeschäft bzw. Beratung und Information zu.

Aktivgeschäft	Kreditaufnahme
Passivgeschäft	Sparbuch
Dienstleistungsgeschäft	Zahlungen, Schließfach, Goldmünzen
Eigengeschäft	
Beratung und Information	

3 Die rechtlichen Grundlagen der Banken in Österreich
[The legal foundation of banking in Austria]

Banken sind **Unternehmer** im Sinn des **Unternehmensgesetzbuchs (UGB)**. Da sie jedoch im Rahmen des Einlagengeschäfts große Teile der liquiden Mittel der öffentlichen Hand, der privaten Unternehmen und der Haushalte verwalten, wurden **Sondergesetze** geschaffen, die die Sicherheit der Einlagen gewährleisten sollen.

Das Bankwesen wird durch folgende Gesetze geregelt:

- Bankwesengesetz (BWG)
- Investmentfondsgesetz (InvFG)
- Bausparkassengesetz (BSpG)
- Sparkassengesetz
- Hypothekenbankgesetz
- Pfandbriefgesetz
- Kapitalmarktgesetz
- Postsparkassengesetz

Das wichtigste Gesetz ist das Bankwesengesetz. Es enthält Bestimmungen über:

- **die Aufsicht und Kontrolle**

  Für den gesamten Finanzmarkt (Banken, Börsen, Versicherungen sowie Pensions- und Mitarbeiterkassen) gibt es eine gemeinsame Finanzmarktaufsicht. Es handelt sich dabei um eine verfassungsrechtlich verankerte, weisungsfreie Behörde, die u. a. Konzessionen erteilt und die Einhaltung gesetzlicher Vorgaben kontrolliert.

  In Österreich arbeiten die Oesterreichische Nationalbank (OeNB) und die Finanzmarktaufsicht (FMA) eng zusammen. Die OeNB prüft direkt in den österreichischen Banken vor Ort, ob sie das Bankwesengesetz einhalten. Falls Mängel entdeckt werden, wird die FMA informiert. Die Aufgabe der FMA besteht darin, die Bank über den Mangel aufzuklären und aufzufordern, ihn innerhalb einer bestimmten Frist zu beseitigen. Ansonsten muss die Bank mit einer Geldstrafe rechnen oder die FMA verbietet der Bank die unzulässigen Bankgeschäfte.

- **die Sicherung der Zahlungsbereitschaft der Kreditinstitute**

  Zum Beispiel kann die Finanzmarktaufsicht laut BWG vorschreiben,
  - welcher Prozentsatz der Einlagen in Form von Guthaben bei anderen Kreditinstituten oder in Form von Bargeld vorhanden sein muss **(Barreserve)**,
  - welches Verhältnis von Fremdkapital zu Eigenkapital nicht überschritten werden darf usw.

- **die Gliederung und Veröffentlichung der Rechnungsabschlüsse (Publizitätsvorschriften)**

- **Verbraucherschutzbestimmungen**

  Die Verbraucherschutzbestimmungen regeln z. B.,
  - ab wann Einlagen bzw. Kredite verzinst werden (Wertstellung oder Valutierung),
  - dass Effektivzinssätze bei Krediten anzugeben sind und wie sie berechnet werden müssen,
  - in welcher Form die Kreditkartenausgabe an Jugendliche beschränkt ist.

4 Wie sich Kreditinstitute finanzieren
[How financial institutions are financed]

Die folgende Grafik gibt Ihnen eine Übersicht darüber, wie Kreditinstitute ihr Kapital aufbringen:

Grafik
Kapitalaufbringung der Kreditinstitute

Eigenfinanzierung [Equity capital]

Das Eigenkapital setzt sich aus Kernkapital und Ergänzungskapital zusammen.

- **Kernkapital**

Das Kernkapital besteht aus dem einbezahlten Geschäftskapital und den einbehaltenen Gewinnen. Es kann z. B. durch die Ausgabe von eigenen Aktien aufgebracht werden.

- **Ergänzungskapital**

Da Kreditinstitute ein sehr geringes Eigenkapital haben, wurden einige Möglichkeiten entwickelt, das Eigenkapital zu stärken. Dazu zählen vor allem sogenannte nachrangige Darlehen oder nachrangige Anleihen. Das sind Darlehen oder Anleihen, die bei einem Konkurs oder Ausgleich erst nach der Erfüllung aller anderen Schuldverpflichtungen zurückgezahlt werden.
Das Ergänzungskapital darf nicht größer sein als das Kernkapital.

Fremdfinanzierung [Debt capital]

Die Fremdfinanzierung besteht aus Einlagen der Kunden, der Ausgabe von eigenen Schuldverschreibungen und aus Krediten anderer Kreditinstitute.

Einlagen der Kunden [Deposits by customers]

Der weitaus überwiegende Teil der Fremdfinanzierung besteht aus Einlagen der Kunden.

Die Einleger überlassen den Banken ihr Geld aus zwei Gründen:
- Überschüssige Gelder sollen sicher und gewinnbringend angelegt werden.
- Die überlassenen Gelder sollen der Durchführung des Zahlungsverkehrs dienen.

Die Bilanzen der Bank Austria und der Erste Group auf Seite 8 geben Ihnen einen Überblick über die verschiedenen Anteile des Fremdkapitals.

(1) Sichteinlagen

Sichteinlagen sind **täglich fällige Gelder,** die in erster Linie dem **Zahlungsverkehr** dienen. Es handelt sich um Guthaben auf Girokonten, über die der Kontoinhaber/Kunde jederzeit verfügen kann. (Vergleichen Sie jedoch den Hinweis auf den sogenannten „Bodensatz" auf Seite 10 unter „Ergänzende Hinweise zum Zahlungsverkehr".)

Die **Verzinsung** der Sichteinlagen kann **schwanken** und ist derzeit sehr niedrig. Nur einige Direktbanken (Onlinebanken) bieten auch bei täglicher Fälligkeit etwas höhere Zinsen.

Wenn Sie selbst ein Girokonto eröffnen wollen, ist es wichtig, dass Sie die **Angebote** von verschiedenen Kreditinstituten **vergleichen**. Es gibt nicht nur **Unterschiede** in der **Verzinsung** des Guthabens auf dem Konto, sondern auch bei den **Kosten** für die Überziehung des Kontos und für die Kontoführung. Bei manchen Konten gibt es Bankkarten ohne Zusatzkosten, bei manchen fallen Gebühren für die Karten an.

(2) Termineinlagen

Termingelder dienen überwiegend der **Anlage von größeren,** runden **Geldbeträgen,** die der Einleger vorübergehend nicht benötigt. Der Zinssatz hängt einerseits von der Marktlage, andererseits von der vereinbarten Dauer der Veranlagung ab.

Üblicherweise hat der Kunde bei Termineinlagen keinen Rechtsanspruch auf vorzeitige Behebung; in der Regel ist es jedoch möglich, gegen einen Zinsabzug auch vor Ende der Laufzeit abzuheben.

Man unterscheidet:

- **Festgeld:** Das Geld wird für eine vorher festgelegte Einlagedauer gebunden (Laufzeit üblicherweise zwischen 1 und 60 Monaten frei wählbar).
- **Kündigungsgeld:** Das Geld wird angelegt und steht erst nach vorheriger Kündigung (unter Einhaltung einer vereinbarten Kündigungsfrist) zur Verfügung.

    Die Verzinsung hängt in beiden Fällen von der Marktlage, der Höhe der Einlage und vom Verhandlungsgeschick des Kunden ab.

- **Kassenobligationen:** Es handelt sich um Wertpapiere des Geldmarkts mit einer Laufzeit von 1 bis 5 Jahren, die ebenfalls eine höhere Verzinsung aufweisen als Sichteinlagen.

    Der Staat gibt Bundesschatzscheine mit Laufzeiten von einem Monat bis zu 10 Jahren aus (nähere Informationen finden Sie unter **www.bundesschatz.at**).

(3) Spareinlagen

Spareinlagen dienen nicht dem Zahlungsverkehr, sondern der **Veranlagung**. Die gebräuchlichste Form des Sparens ist derzeit noch das Sparbuch (das ist genau genommen eine Sparurkunde). Immer häufiger werden Sparkonten angeboten, die so wie ein Sparbuch dem Sparen dienen, bei denen jedoch statt eines Sparbuchs eine Bankkarte ausgehändigt wird. Ein Sparkonto ist für die Bank leichter zu verwalten.

- **täglich fällige Spareinlagen**

    Die Verzinsung dieser Spareinlagen erfolgt zu einem sehr niedrigen Zinssatz. Er unterscheidet sich bei den meisten Banken nur geringfügig.

- **Spareinlagen mit fixer Laufzeit bzw. mit vereinbarter Kündigungsfrist**

    Wie bei den Sichteinlagen werden auch Spareinlagen mit fixen Laufzeiten bzw. mit einer vereinbarten Kündigungsfrist angeboten. Will der Kunde früher über sein Geld verfügen, werden sogenannte Vorschusszinsen verrechnet (derzeit 1 Promille pro vollen Monat).

- **Verzinsung von Spareinlagen**

    Die Verzinsung von täglich fälligen Spareinlagen und von Spareinlagen mit fixer Laufzeit variiert ständig. Zahlreiche Institute bieten ein sogenanntes „Direktsparen" an, d. h. ein Sparen auf Konten, auf die nur mit Electronic Banking zugegriffen werden kann. Der Begriff „Sparen" ist daher mehrdeutig.

- **Ansparformen (Gewinnsparen, Vorsorgesparen etc.)**

    Diese Sparformen dienen dazu, über regelmäßige – zumeist monatliche – Einzahlungen in der vereinbarten Laufzeit einen Betrag anzusparen. Hebt man vorzeitig ab, werden geringere Zinsen verrechnet.

- **rechtliche Rahmenbedingungen für Sparbücher**

    Bei der Eröffnung eines Sparbuchs gilt, wie bei jedem Konto, Legitimationszwang, d. h., durch einen Lichtbildausweis wird die Identität des Eröffners überprüft. Zur besonderen Sicherung kann ein Losungswort angegeben werden, das dann bei Abhebungen genannt werden muss. Eine Abhebung von Sparbüchern ist nur durch den Inhaber möglich, welcher sich legitimieren („ausweisen") muss. Im Todesfall gibt die Bank den Sparbucheigentümer jenem Notar bekannt, der für die Erbschaftsabwicklung zuständig ist.

Viele Österreicher/innen sparen in Form eines **Bausparvertrags,** weil die Sparbeträge durch staatliche Prämien erhöht werden. In den letzten Jahren ist diese Prämie allerdings deutlich gesunken. Ein Bausparvertrag wird zwar oft durch ein Kreditinstitut vermittelt, gespart wird aber bei einer Bausparkasse. Für viele Menschen ist es attraktiv, dass sie aufgrund des festgelegten Sparplans nach einem überschaubaren Zeitraum mit fixen Erträgen rechnen können und dazu noch die Möglichkeit haben, zu günstigen Konditionen einen Kredit aufzunehmen (z. B. fürs Hausbauen).

(4) Die Einlagensicherung

Spareinlagen sind aufgrund der Bestimmungen zur Einlagensicherung sehr sicher. So gibt es eine Haftung durch die Sicherungseinrichtungen der Banken (ab 2019 durch einen Fonds bei der WKO) für Einlagen von privaten Bankkunden und von juristischen Personen bis zu einer Höhe von 100.000 Euro pro Bank und Einleger/in. Hat man mehr als 100.000 Euro zum Sparen zur Verfügung, macht es Sinn, das Ersparte auf mehrere Banken zu verteilen. So kann man von der Einlagensicherung optimal profitieren.

(5) Die Ausgabe eigener Schuldverschreibungen

Kreditinstitute können eigene Anleihen (das sind festverzinsliche Wertpapiere) zur Mittelbeschaffung ausgeben.

(6) Kredite von anderen Kreditinstituten (Hinweis)

Diese Kredite stellen bei den kreditgewährenden Banken Aktivgeschäfte dar.

5 Wie Kreditinstitute ihre Mittel verwenden
[How financial institutions use the funds available]

Das Kreditgeschäft [Lending activities]

Kredite können an Private (**Privatkredit**), Unternehmen (**Kommerzkredit**), andere **Banken** sowie an die **öffentliche Hand** (Bund, Länder und Gemeinden) vergeben werden. Das Kreditinstitut erwirtschaftet aus dem Kreditgeschäft Zinserträge und Einnahmen aus Gebühren.

(1) Grundsätze des Kreditgeschäfts

Bei der Vergabe von Krediten müssen Kreditinstitute vor allem auf folgende Grundsätze achten:
- **Sicherheit:** Der Kredit muss sicher zurückgezahlt werden.
- **Einbringlichkeit:** Die geforderten Rückzahlungsraten müssen realistisch sein.
- **Risikostreuung:** Risikoreichen Krediten müssen viele relativ risikoarme Kredite gegenüberstehen.

(2) Die Kreditrisiken

Bei den Krediten treten folgende Risiken auf:

- **Dubiosenrisiko** (Risiko, dass der Kredit nicht zurückgezahlt wird)

Die Kreditinstitute versuchen, dieses Risiko durch die Kreditprüfung bei der Kreditgewährung, durch Kreditsicherheiten und durch laufende Kreditkontrollen zu verringern, vgl. Punkt (3).

- **Risiko des steigenden Zinssatzes**

Steigt der Marktzinssatz über die vertraglich vereinbarte Verzinsung, würden die Banken Verluste erleiden. In den meisten Verträgen wird daher vereinbart, dass der Zinssatz der Marktlage angepasst werden kann (**Zinsgleitklausel**).

- **Geldwertrisiko** (Risiko, dass der Geldwert fällt)

Dieses Risiko trifft die Kreditinstitute nicht, da sie Kredite mit Einlagen finanzieren. Das Geldwertrisiko trifft daher die Einleger.

- **Valutarisiko** (Risiko bei Krediten in fremder Währung)

Fällt der Wechselkurs (z. B. bei Krediten in Dollar oder Yen), so erhält das Kreditinstitut weniger Euro zurück, als es hergeborgt hat.

(3) Die Kreditprüfung

Bevor ein Kredit gewährt wird, überprüft das Kreditinstitut, ob der Kreditnehmer den Kredit zurückzahlen kann und will. Durch diese **Kreditprüfung** soll das **Dubiosenrisiko** möglichst klein gehalten werden. Die Kreditprüfung beginnt meist mit einem Kreditgespräch. Kleinere Kredite werden allerdings auch über das Internet abgewickelt. Beispiele finden Sie über eine Suchmaschine im Internet, Stichwort: „Kreditantrag online".

Im nächsten Kapitel wird die Kreditprüfung aus Sicht des Unternehmens, das einen Kredit aufnehmen will, behandelt.

(4) Der Kreditvertrag

Ergibt die Kreditprüfung, dass der Kreditnehmer mit hoher Wahrscheinlichkeit in der Lage sein wird, den Kredit zurückzuzahlen, wird ein Kreditvertrag abgeschlossen. Im Kreditvertrag vereinbaren der Kreditgeber (z. B. die Bank) und der Kreditnehmer:

- die **Höhe** des Kreditbetrags und die **Währung,** in der der Kredit aufgenommen wird
- in welcher **Form** der Kreditbetrag zur Verfügung steht: **einmalig (Darlehen)** oder **laufend** zur wiederholten Ausnutzung („roulierend", als **Kontokorrentkredit**)
- die **Laufzeit** des Kredits
- die Art der Rückzahlung **(Tilgung)** des Kredits, z. B. in monatlichen oder jährlichen Raten

  Ist die **Ratenhöhe gleichbleibend,** spricht man auch von **Annuitäten.** Diese Annuitäten enthalten zu Beginn der Laufzeit einen höheren Zinsanteil (wegen des noch hohen Kreditbetrags) und einen geringeren Tilgungsanteil als zum Ende der Laufzeit.

- die Höhe der Zinsen in Form eines Zinssatzes **(Sollzinssatz)** und die **Höhe zusätzlicher Kosten** (z. B. Gebühren)

  Das **Verbraucherkreditgesetz** sieht vor, dass bei Krediten an Private alle Kreditkosten (Sollzinsen und zusätzliche Kosten) ebenfalls als Zinssatz angegeben werden müssen. Angegeben wird die **Effektivverzinsung** des Kredits.

- wie der Kredit **besichert** wird

  Auch wenn die Kreditprüfung ergeben hat, dass der Kreditnehmer eine ausreichend gute Bonität hat und daher als kreditwürdig gilt, wird die Bank Sicherheiten verlangen, z. B. durch das Pfandrecht auf ein Grundstück (Hypothek) oder die Bürgschaft von Personen.

- **Kündigungsbedingungen** für den Kredit

(5) Vorschriften zur Kreditkontrolle

Bankwesengesetz (BWG)

Das BWG sieht vor, dass bei Krediten über € 70.000,– die „wirtschaftlichen Verhältnisse des Kreditwerbers offengelegt werden müssen". Das heißt, es muss zumindest eine Prüfung der gegenwärtigen Vermögenslage (Verschuldungsgrad etc.) erfolgen.

Selbstverständlich wird man vor allem bei Großkrediten die Entwicklung der wirtschaftlichen Verhältnisse des Schuldners laufend überprüfen, um Gefahren rechtzeitig erkennen zu können (zumindest jährliche Einreichung des Jahresabschlusses und jährlicher Soll-Ist-Vergleich im Finanzplan).

> Die **Einschätzung der Bonität** erfolgt durch Kennzahlensysteme. Die wichtigsten **Kennzahlen** sind
> - der Eigenkapitalanteil,
> - die Entschuldungsdauer,
> - die Gesamtkapitalrentabilität und
> - das Verhältnis von Cashflow zu Umsatz.

Basel III

Die Bank für internationale Zahlungen (BIZ) in Basel hat bereits 1974 einen „Ausschuss für Bankenaufsicht" eingerichtet, der Richtlinien für eine bessere Kreditkontrolle durch die Banken erarbeitet. Die endgültige Fassung dieser Richtlinien ist unter der Kurzbezeichnung Basel III bekannt. Sie gilt in Österreich seit 1. 1. 2014. Für die Banken gelten Übergangsregelungen bis 2019, um sich das benötigte Kapital beschaffen zu können.

Die wesentliche Regel besagt, dass die Banken umso mehr Eigenkapital aufweisen müssen, je risikoreicher die Kredite sind, die sie vergeben. Man spricht von der **Eigenkapitalunterlegung der Kredite.**

Da Eigenkapital in der Regel teurer ist als die Kosten für die Einlagen, sind auch risikoreichere Kredite teurer als risikoärmere.

Die Bestimmungen sehen konkret Folgendes vor:

- Neudefinition des Eigenkapitals **(Tier 1)**
  Bis 2018 soll eine Kernkapitalquote von 7 % erreicht werden.
- Einführung von Kapitalpuffern (Rücklagen von Eigenmitteln):
  Mit den zusätzlich vorgesehenen Kapitalpuffern werden dann zwischen 10,5 % und 13 % Eigenkapital ausgewiesen.
- Einführung neuer Liquiditätsstandards
- Einführung einer Verschuldungsgrenze (Leverage-Ratio)

> **Tier,** englisch, heißt Rang oder Stufe. Es handelt sich um eine Bankkennzahl, die Auskunft über das Kernkapital einer Bank gibt.

Diese Bestimmungen sind eine Weiterentwicklung des Abkommens Basel II, in dem festgelegt wird, wie viel Eigenkapital die Bank bei unterschiedlicher Bonität des Schuldners für die Kreditvergabe hinterlegen muss.

Z. B. muss bei einer hohen Bonität **(Rating AAA bis AA-)** 1,6 % der Kreditsumme in Eigenkapital hinterlegt werden; hat das Unternehmen nur eine durchschnittliche bis schlechte Bonität **(Rating BBB+ bis BB-)**, dann müssen 8 % Eigenkapital unterlegt werden. Wenn Kreditnehmer Sicherheiten für die Kredite stellen, genügen eventuell geringere Eigenkapitalunterlegungen.

Bei der Beurteilung der Bonität spielt das sogenannte Rating eine besondere Rolle. Rating bedeutet „Bewertung", im Finanzwesen nehmen Ratingagenturen oder Kreditinstitute Ratings vor, um zu einer Beurteilung der Bonität zu kommen.

(6) Die Rolle von Ratingagenturen

Beurteilt eine Ratingagentur die Bonität eines Schuldners, wird auch von einem **externen Rating** gesprochen. Die bekanntesten international agierenden Ratingagenturen sind Moody's, Standard & Poor's und Fitch, sie decken den überwiegenden Teil des weltweiten Ratingmarkts ab. Ihr Rating basiert auf ihrer Einschätzung der Ausfallswahrscheinlichkeit eines Kredits. Die höchste Bonität ist ein AAA („Triple A"), eine schlechte Bonität kommt durch C oder D zum Ausdruck. Abstufungen der Bonität werden durch Zahlen (z. B. A1, A2 etc.) oder +/– als Zusatz (z. B. A+) angegeben.

Das **interne Rating** funktioniert nach derselben Logik, hier führt die Bank die Prüfung der Bonität eines Kreditwerbers durch.

Das Eigengeschäft der Kreditinstitute
[Trading on own account by financial institutions]

Kreditinstitute legen auch selbst Mittel kurz- und langfristig an.

(1) Geldanlagegeschäfte (kurzfristig, ca. bis zu einem Jahr)

Alle auf dem Finanzmarkt tätigen Institutionen, wie z. B. Kreditinstitute, Versicherungen oder auch Bund, Länder und Gemeinden, haben oft kurzfristigen Liquiditätsbedarf oder -überschuss. Damit der kurzfristige Geldbedarf durch kurzfristige Liquiditätsüberschüsse gedeckt werden kann, wurden folgende Anlageformen entwickelt:

- **Taggeld** ist Geld, das zu besonderen Zeitpunkten – z. B. am Monats- oder Jahresende (Ultimogeld) bzw. zu Steuerterminen – für einen Tag überlassen wird.
- **Tägliches Geld** hat keinen festen Rückzahlungstermin, sondern wird 24 Stunden, bevor es benötigt wird, durch den Anleger gekündigt. Übliche Laufzeiten sind 2 Tage bis 3 Wochen.
- **Termingeld** wird am Ende der vereinbarten Laufzeit (meistens 1, 3 oder 6 Monate) ohne Kündigung zurückgezahlt.

(2) Kapitalanlagegeschäfte (längerfristig, über ein Jahr)

Die längerfristige Veranlagung erfolgt in Wertpapieren (Kapitel 4 beschäftigt sich ausführlich mit diesen Instrumenten) und in Immobilien.

Lerneinheit 2: Die Geschäfte der Kreditinstitute

Üben – Anwenden

Ü 1.07: Funktionen der Kreditinstitute B

Herr Maier hat € 20.000,– gespart und will sie zinsbringend anlegen. Warum trägt er diese € 20.000,– zu einem Kreditinstitut? Er könnte doch selbst einen Kreditnehmer suchen und wahrscheinlich höhere Zinsen erzielen.

Ü 1.08: Geschäftsbereiche der Kreditinstitute C

Geben Sie bei den folgenden Fällen an, welchem Geschäftsfeld (Aktivgeschäft, Passivgeschäft, Eigengeschäft, Dienstleistungsgeschäft, Information und Beratung) die angeführten Aktivitäten zuzuordnen sind (Mehrfachzuordnungen sind möglich).

Die Einzelunternehmerin Frau Karlberger betreibt einen Webshop für asiatische Textilien.

a) Frau Karlberger eröffnet bei der Raiffeisenbank ein Girokonto und zahlt € 15.000,– ein.
   Betroffene Geschäftsbereiche des Kreditinstituts:

b) Frau Karlberger überweist an ihren indischen Lieferanten USD 24.000,– und überzieht ihr Konto.
   Betroffene Geschäftsbereiche des Kreditinstituts:

c) Käufer überweisen Frau Karlberger im August insgesamt € 35.000,–.
   Betroffene Geschäftsbereiche des Kreditinstituts:

d) Frau Karlberger informiert sich über die vermutliche Kursentwicklung der indischen Rupie.
   Betroffene Geschäftsbereiche des Kreditinstituts:

Zusatzfrage:
Welche Geschäftsbereiche sind im folgenden Fall betroffen:
Die Raiffeisenbank erwirbt ein größeres Baugrundstück, um eine neue Filiale zu errichten.
Betroffener Geschäftsbereich des Kreditinstituts:

Ü 1.09: Erhebungsaufgaben C

a) Informieren Sie sich bei verschiedenen Kreditinstituten bzw. im Internet über die aktuelle Verzinsung von Girokonten, Fest- und Kündigungsgeldern sowie Sparprodukten. Vergleichen Sie die angebotenen Verzinsungen unter Berücksichtigung der Bindungsdauer und der Höhe der Einlage.

b) Erkundigen Sie sich, wie die Kreditinstitute der Legitimationspflicht bei der Eröffnung von Onlinekonten im Internet nachkommen.

Ü 1.10: Einlagensicherung C

Angenommen, die Bank, bei der Sie eine Spareinlage in der Höhe von € 20.000,– haben, wird zahlungsunfähig. Welche Aussage ist richtig?

a) ☐ Es gibt eine Einlagensicherung pro Sparer für Einlagen bis zu einer Höhe von € 20.000,–, daher gilt die Einlage als gesichert.

b) ☐ Es gibt eine Einlagensicherung für Spareinlagen bis zu einer Höhe von € 100.000,–, daher ist die Einlage gesichert.

c) ☐ Das Geld ist verloren, denn weder der österreichische Staat noch die Banken haften seit der letzten Finanzkrise für Spareinlagen, weil das zu riskant wäre.

d) ☐ Es kommt darauf an, wie hoch mein sonstiges Erspartes ist, denn die Einlagensicherung gilt nur für Kleinanleger, aber nicht für Menschen, die insgesamt mehr als € 100.000,– gespart haben.

Ü 1.11: Kreditkonditionen C

Herr Berger will eine neue Kücheneinrichtung kaufen. Er benötigt dafür ca. € 8.000,–. Herr Berger vergleicht die Angebote eines Kreditinstituts, eines privaten Kreditbüros und des Händlers. Die Kreditlaufzeit beträgt generell 24 Monate.

- Das Kreditinstitut berechnet 4,5 % kontokorrentmäßige Zinsen und 2 % Bearbeitungsgebühr. Zinsen und Gebühren werden auf die Raten aufgeschlagen.
- Das Kreditbüro berechnet 0,3 % aufschlagsmäßige Zinsen pro Monat und 3 % Bearbeitungsgebühr. Die Gebühren werden sofort vom Auszahlungsbetrag abgezogen.
- Das Möbelhaus offeriert „zinsenfreie Teilzahlung" und stellt nur eine Bearbeitungsgebühr von 2 % in Rechnung, die auf die Kreditraten aufgeschlagen wird (Mindestanzahlung lt. KSchG € 1.600,–).

Bei näherer Befragung erfährt Herr Berger allerdings, dass das Möbelhaus bei Barzahlung 2 % Skonto und kostenlose Zu- und Aufstellung gewährt. In seinem Fall berechnet das Möbelhaus für Zustellung und Montage 6 % (€ 480,–).

a) Welchen Kredit soll Herr Berger wählen?
b) Welche Informationen wird vermutlich jeder Kreditgeber von Herrn Berger verlangen?
c) Wodurch ist der Kredit gesichert? Welche zusätzlichen Sicherheiten könnten die Kreditgeber eventuell verlangen?
d) Ist das Kreditinstitut verpflichtet, den Effektivzinssatz anzugeben?

Sichern

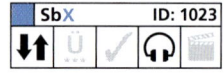

Aufgaben der Kreditinstitute	Kreditinstitute vermitteln zwischen Kreditnehmern und Anlegern. Sowohl Haushalte und Betriebe als auch die öffentliche Hand wollen Geld anlegen und/oder Kredite aufnehmen. Die Kreditinstitute wandeln dabei viele kleine Einlagen in große Kredite und große Veranlagungen in kleine Kredite um und vermitteln zwischen kurzfristigen und langfristigen Einlagen und Krediten.
tasks of financial institutions	Financial institutions act as agents between borrowers and investors. Both households and businesses, but also the state want to invest money and/or borrow money. Financial institutions transform many small deposits into large loans and transform large deposits into smaller loans. They also bridge the gap between short- and long-term deposits and loans.
Geschäfte der Kreditinstitute	Die Geschäfte der Kreditinstitute sind das Aktivgeschäft, das Passivgeschäft, das Eigengeschäft und das Dienstleistungsgeschäft. Zum Dienstleistungsgeschäft gehört auch der Zahlungsverkehr. Alle diese Geschäfte sind mit Beratung und Information der Kunden verbunden.
the business activities of financial institutions	The business activities of financial institutions consist of lending, deposit taking, acting on their own account and providing other services. Providing methods of payment is an important element of the other services. Advising and informing their customers are part of all of these activities.
rechtliche Vorschriften	Kreditinstitute unterliegen dem UGB und zahlreichen Sondervorschriften (Bankwesengesetz, Sparkassengesetz etc.). Diese sollen vor allem die Einlagen sichern. Ferner gelten bei Kreditinstituten Sonderbestimmungen für den Verbraucherschutz.
	Die Kreditinstitute werden durch die Finanzmarktaufsicht (FMA) in Zusammenarbeit mit der OeNB kontrolliert.
legal requirements	Financial institutions are subject to the requirements of the Austrian Commercial Code (UGB) and various other special requirements (Banking Act, Savings Bank Act, etc.). The main aim of these laws is to safeguard deposits. In addition, there are special requirements of financial institutions in relation to consumer protection.
	Financial institutions are accountable to the Financial Market Supervision Authority (FMA) together with the Austrian National Bank (OeNB).

Lerneinheit 2: Die Geschäfte der Kreditinstitute

Eigenfinanzierung der Kreditinstitute	Die Eigenfinanzierung setzt sich zusammen aus: ● Kernkapital: Es besteht aus dem einbezahlten Geschäftskapital und den einbehaltenen Gewinnen. ● Ergänzungskapital: Es besteht aus nachrangigen Darlehen und nachrangigen Anleihen.
equity capital of financial institutions	*The equity capital comprises:* ● *core capital: this consists of paid-up share capital and retained profits* ● *supplementary capital: this consists of subordinate loans and subordinate bonds*
Fremdfinanzierung durch Einlagen	Die Fremdfinanzierung besteht aus: ● Sichteinlagen: Das sind täglich fällige Gelder, die dem Zahlungsverkehr dienen. ● Termineinlagen: Sie sind für eine bestimmte Frist gebunden oder haben eine Kündigungsfrist. ● Kassenobligationen: Das sind Wertpapiere des Geldmarkts mit Laufzeiten zwischen einem und fünf Jahren. ● Spareinlagen: Sie dienen nicht dem Zahlungsverkehr, sondern der Veranlagung. Die Verzinsung ist nach Bindungsdauer und manchmal auch nach Betragshöhe gestaffelt. Bei der Eröffnung eines Sparbuchs muss man sich legitimieren, d.h. ausweisen. Von Sparbüchern kann nur der Inhaber abheben. Er muss sich bei jeder Abhebung legitimieren.
debt capital from deposits	*The debt capital comprises:* ● *sight deposits: can be withdrawn at any time and are used to support the payments system* ● *time deposits: cannot be withdrawn until a stated time has expired or there is a period of notice* ● *medium-term bonds: these are securities with a maturity of between one and five years* ● *savings deposits: these do not serve as means of payment, but as investments. The interest rate depends on the term of the deposit and sometimes also on the amount deposited. To open a savings account the applicant must provide identification. Only the account holder can withdraw money from a savings account. Identification must be provided for every withdrawal.*
andere Formen der Fremdfinanzierung	Andere Formen der Fremdfinanzierung sind: ● Ausgabe von eigenen Anleihen ● Kredite anderer Kreditinstitute
other forms of debt capital	*Other forms of debt capital are:* ● *issuing bank bonds* ● *loans from other financial institutions*
Mittelverwendung der Kreditinstitute	Kreditinstitute verwenden ihre Mittel für das Kreditgeschäft und für das Eigengeschäft.
how financial institutions use their funds	*Financial institutions use their funds to give loans and to trade on their own account.*
Kreditgeschäfte	Kredite können an Private (Privatkredit), Unternehmen (Kommerzkredit), andere Banken sowie an die öffentliche Hand (Bund, Länder und Gemeinden) vergeben werden. Das Kreditinstitut erwirtschaftet dadurch Zinserträge und Einnahmen aus Gebühren. Privatkredite werden auch von Privatgeldvermittlern und Kreditbüros vergeben. Die Konditionen sind hier in der Regel für den Kreditnehmer weniger günstig.
lending activities	*Loans can be given to private persons (personal loans), businesses (commercial loans), to other banks and to government bodies (national, provincial or local authorities). By doing so, the financial institution earns interest and fee revenues.* *Private lending institutions and credit agencies also offer personal loans. The conditions offered by these private lenders are generally less favourable for the borrower.*

Kreditrisiken

Folgende Risiken sind zu unterscheiden:
- Dubiosenrisiko: Risiko, dass der Kredit nicht zurückgezahlt wird. Das Dubiosenrisiko wird durch Sicherheiten und durch die Kreditprüfung verringert.
- Risiko des steigenden Zinssatzes: Es wird durch Zinsgleitklauseln verringert, d.h., der Zinssatz kann an die Marktlage angepasst werden.
- Geldwertrisiko: Dieses Risiko trifft das Kreditinstitut nicht, da es die Kredite durch Einlagen finanziert. Das Geldwertrisiko trifft daher die Einleger (Sparer).
- Valutarisiko: Bei Krediten in fremder Währung besteht die Gefahr, dass der Wechselkurs gegenüber dem Euro fällt und daher weniger Euro zurückgezahlt werden als ausgeborgt wurden.

credit risk

It is important to differentiate between the following risks:
- risk of default: the risk that the loan will not be repaid. The risk of default can be reduced by requiring security and by credit checks.
- risk of a rise in the interest rate: this can be reduced by using an escalation clause, i.e. the interest rate can be adjusted to the current market level.
- risk of inflation: this risk is not borne by the financial institution, because it finances loans through deposits. The inflation risk is borne by the depositor (the saver).
- risk of exchange rate fluctuations: with loans in foreign currencies, there is the risk that the exchange rate will fall against the euro, and that therefore the amount repaid will be worth less in euros than the amount that was originally borrowed.

Eigengeschäft

Beim Eigengeschäft legen Kreditinstitute Mittel selbst kurz- oder langfristig an:
- Geldanlagegeschäfte sind Taggeld, tägliches Geld, Termingeld.
- Kapitalanlagegeschäfte erfolgen durch den Erwerb von Wertpapieren über die Börse.
- Ferner sind die Kreditinstitute am Immobilienmarkt tätig.

trading on own account

Financial institutions also invest their funds short or long term:
- Money market activities are deposits in the overnight market, sight deposits and time deposits.
- Capital market activities take the form of acquiring securities at the stock exchange.
- In addition, financial institutions are active in the real estate or property markets.

SbX ID: 1023

Im SbX finden Sie eine Audio-Wiederholung der englischen Beiträge sowie eine Bildschirmpräsentation mit den Grafiken dieser Lerneinheit.

W 1.04: Geschäfte der Kreditinstitute A

Welche Geschäfte führen die Kreditinstitute durch?

W 1.05: Gesetzliche Grundlagen der Kreditinstitute B

Warum werden die Geschäfte der Kreditinstitute durch eine große Zahl von Spezialgesetzen geregelt?

W 1.06: Geschäftsfelder der Kreditinstitute, Zusammenhang B

Nennen Sie Beispiele für die Verbindung von Aktiv-, Passiv- und Dienstleistungsgeschäft.

W 1.07: Geschäftsbereiche der Kreditinstitute [B]

Sind die folgenden Aussagen richtig oder falsch? Stellen Sie falsche Aussagen richtig!

a) Kreditinstitute geben die Einlagen ihrer Kunden etwa mit der gleichen Bindungsfrist als Kredit weiter, mit der sie die Einlagen hereingenommen haben.
  ☐ Richtig ☐ Falsch, richtig ist:

b) Die Hereinnahme von Einlagen bezeichnet man als Passivgeschäft.
  ☐ Richtig ☐ Falsch, richtig ist:

c) Die wichtigste Einnahmequelle der Kreditinstitute ist das Dienstleistungsgeschäft.
  ☐ Richtig ☐ Falsch, richtig ist:

d) Kreditinstitute unterliegen nicht dem UGB, sondern einer Anzahl von Spezialgesetzen, wie z. B. dem Bankwesengesetz.
  ☐ Richtig ☐ Falsch, richtig ist:

W 1.08: Eigenkapital der Kreditinstitute [B]

Warum haben Kreditinstitute im Vergleich zu anderen Unternehmen ein so geringes Eigenkapital?

W 1.09: Bindungsfrist von Einlagen [B]

Warum können Kreditinstitute auch mit einem Teil der Sichteinlagen längerfristige Kredite gewähren?

W 1.10: Sparbücher, Eröffnung, Weitergabe [A]

a) Kann man Sparbücher anonym eröffnen?

b) Kann man Sparbücher anonym weitergeben?

W 1.11: Einlagensicherung [A]

Ein Bankberater behauptet, der österreichische Staat hafte unbeschränkt für Giro- und Spareinlagen von Privatpersonen. Ist das richtig?

W 1.12: Mittelaufbringung der Kreditinstitute [A]

Welche Möglichkeiten der Mittelaufbringung haben Kreditinstitute?

W 1.13: Mittelaufbringung der Kreditinstitute [B]

Sind die folgenden Aussagen richtig oder falsch? Stellen Sie falsche Aussagen richtig!

a) Kreditinstitute haben meist ein Eigenkapital von weniger als 10 %.
  ☐ Richtig ☐ Falsch, richtig ist:

b) Nur das Kernkapital der Kreditinstitute haftet im Insolvenzfall.
  ☐ Richtig ☐ Falsch, richtig ist:

c) Einlagen auf Girokonten werden heute nur sehr gering (⅛–½ Prozent) verzinst.
  ☐ Richtig ☐ Falsch, richtig ist:

d) Die Verzinsung von Einlagen hängt von der Bindungsdauer und auch von der Betragshöhe ab.
  ☐ Richtig ☐ Falsch, richtig ist:

W 1.14: Kreditrisiko [B]

Welchen Risiken sind Kreditinstitute bei der Vergabe von Krediten ausgesetzt? Wie versuchen sie, diese Risiken zu vermindern oder auszuschalten?

English questions

E 1.03: In the following cases, state what type of business it represents from the bank's point of view:

a) A private person has put money into an account with the bank with the intention of making more money.
b) The bank has asked for money in return for a security of three years.
c) A private person has given the bank money but can withdraw it at any time.
d) A private person has given the bank a large sum of money and has agreed not to withdraw it for two years.

E 1.04: Explain how the following can affect the lending business of a bank:

a) inflation
b) risk of default
c) foreign currency
d) interest rates

Ein kurzer Kompetenz-Check, bevor's weitergeht!

Kompetenz-Check

	☺	😐	☹
Ich kann die Aufgaben der Kreditinstitute erläutern.			
Ich kann die Geschäftsfelder der Kreditinstitute voneinander abgrenzen, dafür Beispiele geben und die jeweiligen Hauptaktivitäten charakterisieren.			
Ich kann erklären, warum die Kreditinstitute besonderen rechtlichen Vorschriften unterliegen.			
Ich kann die wichtigsten gesetzlichen Vorschriften für die Kreditinstitute nennen.			
Ich kann die unterschiedlichen Bereiche der Kapitalaufbringung der Kreditinstitute beschreiben und voneinander abgrenzen.			
Ich kann Kern- und Ergänzungskapital unterscheiden und den Unterschied erklären.			
Ich kann die unterschiedlichen Einlagengeschäfte und deren Bedeutung beschreiben.			
Ich kann die aktuelle Verzinsung von Einlagen mit unterschiedlicher Bindungsfrist im Internet recherchieren.			
Ich kann erklären, was ein Kredit ist und welche Arten von Krediten es gibt.			
Ich kann die unterschiedlichen Kreditrisiken erklären.			
Ich kann die verschiedenen Kreditgeschäfte der Banken unterscheiden und beschreiben.			
Ich kann die Effektivverzinsung bei kurzfristigen Krediten von Privatgeldvermittlern und Kreditbüros näherungsweise ermitteln.			
Ich kann die Eigengeschäfte der Kreditinstitute beschreiben.			

Lerneinheit 3
Versicherungsbetriebe

SbX
Alle SbX-Inhalte zu dieser Lerneinheit finden Sie unter der ID: 1030.

Laura stellt gewerblich Pizzas zu. Sie verwendet einen Roller mit einem kleinen Anhänger. Ein Autofahrer fährt sie an. Der Roller hat einen Totalschaden, Laura hat ein gebrochenes Bein. Sie wird sechs Wochen nicht arbeiten können und erleidet einen Verdienstausfall. Der Autofahrer behauptet, Laura sei an dem Unfall schuld, sie hätte den Vorrang missachtet. Die Frage wird vermutlich erst vor Gericht geklärt. Ein Rechtsanwalt kostet viel Geld.

Das Beispiel zeigt, dass jeder Mensch von Gefahren („Risiken") bedroht ist. Die Gefahren richten sich gegen Leben und Gesundheit und gegen das Privat- und das Betriebsvermögen. Versicherungen helfen, die Folgen von Schäden finanziell abzufedern. Ein Teil der Risiken, denen Menschen ausgesetzt sind, werden durch Pflichtversicherungen abgedeckt (z. B. durch die Krankenversicherung und die Arbeitslosenversicherung). Für andere Risiken muss jeder selbst vorsorgen, indem er zum Beispiel eine Privatversicherung abschließt.

Lernen

SbX ID: 1031

1 Risiko und Risikopolitik [Risk and risk policy]

Einzelpersonen und Unternehmen versuchen, sich vor Gefahren zu schützen. Alle Maßnahmen, die dazu dienen, sich gegen Gefahren zu schützen, werden als **Risikopolitik** bezeichnet.

Grafik
Risikopolitische Maßnahmen

RISIKOPOLITISCHE MASSNAHMEN

- Risiko vermeiden und vermindern
- Risiko teilen und ausgleichen
- Risiko abwälzen
- für den Schadensfall finanziell vorsorgen

Auch Feuerlöscher dienen der Risikoverminderung.

● **Risikovermeidung und Risikoverminderung**

Selbstverständlich ist es in gewissen Grenzen möglich, Gefahren auszuweichen bzw. die Gefahr zu vermindern.

Beispiele

Errichtung unfallsicherer Arbeitsplätze

Vorsorgeuntersuchungen, um Krankheiten vorzubeugen

Alarmanlagen als Diebstahlschutz

automatische Sprinkleranlagen als Brandschutz

● Risiko teilen und Risiko ausgleichen

Das Risiko kann im wirtschaftlichen Bereich auch geteilt bzw. verteilt werden.

Beispiele

Mehrere Unternehmen schließen sich zur Ausführung eines risikoreichen Exportauftrags zusammen (Risikoteilung im engeren Sinn).

Ein Unternehmen exportiert nicht nur in ein Land außerhalb der Eurozone, sondern in mehrere Länder, um z. B. das Wechselkursrisiko zu verringern (Risikoverteilung).

Ein Kreditinstitut vergibt nicht nur wenige große, sondern viele kleine Kredite (z. B. Personalkredite). Dadurch kommt es nicht nur zu einer Risikoverteilung, sondern auch zu einem Risikoausgleich. Da nur wenige Kredite dubios werden, gleichen sich die Gefahren aus.

Ob eine Risikoabwälzung auf die Vertragspartner möglich ist, hängt von der wirtschaftlichen Stärke der Partner und auch von den rechtlichen Vorschriften ab.

● Risikoabwälzung

In manchen Fällen ist es möglich, das Risiko auf den Vertragspartner abzuwälzen.

Beispiele

Es wird vertraglich eine Verkürzung der Garantiefrist vereinbart (soweit dies gesetzlich zulässig ist).

Es wird vereinbart, dass alle Kostensteigerungen während eines Bauvorhabens zulasten der Baufirma gehen.

Im Rechnungswesen haben Sie gelernt, dass die Bildung von Rückstellungen im UGB und im Steuerrecht unterschiedlich geregelt ist.

● finanzielle Vorsorge

Schließlich kann man für den Fall des Schadenseintritts finanziell vorsorgen.

Beispiele

Sparen im privaten Haushalt für Krankheitsfälle, Feuerschäden etc.

Bilden von allgemeinen Rücklagen (durch Nichtausschüttung der Gewinne) im Unternehmen

Bilden von Rückstellungen für drohende Gefahren

Übungsbeispiel

Ü 1.12: Risikopolitische Maßnahmen C

Eine österreichische Maschinenfabrik exportiert ca. 90 % ihrer Produktion. Welchen Risiken ist diese Maschinenfabrik ausgesetzt, welche Maßnahmen, außer sich gegen die Risiken zu versichern, kann sie treffen?

2 Risikopolitik und Versicherung
[Risk policy and insurance]

Um sich im Schadensfall zumindest finanziell vor bösen Folgen zu schützen, kann man sich gegen die finanziellen Folgen eines Schadenseintritts (z. B. Krankheit, Unfall, notwendige Reparatur) versichern.

Grafik
Risikoabwälzung auf die Versicherung

Der Versicherungsnehmer wälzt die möglichen finanziellen Folgen einer Gefahr auf die Versicherung ab.

(1) Das Prinzip von Versicherungen

Um Gefahren versichern zu können, müssen verschiedene Voraussetzungen gegeben sein:

- **Viele sind von der gleichen Art von Risiko bedroht (sie bilden eine „Gefahrengemeinschaft").**

  Möglichst viele Personen, Haushalte oder Unternehmen sind von gleichartigen Gefahren bedroht und versuchen, den Folgen eines Schadensfalls durch eine Versicherung zu entgehen.

  Beispiel: Alle Besitzer von Einfamilienhäusern sind von der Feuergefahr bedroht. Sie können ihre Häuser gegen Feuer versichern lassen.

- **Die Häufigkeit des Auftretens und die Höhe des Risikos müssen schätzbar sein.**

  Beispiel: Die Versicherung kann aus den Zahlen vergangener Jahre berechnen, wie viele Brände bei 10 000 oder bei 100 000 Feuerversicherungen aufgetreten sind und wie hoch der durchschnittliche Schaden war. Aus diesen Zahlen ermittelt die Versicherung, wie hoch der Beitrag (die Prämie) des Einzelnen sein muss, um die jährlichen Schäden (und die Verwaltungskosten sowie den Gewinn der Versicherung) zu decken.

Die Risikoteilung erfolgt oft in Form der „Rückversicherung", d. h., die Versicherung gibt einen Teil des Risikos an eine Rückversicherung weiter.

Das Beispiel der Feuergefahr für Einfamilienhäuser zeigt auf, wie das Prinzip der Versicherung funktioniert. Für den einzelnen Hausbesitzer ist ein Brandschaden eine erhebliche finanzielle Belastung. Die Versicherung kann die finanziellen Folgen leichter tragen, weil sie gewerbsmäßig einen **Risikoausgleich**, eine **Risikoteilung** und eine **Risikoverteilung** vornimmt.

- **Risikoausgleich:** Im Rahmen der vielen gleichartigen Risiken (z. B. der Brandgefahr bei 10 000 versicherten Einfamilienhäusern) gleicht sich für die Versicherung das Risiko aus, da jährlich nur sehr wenige Häuser von Bränden betroffen sind.
- **Risikoteilung:** Große Risiken (z. B. Risiken aus dem Absturz von Verkehrsflugzeugen, Risiken aus dem Öltransport mit Tankschiffen etc.) werden meist nicht von einer Versicherung, sondern von mehreren Versicherungen gemeinsam getragen.
- **Risikoverteilung:** Die Versicherungsgesellschaften betreiben ihre Geschäfte meist in mehreren Sparten (z. B. Feuerversicherung, Einbruch- und Diebstahlversicherung, Unfallversicherung), sodass ein schlechter Schadensverlauf in einer Versicherungssparte durch einen besseren Verlauf in einer anderen Sparte ausgeglichen werden kann.

(2) Die wirtschaftliche Bedeutung der Versicherung

- **Die Versicherung wandelt Risiko in Kosten um.**

  An die Stelle der schwer messbaren Gefahren, die Haushalte und Unternehmen bedrohen, treten die genau kalkulierbaren Kosten der Versicherung. Risiken werden daher auch für Unternehmen leichter kalkulierbar, da die Versicherungsprämie bekannt ist.

- **Die Kreditwürdigkeit wird verbessert.**

  Vor allem bei Personengesellschaften und bei Einzelunternehmen hängt die Sicherheit von Krediten häufig von der Arbeitsfähigkeit der Gesellschafter ab. Durch den Abschluss von Lebensversicherungen ist es auch diesen Unternehmungen möglich, ihre Kreditfähigkeit zu erweitern.

  Auch Private müssen oft bei längerfristigen Krediten eine Lebensversicherung abschließen.

  Die Reserven der Versicherungen im Bereich der Lebensversicherung sind besonders groß, weil bei diesen in der Regel sehr lange Vertragslaufzeiten (z. B. 25 Jahre) vereinbart werden und die Versicherungsleistung in vielen Fällen erst am Ende der Vertragsdauer zu leisten ist.

- **Die Versicherungen sind ein wesentlicher Faktor auf dem Geld- und Kapitalmarkt.**

  Aus gesetzlichen Gründen und aus betriebswirtschaftlichen Überlegungen müssen die Versicherungsgesellschaften umfangreiche Reserven für zukünftige Schadensfälle halten. Die Versicherungen sind daher wichtige Kapitalsammelstellen und bedeutende Anbieter auf dem Geld- und Kapitalmarkt.

Die folgende Grafik zeigt, aus welchen Versicherungsarten die österreichischen Versicherungen im Jahr 2016 Versicherungsprämien eingenommen haben (in %) und wie sie diese Mittel angelegt haben:

Grafik
Prämieneinnahmen und Kapitalanlagen der Versicherungswirtschaft

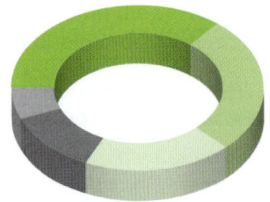

Gesamtprämien – Spartenanteile

- 35,9 % Leben
- 27,1 % Schaden
- 18,8 % Kfz
- 12,0 % Kranken
- 6,2 % Unfall

Quelle: VVOa

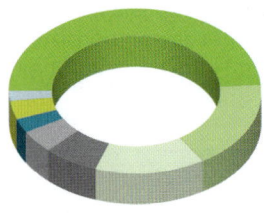

Kapitalanlagen – Prozentanteile

- 48,9 % Schuldverschreibungen
- 17,4 % Kapitalanlagefonds (Renten)
- 14,2 % Beteiligungen, Aktien, Partizipationsscheine etc.
- 6,9 % Immobilieninvestments
- 4,4 % Darlehen und Vorauszahlungen auf Polizzen
- 2,8 % Guthaben bei Kreditinstituten und Kassenbestände
- 3,7 % Werte der „Öffnungsklausel" u. sonst nicht zuordenbare Werte
- 1,7 % Sonstige Vermögenswerte

Quelle: FMA

Quelle: http://www.vvo.at/vvo/vvo.nsf/sysPages/xC868461B0574D03EC125811B0039F44F/$file/VVO_JB_2016_komplett.pdf

Die drei größten Versicherungen in Österreich sind: Wiener Städtische, Generali Versicherung und UNIQA Versicherung.

Übungsbeispiel

Ü 1.13: Prämieneinnahmen der Versicherungssparten A

Welche drei Versicherungsarten bringen den Versicherungen die höchsten Prämieneinnahmen? Welche drei Veranlagungsarten wählen die Versicherungen zur Anlage ihrer Mittel? Wie beurteilen Sie diese im Hinblick auf ihr Risiko?

3 Individualversicherung und Sozialversicherung
[Individual insurance and social insurance]

Die Idee der Versicherung beruht darauf, dass sich die Gefährdeten **freiwillig** zu einer Gefahrengemeinschaft zusammenschließen. Im Versicherungsvertrag werden die Rechte und Pflichten zwischen Versicherern und Versicherungsnehmern vereinbart.

Einen Überblick über die Leistungen der Sozialversicherung gibt die Website der Österreichischen Sozialversicherung: www.sozialversicherung.at

Es zeigte sich jedoch, dass Versicherungen in größerem Ausmaß von den wirtschaftlich Stärkeren in Anspruch genommen wurden und dass die wirtschaftlich Schwachen meist ohne Versicherungsschutz blieben. Dies führte zur **Einführung der Sozialversicherung.**

In Österreich sind fast 99 % der Bevölkerung sozialversichert. In den USA haben 15 % der Bevölkerung nicht einmal eine Krankenversicherung.

Es gibt folgende wichtige Unterschiede zwischen Individual- und Sozialversicherung:

Übersicht
Unterschiede zwischen Individual- und Sozialversicherung

Unterschiede zwischen Individual- und Sozialversicherung	
Individualversicherung	Sozialversicherung
• Vertragsabschluss freiwillig (Ausnahme: Pflichtversicherungen wie Kfz-Haftpflicht) • Beitrag je nach Risikohöhe • Leistungen individuell vereinbar • Prämie des Versicherungsnehmers soll alle Kosten decken • im Privatrecht geregelt	• entsteht kraft Gesetzes (freiwillige Weiterversicherung möglich) • Beitrag nach sozialen Grundsätzen • Leistungen nicht individuell vereinbar • Arbeitgeber und Arbeitnehmer zahlen Beiträge, Staat leistet Zuschüsse • im öffentlichen Recht geregelt

Beispiele

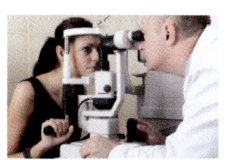

Zu den Leistungen der Krankenversicherung gehören z. B. auch notwendige regelmäßige Untersuchungen der Augen.

Eine private Krankenversicherung kann abgeschlossen werden, sie **muss** jedoch **nicht** abgeschlossen werden. Die Prämie hängt davon ab,
- wie alt der/die Versicherte bei Vertragsabschluss ist,
- welche Leistungen er/sie im Krankheitsfall wünscht (z. B. nur Spitalskosten oder auch Ersatz von Arztkosten bei Behandlungen außerhalb des Spitals).

Die Leistungen können individuell vereinbart werden.
Bei der Krankenversicherung im Rahmen der Sozialversicherung herrscht Versicherungspflicht. Die Beiträge hängen im Wesentlichen von der Lohnhöhe ab. Wer ein höheres Einkommen hat, zahlt höhere Beiträge (bis zur Höchstbeitragsgrundlage von € 4.980,– pro Monat – Wert 2017). Die Leistungen sind jedoch für alle Versicherungsnehmer gleich. Sie hängen nicht von der Beitragshöhe ab und können nicht individuell vereinbart werden.

Vor allem die Pensionsversicherungen benötigen hohe staatliche Zuschüsse.

Der Risikoausgleich im Rahmen der Sozialversicherung ist somit nicht nur ein rechnerischer (**versicherungstechnischer**) Ausgleich, sondern auch ein **sozialer Ausgleich**. Der soziale Charakter der Sozialversicherung zeigt sich auch darin, dass viele Zweige der Sozialversicherung nicht mit den Beiträgen ihr Auslangen finden, sondern zusätzliche staatliche Mittel beanspruchen.

Übungsbeispiel

Ü 1.14: Erhebungs- und Diskussionsaufgabe D

In manchen Ländern besteht ab einer bestimmten Einkommenshöhe keine Pflichtversicherung zur Krankenversicherung, sondern nur eine Versicherungspflicht. Das heißt, der Staatsbürger muss zwar eine Krankenversicherung nachweisen, kann sich diese jedoch aus dem privaten Angebot auswählen.

Überlegen Sie, welche Vor- und Nachteile ein derartiges System hat.

4 Der Versicherungsvertrag [The contract of insurance]

Die folgenden Ausführungen betreffen **nur die Individualversicherung**.

(1) Die Beteiligten

Grafik
Die Beteiligten am Versicherungsvertrag

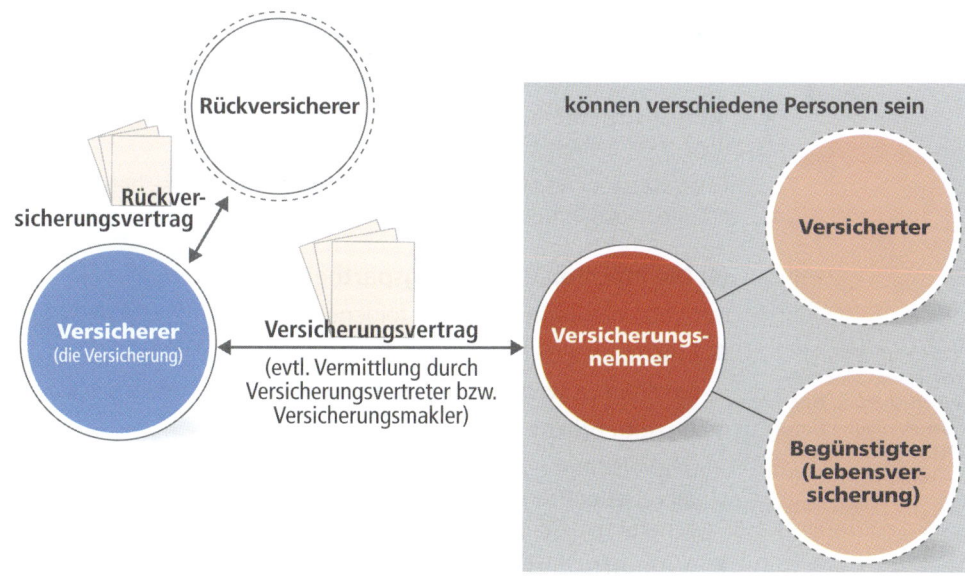

> Im Internet gibt es viele Versicherungsangebote. Eine Checkliste, wie Sie sich in diesem Angebot orientieren können, finden Sie unter: **www.arbeiterkammer.com** (Suchbegriff: Versicherungen).

- **Versicherer:** trägt das Risiko, erhält die Prämie, leistet im Versicherungsfall
- **Versicherungsnehmer:** schließt den Versicherungsvertrag mit dem Versicherer ab, schuldet die Prämie
- **Versicherter:** bekommt die Versicherungsleistung. Dies muss nicht der Versicherungsnehmer selbst sein (z. B. Vater schließt Haushaltsversicherung für die Wohnung seines Sohnes ab – der Vater ist Versicherungsnehmer, der Sohn der Versicherte).
- **Begünstigter:** An einer Lebensversicherung können sogar drei Personen beteiligt sein. Der Begünstigte erhält die Versicherungssumme beim Ableben des Versicherten. Der Versicherungsnehmer schließt die Versicherung ab und zahlt die Prämien.
- **freiberuflicher Versicherungsmakler oder Versicherungsvertreter:** Diese können bei der Vermittlung des Vertrags dazwischengeschaltet werden.
  - Makler vermitteln Versicherungsverträge für alle Versicherungen.
  - Versicherungsvertreter sind meist freiberuflich für eine bestimmte Versicherung tätig.
- **Rückversicherer:** Die Versicherungsgesellschaft kann einen Teil des Risikos an andere Versicherungen weitergeben.

Der Versicherungsvertrag kommt wie jeder Vertrag durch **Antrag und Annahme** zustande.

(2) Der Antrag (des Versicherungsnehmers)

In der Regel wird der Antrag schriftlich auf einem Antragsformular oder elektronisch gestellt.

Das Antragsformular enthält die Vertragsbedingungen und zusätzlich Fragen, die für die Berechnung der Prämie wichtig sind.

Der Antragsteller (der Kunde der Versicherungsgesellschaft) ist für eine bestimmte Zeit an diesen Antrag gebunden. Diese Frist ist je nach Versicherungssparte verschieden. Innerhalb dieser Frist muss der Versicherer (die Versicherungsgesellschaft) erklären, ob er den Antrag annimmt oder nicht.

> Die Urkunde über den Vertrag zwischen Versicherer und Versicherungsnehmer wird auch **Polizze** genannt.

(3) Die Annahme des Antrags (durch die Versicherung)

Die Annahme des Antrags erfolgt in der Regel durch die Zusendung (bzw. persönliche Aushändigung) der Versicherungspolizze.

Meist besteht die Möglichkeit, dem Antragsteller schon vor Aushändigung der Polizze eine vorläufige Deckungszusage zu erteilen. Dies ist vor allem dann erforderlich, wenn weitere Handlungen davon abhängen, ob es einen Versicherungsschutz gibt.

Beispiele

Die Anmeldung eines Kraftfahrzeugs setzt den Abschluss einer Haftpflichtversicherung voraus.

Bei manchen Krediten wird der Abschluss einer Lebensversicherung verlangt.

Grundsätzlich beginnt die Leistungspflicht des Versicherers erst mit der Zahlung der ersten Prämie. Ausnahmen sind in den allgemeinen Versicherungsbedingungen geregelt.

(4) Die Pflichten der Vertragspartner

Der Versicherungsnehmer hat folgende Pflichten:

- **Pflicht zur Prämienzahlung**

  Die Prämien werden meist zu Beginn des Versicherungszeitraums im Vorhinein eingehoben.

> Viele Versicherungsnehmer erteilen der Versicherung eine Genehmigung zum Lastschrifteinzug, um keine Termine zu versäumen.

- **Anzeigepflicht**

  Der Versicherungsnehmer muss jede Änderung des Risikos bekanntgeben (z. B. Ausbau eines versicherten Hauses). Der Versicherungsnehmer muss jeden Versicherungsfall sofort der Versicherung melden.

- **Auskunftspflicht**

  Der Versicherungsnehmer muss bei Eintritt eines Versicherungsfalls der Versicherung alle Auskünfte geben, die zur Feststellung der Schadenshöhe und zur Klärung der Anspruchsberechtigung erforderlich sind.

- **Mitteilungspflicht**

  Der Versicherungsnehmer ist verpflichtet, Mitteilung zu machen, wenn er das gleiche Risiko bei verschiedenen Versicherungsgesellschaften mehrmals versichert hat (z. B. wenn er zwei Feuerversicherungen für das gleiche Gebäude abgeschlossen hat).

- **Rettungspflicht**

  Der Versicherungsnehmer muss im Schadensfall dafür sorgen, dass der Schaden möglichst klein bleibt (z. B. Sicherstellung eines Unfallautos, um eine weitere Beschädigung oder einen Diebstahl des Wracks zu vermeiden; rechtzeitige Verständigung der Feuerwehr im Brandfall).

Die Versicherung ist verpflichtet, die Versicherungsleistung im vertraglichen Umfang zu erbringen. Sie ist von der Leistung befreit, wenn

- zum Zeitpunkt des Schadensfalls die Erstprämie noch nicht bezahlt wurde,
- der Schaden vom Versicherungsnehmer vorsätzlich herbeigeführt wurde (wenn er z. B. mit seinem Auto absichtlich gegen einen Baum fährt, um die Versicherungssumme zu erhalten),
- der Versicherungsnehmer den Eintritt eines Schadens durch seine Handlungsweise in Kauf genommen hat (z. B. einen Brand nicht löscht).

Verursacht der Besitzer eines Hauses absichtlich einen Brand und/oder unterlässt er es, den Brand zu löschen oder für das Löschen zu sorgen, muss die Versicherung nicht für den Schaden aufkommen.

5 Die Versicherungsaufsicht [Insurance supervision]

Der Schutz der Versicherten hängt davon ab, ob bei den Versicherungsgesellschaften geordnete wirtschaftliche Verhältnisse herrschen.

Vor allem muss darauf geachtet werden, dass ausreichende Reserven (Rückstellungen) für zukünftige Schadensfälle zur Verfügung stehen und dass diese Reserven sicher angelegt werden.

Die Versicherungen unterliegen daher in Österreich einer Kontrolle durch eine unabhängige Behörde, die Finanzmarktaufsicht (vgl. dazu Seite 11).

Näheres zur Finanzmarktaufsicht finden Sie unter **www.fma.gv.at.**

Geregelt und überwacht werden:

- Zulassung neuer Versicherungsunternehmen
- Rechtsform (Zugelassen sind nur Aktiengesellschaften und Versicherungsvereine auf Gegenseitigkeit.)
- Vermögensanlage (welche Anlageformen für die Reserven zu wählen sind)
- Einhaltung der Versicherungsbedingungen etc.

Übungsbeispiel

Ü 1.15: Kfz-Haftpflichtversicherung B

Sie erwerben ein Auto und schließen eine neue Kfz-Haftpflichtversicherung ab. Ab wann beginnt der Versicherungsschutz?

a) ☐ mit dem Kauf des Autos
b) ☐ mit dem Abschluss der Versicherung
c) ☐ mit der Einzahlung der Versicherungsprämie
d) ☐ mit der ersten Ausfahrt

6 Das Angebot der Versicherungen [What insurers offer]

Grafik
Versicherungszweige und Versicherungsarten

VERSICHERUNGSZWEIGE UND VERSICHERUNGSARTEN

VERMÖGENS-VERSICHERUNG
– Sachversicherung
– Versicherung von Rechten
– Aufwandversicherung
– Versicherung gegen Ertragsentgang

PERSONEN-VERSICHERUNG
– Krankenversicherung
– Unfallversicherung
– Lebensversicherung (inkl. Pensionsversicherung)

In welchem Ausmaß ein Schaden durch die Versicherung gedeckt wird, ist eine Frage der Versicherungsform.

Vermögensversicherung [Insurance of assets]

(1) Die Sachversicherung

Versichert werden Schäden an Sachgütern aller Art. Grundsätzlich sind nur jene Risiken gedeckt, die ausdrücklich im Einzelnen aufgezählt werden.

Beispiele

Feuerversicherung
Leitungswasserschaden-Versicherung
Sturmschadenversicherung
Glasbruchversicherung
Einbruch- und Diebstahlversicherung
Fahrzeugversicherung (Kaskoversicherung gegen Diebstahl, Brand, Unfallschäden aller Art am eigenen Fahrzeug)
Maschinenversicherung

Die **Maschinenversicherung** bietet Schutz gegen Schäden verschiedenster Art, wie Bruch infolge von Konstruktionsmängeln oder Materialfehlern, Ungeschicklichkeit bei der Bedienung, Beschädigung durch Frost, Fahrlässigkeit oder Böswilligkeit etc.

Eine spezielle Form der Sachversicherung ist die Transportversicherung.

Bei der Transportversicherung sind alle mit dem Transport verbundenen Gefahren gedeckt, wenn sie nicht ausdrücklich ausgeschlossen wurden.

Das Angebot der **Kreditversicherer** geht meist über die bloße Versicherungsleistung weit hinaus (vgl. z. B. www.coface.at).

(2) Die Versicherung von Rechten

Hierzu zählt in erster Linie die Kreditversicherung (Versicherung von Warenkrediten im Inland, Exportkreditversicherung, Versicherung von Finanzkrediten).

(3) Versicherung gegen drohende Aufwendungen (Aufwandversicherungen)

Zu diesen Versicherungsarten zählt vor allem die Haftpflichtversicherung. Versichert sind jene Schäden, für die der Versicherte aus gesetzlichen Gründen haftet. Am meisten verbreitet ist die:

- **Kraftfahrzeughaftpflichtversicherung**

  Sie deckt Schäden, die anderen durch das Kraftfahrzeug zugefügt werden. Sie ist eine **Pflichtversicherung:** Ein Kraftfahrzeug wird nur dann zum Verkehr zugelassen, wenn eine Kraftfahrzeughaftpflichtversicherung abgeschlossen wurde.

Das Bonus-Malus-System in der Kraftfahrzeughaftpflichtversicherung

Für Pkw gilt in der Kfz-Haftpflichtversicherung das **Bonus-Malus-System**. Jeder Versicherungsvertrag beginnt in Stufe 9 (vgl. die Tabelle unten). Muss die Versicherung im Beobachtungszeitraum (z. B. 1. Oktober bis 30. September) keinen Schaden bezahlen, kommt man in den **Bonus**: Es ist im nächsten Jahr nur mehr eine um eine Bonusstufe verringerte Prämie zu bezahlen. Wird ein Schaden bezahlt, rutscht man in den **Malus**: Die Prämie erhöht sich im nächsten Jahr um 3 Stufen. Der Versicherungsnehmer kann jedoch die Schadenssumme an die Versicherung überweisen und erhält dann weiterhin den Bonus. Dies kann bei kleineren Schäden für den Versicherungsnehmer günstiger sein.

Beispiel

Da das Bonus-Malus-System nicht mehr gesetzlich geregelt ist, treten immer mehr Abweichungen zwischen den einzelnen Versicherungsgesellschaften auf.

Zum Beispiel bieten manche Versicherungen beim Vertragsabschluss einen **Freischaden** an. Manche bieten in Bonusstufe 0 eine Prämie von 45 % und bieten darunter weitere drei Sonderbonusstufen an etc. (vgl. z. B. **www.durchblicker.at**).

Bonus-Malus-Tabelle

Prämienstufe		Jahresprämie in % der Tarifprämie
0		50
1		50
2		60
3		60
4	Bonus	70
5		70
6		80
7		80
8		100
9	Grundstufe	100
10		120
11		120
12		140
13		140
14	Malus	170
15		170
16		200
17		200

Übungsbeispiel

Ü 1.16: Bonus-Malus-System C

Herr Müller verursacht mit seinem Pkw einen Schaden von € 800,–. Er überlegt, ob er den Malus in Kauf nehmen oder den Schaden selbst begleichen soll. Berechnen Sie die Mehrkosten für die Versicherung für die nächsten fünf Jahre für folgende Fälle (verwenden Sie dazu die Bonus-Malus-Tabelle):

a) Herr Müller ist in der Prämienstufe 2 und zahlt derzeit € 540,– pro Jahr.

b) Herr Müller ist in der Prämienstufe 10 und zahlt derzeit € 1.080,– pro Jahr.

Zusatzfragen:
Was müsste man für eine Vorausberechnung für mehrere Jahre eigentlich noch berücksichtigen? Wird die Berechnung genau stimmen?

Weitere Beispiele für Haftpflichtversicherungen sind:

- **Haftpflichtversicherung im Rahmen der Haushaltsversicherung** (z. B. für Schäden, die durch Kinder verursacht werden)
- **Sporthaftpflichtversicherung** (z. B. für Schäden, die ein Schifahrer beim Schifahren verursacht)
- **berufliche Haftpflichtversicherungen** (z. B. für Architekten, Wirtschaftsprüfer)

Zu den Aufwandversicherungen zählt auch die

- **Rechtsschutzversicherung**

  Sie übernimmt Aufwände bei Schadenersatzstreitigkeiten (z. B. bei Versicherungsstreitigkeiten bei Kfz-Unfällen), bei Mietstreitigkeiten, bei Strafverfahren (jedoch nicht bei vorsätzlichen Straftaten).

▶ Lernen ◯ Üben ◯ Sichern ◯ Wissen

Deckungsumfang

Wie bei allen Versicherungen ist auch bei Aufwandversicherungen der Deckungsumfang genau zu kontrollieren. Viele Streitigkeiten mit Versicherungen entstehen, weil dem Versicherten die Vertragsbedingungen unklar waren.

Beispiele

Gilt die Rechtsschutzversicherung nur für Streitigkeiten aus Kfz-Unfällen oder auch für Mietstreitigkeiten? Gilt sie auch für die Miete einer Zweitwohnung?

Gilt die Haushaltshaftpflicht auch für volljährige Kinder, die im Haushalt leben?

(4) Versicherung gegen Ertragsentgang

Gedeckt werden Schäden aus dem teilweisen oder vollständigen Ausfall des Einkommens. Diese Versicherung wird meist im Zusammenhang mit anderen Versicherungsarten abgeschlossen.

Beispiele

Chômage (französisch) = Arbeitslosigkeit bzw. in übertragener Bedeutung (bei Unternehmen) Betriebsunterbrechung, Produktionsstillstand

Versicherung des imaginären Gewinns in der Seeversicherung: Bei der Seeversicherung wird häufig ein Zuschlag für den Gewinnentgang mitversichert, der durch den Verlust oder die Beschädigung des transportierten Guts entsteht.

Versicherung des entgangenen Gewinns bei der Betriebsunterbrechungsversicherung (Chômage-Versicherung): Eine Betriebsunterbrechungsversicherung wird meist im Rahmen einer Feuerversicherung abgeschlossen. Sie deckt die Aufwände des Betriebs, die diesem trotz der Betriebsstilllegung infolge des Brandschadens weiterhin erwachsen (z. B. Löhne für die Mitarbeiter). Ein entsprechender Anteil für den entgangenen Gewinn kann mitversichert werden. Für Ein-Personen- oder Kleinstunternehmen kann eine Betriebsunterbrechungsversicherung auch für einen krankheits- oder unfallbedingten Betriebsstillstand abgeschlossen werden.

(5) Bündelversicherung

Bestimmte Versicherungsarten werden von Versicherungsgesellschaften zu **Bündelversicherungen** zusammengefasst. Für diese Bündel werden gegenüber dem Einzelvertrag erhebliche Prämienermäßigungen gegeben.

Beispiele

Betriebsbündelversicherung (umfasst z. B. Versicherungen gegen Feuer, Betriebsunterbrechung, Einbruch und Diebstahl, Glasbruch, Leitungswasserschäden)

Eigenheimbündelversicherung (umfasst Versicherungen gegen Feuer, Blitzschaden, Sturmschaden, Leitungswasserschaden, Glasbruch, Diebstahl samt Vandalismus, Haftpflichtversicherungen)

Eigenheimbündelversicherungen bieten umfassenden Risikoschutz.

Die Personenversicherung [Insurance of persons]

Personenversicherungen sind immer Zusatzversicherungen zur gesetzlichen Sozialversicherung!

(1) Krankenversicherung

Versichert werden können:
- Aufwände, die durch eine Krankheit entstehen (Heilkosten, wie Arzthonorare, Kosten der Medikamente, Operationskosten und Krankenhauskosten)
- entgangenes Einkommen in Form von **Taggeld** (Der Versicherte erhält für jeden Krankheitstag einen festgesetzten Betrag.)

(2) Unfallversicherung

Wie bei der Krankenversicherung können versichert werden:
- Heilkosten, einschließlich Krankenhauskosten
- entgangenes Einkommen in Form von Taggeld

Zusätzlich erstreckt sich die Unfallversicherung
- auf die Zahlung bestimmter Summen oder einer monatlichen Rente für den Fall dauernder Invalidität,
- auf die Zahlung bestimmter Summen oder einer monatlichen Rente an die Hinterbliebenen im Todesfall.

Eine Unfallversicherung ist vor allem für **Freizeitunfälle** wichtig, da die Sozialversicherung zwar die Krankenhauskosten, aber keine zusätzlichen Kosten bei Freizeitunfällen abdeckt (z. B. für eine Rente bei Invalidität oder eine Rente an die Hinterbliebenen).

(3) Lebensversicherung

Die Versicherung lautet auf die Zahlung einer bestimmten Summe oder einer monatlichen Rente im Falle des

- Ablebens (Ablebensversicherung),
- Erreichens eines bestimmten Alters (meist 65 Jahre – Erlebensversicherung),
- Ablaufs der Versicherungsdauer (z. B. nach 15 oder 20 Jahren).

Meist werden bei der Lebensversicherung Erlebens- und Ablebensversicherung kombiniert.

Beispiele

Bei Krediten wird aus Kostengründen oft nur das Ableben während der Kreditdauer versichert.

Die Versicherungssumme wird ausbezahlt,
- wenn der Versicherte seinen 65. Geburtstag erlebt oder zum Zeitpunkt seines vorher eingetretenen Todes.
- wenn der Versicherte während der Vertragsdauer stirbt oder wenn er das Ende der Vertragsdauer (z. B. 15 Jahre) erlebt.

7 Versicherungsformen [Types of insurance]

Durch die Versicherungsform wird festgelegt, **in welchem Ausmaß ein Schaden** durch die Versicherung **gedeckt** ist. Schaden und Entschädigung müssen nicht gleich hoch sein.

Beispiel

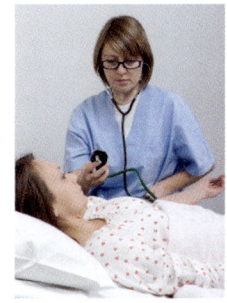

Eine Krankenversicherung wurde so abgeschlossen, dass die Versicherung nur € 200,– pro Tag vergütet. Die tatsächlichen Tageskosten betrugen jedoch € 300,–. Lag der Versicherte 10 Tage im Krankenhaus, so betrug der Schaden € 3.000,–, die Entschädigung nur € 2.000,–.

Es gibt zwei grundsätzliche Möglichkeiten, diese Beziehung zwischen Schaden und Entschädigung im Versicherungsvertrag herzustellen:
- die Summenversicherung
- die Interessenversicherung

Die Summenversicherung [Fixed-sum insurance]

Bei der Summenversicherung ist die **Entschädigung** von der wirklichen Höhe des Schadens **unabhängig**. Bezahlt wird die Versicherungssumme oder ein festgesetzter Teil der Versicherungssumme. Dieses Verfahren wird vor allem dort angewandt, wo es sehr schwierig wäre, den wirklichen materiellen Schaden zu bestimmen.

Beispiele

Auszahlung einer bestimmten Summe
- im Falle des Erlebens oder des Ablebens
- bei dauernder Invalidität

Auszahlung eines bestimmten Taggelds pro Krankheitstag

Die Summen werden nur nach dem Versicherungsvertrag bestimmt und haben keinen Bezug zum tatsächlichen Schaden. (So muss z. B. die vereinbarte Invalidenrente in der Unfallversicherung keinen Bezug zum tatsächlichen Einkommensausfall haben.)

Die Interessenversicherung (Schadensversicherung)
[Indemnity insurance]

Bei der Interessenversicherung hängt die Entschädigung von der tatsächlichen **Höhe des Schadens** ab. Ein großer Schaden hat eine hohe Entschädigung zur Folge, ein kleiner Schaden eine kleine Entschädigung.

In fast allen Fällen ist die Interessenversicherung nach oben begrenzt. Es gibt folgende Möglichkeiten, den Zusammenhang zwischen Schaden und Entschädigung im Rahmen von Interessenversicherungen zu regeln:

(1) Die Erstrisikoversicherung

Die Entschädigung wird mit der Versicherungssumme begrenzt. Alle Schäden bis zur Höhe der Versicherungssumme werden bezahlt. Darüber hinausgehende Schäden muss der Versicherte selbst tragen.

Beispiele

Haftpflichtversicherung: Die Versicherung haftet nur bis zu einer bestimmten Schadenshöhe.

Versicherung von Krankenhauskosten: Die Versicherung bezahlt die Krankenhauskosten nur bis zur vereinbarten Höhe.

(2) Die Vollwertversicherung

Die Vollwertversicherung tritt vor allem bei der Sachversicherung im engeren Sinn auf. Bei der Vollwertversicherung ist die Entschädigung nicht nur von der Schadenshöhe und der Versicherungssumme, sondern auch vom Versicherungswert abhängig.

Der **Versicherungswert** ist der Wert des versicherten Gegenstands zum Zeitpunkt des Schadens. Gezahlt werden alle Schäden bis zur Höhe der Versicherungssumme. Man unterscheidet bei der Vollwertversicherung:

- **Neuwertversicherung:**

    Es wird jener Betrag ersetzt, der notwendig ist, um das Gut zu gegenwärtigen Preisen wiederherzustellen bzw. wiederzubeschaffen.

- **Zeitwertversicherung:**

    Es wird jener Wert ersetzt, den das versicherte Gut am Tag des Schadens hatte.

    Die Zeitwertversicherung ist die übliche Form bei der Versicherung von Gebäuden, Maschinen, Fahrzeugen etc.

    In einzelnen Fällen (z.B. bei einer Feuerversicherung für Wohngebäude) kann jedoch durch eine entsprechende Vertragsklausel die Versicherung zum Neuwert vereinbart werden.

Beispiel

Würde man ein Gebäude, das bereits 40 Jahre alt ist, nur zum Zeitwert versichern, so würde die Entschädigung nur etwa 50 % des Wiederbeschaffungswerts betragen. Wird das Gebäude z.B. durch Brand vernichtet, ist es nicht möglich, ein gleichartiges Gebäude (also ein 40 Jahre altes Gebäude) zu errichten. Es wird daher eine Neuwertversicherung abgeschlossen. Die Versicherungssumme berücksichtigt dann die Abnützung des Gebäudes **nicht**.

Neuwert- und Zeitwertversicherung

Um den Streit wegen einer eventuellen Unterversicherung zu vermeiden, wird häufig die Form der Erstrisikoversicherung, oft mit Indexanpassung, gewählt (z.B. bei der Eigenheimbündelversicherung).

Bei Neuwert- und Zeitwertversicherung sind zu berücksichtigen und zu vermeiden:

- **Überversicherung:**

    Wenn die Versicherungssumme höher ist als der Versicherungswert, wird im Schadensfall höchstens der Versicherungswert vergütet.

- **Unterversicherung:**

    Wenn die Versicherungssumme niedriger ist als der Versicherungswert, zahlt die Versicherung im Fall eines Teilschadens nur den entsprechenden Anteil. Im Falle eines Totalschadens wird nur die Versicherungssumme bezahlt.

Beispiel: Entschädigung bei Unterversicherung

Eine Gemäldesammlung wurde mit € 400.000,– gegen Einbruch versichert. Bei einem Einbruch wird ein Teil der Gemälde gestohlen. Der Wert der gestohlenen Gemälde beträgt € 250.000,–. Der tatsächliche Wert der Sammlung zum Zeitpunkt des Einbruchs wird auf € 500.000,– geschätzt (= Versicherungswert).

Da eine Unterversicherung vorliegt, zahlt die Versicherung nur folgende Entschädigung:

$$\text{Entschädigung} = \frac{\text{Versicherungssumme}}{\text{Versicherungswert}} \times \text{Schadenssumme}$$

$$\text{Entschädigung} = \frac{400.000}{500.000} \times 250.000 = €\ 200.000{,}-$$

Da die Versicherungssumme nur 80 % des Versicherungswerts betrug, werden auch nur 80 % des Schadens vergütet.

(3) Versicherung mit Selbstbehalt (Franchise)

Es kann vereinbart werden, dass der Kunde einen gewissen Betrag des Schadens selbst trägt (Selbstbehalt). Dadurch wird die Verwaltung entlastet, da Kleinschäden nicht mit der Versicherung verrechnet werden.

Es gibt verschiedene Arten des Selbstbehalts:

- **Abzugsfranchise:**

Der Versicherungsnehmer muss von jedem Schaden einen bestimmten Teil selber tragen, unabhängig von der Schadenshöhe.

- **Integralfranchise:**

Schäden bis zur Höhe der Franchise muss der Versicherungsnehmer selber tragen. Übersteigt der Schaden die Franchise, wird er zur Gänze vom Versicherer bezahlt.

Beispiel: Kaskoversicherung mit Selbstbehalt

Kaskoversicherung für einen Pkw mit einem Selbstbehalt von € 300,–: Der Unfallschaden beträgt € 3.000,–, die Versicherung zahlt € 2.700,–.

Übungsbeispiel

Ü 1.17: Versicherungsformen B

Verschiedene Versicherungsarten, z. B. Feuerversicherungen, werden „indexiert" angeboten, d. h., die Versicherungssumme wird parallel zum Verbraucherpreisindex (zur Inflationsrate) angehoben. Bei welcher Versicherungsform (Erstrisiko- oder Vollwertversicherung) ist dies besonders wichtig?

Üben – Anwenden

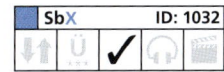

Ü 1.18: Risikopolitische Maßnahmen B

Welche Möglichkeiten, sich gegen Risiken zu schützen, sind Ihnen bekannt?

Ü 1.19: Risikopolitische Maßnahmen D

Der österreichische Staat und die Bundesländer schließen nur jene Versicherungen ab, die gesetzlich vorgeschrieben sind. Es werden jedoch keine Feuer-, Kraftfahrzeugkasko-, allgemeine Haftpflichtversicherungen etc. abgeschlossen. Von welchen Überlegungen geht man dabei aus?

Ü 1.20: Private und öffentliche Krankenversicherung C

Ordnen Sie die folgenden Aussagen der privaten bzw. der öffentlichen Krankenversicherung zu. Trifft keiner der beiden Bereiche zu, kreuzen Sie die dritte Spalte an.

	Private Krankenversicherung	Öffentliche Krankenversicherung	Weder – noch
a) Tarif ist vom Eintrittsalter abhängig.			
b) Prämie ist vom Einkommen abhängig.			
c) Leistungen werden individuell vereinbart.			
d) Kündigung ist möglich.			

Ü 1.21: Versicherungsformen C

Ein Gebäude wurde durch einen Brand zur Hälfte vernichtet. Es hatte zum Zeitpunkt des Brands einen Wert von € 500.000,–.

a) Was zahlt die Versicherung, wenn das Gebäude auf € 400.000,– bzw. auf € 600.000,– versichert war?

b) Nehmen Sie an, es handelt sich um ein Wohngebäude. Die Kosten der Wiederherstellung betragen € 300.000,–. Welche Klausel müsste im Versicherungsvertrag enthalten sein, damit die vollen Wiederherstellungskosten von der Versicherung vergütet werden?

Ü 1.22: Versicherungsformen B

Haushaltsbündelversicherungen (gegen Diebstahl, Brand etc.) werden in den letzten Jahren nicht mehr nur als Vollwertversicherungen, sondern auch als Erstrisikoversicherungen angeboten.

a) Welchen Vorteil hat dies für den Versicherungsnehmer?

b) Welchen Vorteil könnte es für die Versicherung haben?

Ü 1.23: Erhebungsaufgabe B

Besorgen Sie sich bei Versicherungsunternehmen (bzw. bei Versicherungsvertretern oder im Internet) Kurzfassungen und Originalfassungen von Versicherungsbedingungen (z.B. Haushaltsbündelversicherungen, Privathaftpflichtversicherungen, Rechtsschutzversicherungen). Erstellen Sie Übersichten, welche Schäden gedeckt sind und welche nicht. Versuchen Sie herauszufinden, welche Informationen nur in den Originalfassungen der Bedingungen, aber nicht in den Kurzfassungen enthalten sind.

Ü 1.24: Summenversicherung und Interessenversicherung C

Bitte ordnen Sie folgende Beispiele den Begriffen „Summenversicherung" bzw. „Interessenversicherung" zu.

	Summenversicherung	Interessenversicherung
a) Ein Betrag von € 30.000,– wird ausgezahlt, wenn der Versicherte im Verlauf der nächsten 10 Jahre stirbt oder wenn er den Ablauf der Versicherungsdauer erlebt.		
b) Im Rahmen einer Unfallversicherung wird bei Verlust des Daumens einer Hand ein Betrag von € 1.500,– ausgezahlt.		
c) Im Rahmen einer Rechtsschutzversicherung werden Rechtsanwaltshonorare bis zur Höhe von € 7.000,– ersetzt.		
d) Im Rahmen einer privaten Krankenversicherung werden Aufenthalts- und Verpflegungskosten der Sonderklasse in der vollen Höhe vergütet.		
e) Im Rahmen einer Kraftfahrzeughaftpflichtversicherung wird die Deckung von Schäden bis zu einer Höhe von € 15.000.000,– zugesagt.		

Ü 1.25: Entschädigung bei Eigenheimbündelversicherung C

Eine Eigenheimbündelversicherung wird mit einer Versicherungssumme von € 200.000,– als Vollwertversicherung abgeschlossen. In dieser Bündelversicherung sind unter anderem Schäden durch Feuer und durch Einbruch versichert.

Bei einem Brand entsteht ein Schaden von € 300.000,–. Laut Schätzungen beträgt der Gesamtwert von Haus und Einrichtung (vor dem Schadensfall) € 400.000,–.

Wie viel wird der Geschädigte erhalten?

a) ☐ € 150.000,–, da das Haus zur Hälfte unterversichert war und die Versicherung daher nur den halben Schaden bezahlt

b) ☐ € 200.000,–, da die Versicherung den Schaden bis zur Versicherungssumme begleicht

c) ☐ € 300.000,–, da die Versicherung dafür haftet, dass es zu keiner Unterversicherung kommt

Risiko — Ein Risiko ist die Gefahr, dass ein Schaden eintritt.

risk — *A risk is the danger that damage or injury occurs.*

risikopolitische Maßnahmen — Mit risikopolitischen Maßnahmen kann man sich gegen Gefahren schützen. Man kann:
- Risiko vermeiden und vermindern
- Risiko abwälzen
- Risiko teilen und ausgleichen
- finanziell vorsorgen

risk management policies — *A business can protect itself from risks by using the right risk management policies. It can:*
- *avoid and reduce risks*
- *pass on risks to someone else*
- *spread and balance risks*
- *make financial provisions against risks*

Versicherungen übernehmen Risiken gegen Prämien — Versicherungen übernehmen (ganz oder teilweise) die finanziellen Folgen eines Schadenseintritts. Dafür muss der Versicherungsnehmer Prämien bezahlen.

Dies ist möglich, weil Versicherungen
- das Risiko ausgleichen (viele gleichartige Risiken versichern),
- das Risiko verteilen (in mehreren Sparten tätig sind),
- das Risiko teilen (Großrisiken gemeinsam mit anderen Versicherungen übernehmen oder rückversichern).

insurance companies accept risks in exchange for premiums — *Insurance companies accept (in total or in part) the financial consequences of a case of damage. In exchange, the policy holder has to pay premiums.*

This is possible because insurance companies
- *can offset risk (they insure many similar risks),*
- *can spread risk (they are active in several different sectors)*
- *can share risk (accept large risks together with other insurance companies or reinsure themselves).*

wirtschaftliche Bedeutung von Versicherungen — Versicherungen sind für die Wirtschaft wichtig, weil sie
- Risiken in Kosten umwandeln,
- die Kreditfähigkeit erhöhen,
- wesentliche Anbieter am Kapitalmarkt sind.

economic importance of insurance — *Insurance companies are important for the economy because they*
- *convert risks into costs,*
- *improve creditworthiness (credit rating),*
- *are important suppliers in the capital markets.*

▶ Lernen ◯ Üben ● Sichern ▷ Wissen

Sozialversicherung

Die Sozialversicherung ist eine Pflichtversicherung. Die Leistungen können nicht frei vereinbart werden, sondern werden gesetzlich geregelt. Die Prämien sind nur vom Einkommen abhängig. Sozialversicherungen werden teilweise aus dem Staatsbudget finanziert.

social insurance

Social insurance is a statutory insurance. The services cannot be freely agreed, but are regulated by law. The premiums depend only on income. Social insurance is partly financed by the government budget.

Individualversicherung

Individualversicherungen arbeiten erwerbswirtschaftlich. Die Leistungen können frei vereinbart werden. Zwischen dem Umfang des Versicherungsschutzes und der Prämie besteht ein direkter Zusammenhang.

individual insurance

Individual insurance providers work on a for-profit basis. The services can be freely agreed. There is a direct connection between the insurance coverage offered and the premium paid.

Versicherungsvertrag

Der Versicherungsvertrag wird zwischen der Versicherung und dem Versicherungsnehmer abgeschlossen. Er kann durch selbständige Versicherungsvertreter oder Versicherungsmakler vermittelt werden.

Die Pflichten der Vertragspartner beim Versicherungsvertrag sind genau geregelt. Versicherungen unterliegen einer strengen Aufsicht.

contract of insurance

The contract of insurance is concluded between the insurance company and the policyholder. Independent insurance representatives can act as agents in the conclusion of a contract of insurance.

The obligations of the contracting parties to a contract of insurance are precisely regulated. Insurance companies and contracts are subject to strict supervision.

Versicherungszweige

Individualversicherungen lassen sich in folgende Versicherungszweige gliedern:

Vermögensversicherungen beziehen sich auf:
- Sachgüter (Feuer, Diebstahl etc.)
- Transport (alle Transportschäden)
- Aufwand (Haftpflicht, Rechtsschutz etc.)
- Ertragsentgang (Betriebsstillstand, Maschinenbruch)

Personenversicherungen sind:
- Krankenversicherung (Heilkosten, Verdienstentgang etc.)
- Unfallversicherung (Heilkosten, Rente etc.)
- Lebensversicherung (Ab- und/oder Erleben einschließlich Pensions- bzw. Rentenversicherung)

sub-divisions of insurance

Individual insurance can be divided into the following areas:

Insurance of assets can be for:
- physical assets (fire, theft, etc.)
- transport (all damage which occurs during transport)
- expenses (liability, legal costs, etc.)
- consequential loss (production standstill, machine breakdown)

Insurance of persons can be:
- health insurance (treatment costs, loss of income, etc.)
- accident insurance (treatment costs, annuity/pension, etc.)
- life insurance (whole life or endowment, including pension or annuity insurance)

Versicherungsformen

Die Versicherungsform legt fest, in welchem Ausmaß ein Schaden gedeckt ist. Zu unterscheiden sind:

Summenversicherung: Ohne Rücksicht auf die Schadenshöhe wird eine bestimmte Summe gezahlt (z. B. bei der Lebensversicherung).

Interessenversicherung:
- Vollwertversicherung: Bezahlt wird im Verhältnis zum Versicherungswert (Gefahr der Unterversicherung).
- Erstrisikoversicherung: Bezahlt wird der tatsächliche Schaden, jedoch nur bis zu einer bestimmten Höhe.

Versicherung mit Selbstbehalt (Franchise):
- Abzugsfranchise: Der Versicherte muss eine bestimmte Summe selbst bezahlen. Nur den Mehrbetrag zahlt die Versicherung.
- Integralfranchise: Wird der Selbstbehalt überschritten, zahlt die Versicherung den gesamten Schaden.

| types of insurance | The type of insurance determines the extent to which damage or injury is covered. There are three types: |

fixed-sum insurance: Regardless of the damage suffered, a fixed sum is paid to the beneficiary (e.g. under a life insurance contract).

indemnity insurance:
- replacement value insurance: compensation is paid in proportion to the value insured (danger of underinsurance).
- first-loss insurance: compensation is paid in the amount of the actual damage, but only up to a certain limit.

insurance with deductible/excess (franchise):
- deductible: the policyholder must pay a certain amount of the damage. The insurance company only pays whatever exceeds this agreed amount.
- franchise: if the deductible amount is exceeded, the insurance company pays the entire amount.

 SbX ID: 1033

Im SbX finden Sie eine Audio-Wiederholung der englischen Beiträge sowie eine Bildschirmpräsentation mit den Grafiken dieser Lerneinheit.

 Wissen

 SbX ID: 1034

W 1.15: Risikopolitik C

Ein Stahlwerk trifft folgende risikopolitischen Maßnahmen. Zu welcher Art der Risikopolitik zählen Sie die jeweiligen Maßnahmen (Bitte ankreuzen!)?

	Risiko teilen und ausgleichen	Risiko vermeiden und vermindern	Risiko abwälzen	finanzielle Vorsorge
(1) Das Unfallrisiko soll durch Schulung der Mitarbeiter vermindert werden.				
(2) Beim Export wird überwiegend in Euro fakturiert.				
(3) Über Kunden, die auf Ziel bezahlen wollen, werden Auskünfte von gewerblichen Auskunfteien eingeholt.				
(4) Es soll nicht nur der Umsatz gesteigert, sondern auch der Kreis der Kunden ausgeweitet werden.				
(5) Der Brandschutz im Werk wird durch zahlreiche Maßnahmen verbessert.				
(6) Zusätzlich zur Stahlproduktion wird nun auch Kunststoff produziert.				
(7) In der Vergangenheit wurde überwiegend an die Autoindustrie geliefert. In Zukunft soll auch an Maschinenfabriken und an die Bauindustrie geliefert werden.				
(8) In die allgemeinen Geschäftsbedingungen (AGB) des Unternehmens wird eine Kostenschwankungsklausel aufgenommen, die besagt, dass Materialkostenerhöhungen zulasten der Kunden weitergegeben werden können.				
(9) Für einen laufenden Prozess bildet das Unternehmen in der Bilanz eine Prozesskostenrückstellung.				

W 1.16: Wirtschaftliche Bedeutung von Versicherungen B

Warum sind die Versicherungen ein wichtiger Anbieter auf dem Kapitalmarkt?

W 1.17: Rücklagen bei Versicherungen B
Bei welcher Versicherungsart sind im Verhältnis zur Versicherungssumme die größten Rücklagen („Reserven") notwendig? Begründen Sie Ihre Antwort!

W 1.18: Große Risiken B
Wieso können Versicherungen auch große Risiken, wie z. B. den Flugzeugabsturz auf ein Wohngebiet oder die Folgen eines Tankerunfalls, übernehmen?

W 1.19: Sozial- und Individualversicherung B
Was sind die wesentlichen Unterschiede zwischen der Individual- und der Sozialversicherung?

W 1.20: Versicherungsvertrag B
Wer kann an Versicherungsverträgen direkt und indirekt beteiligt sein?

W 1.21: Entschädigung bei Leitungswasserschaden C
Die Einrichtung einer Wohnung ist gegen Leitungswasserschäden versichert. Die Versicherungssumme beträgt € 30.000,–. Infolge eines Rohrbruchs entsteht ein Schaden von € 10.000,–. Anlässlich der Schadensfeststellung wird der Wert der Einrichtung auf € 40.000,– geschätzt. Welchen Betrag wird die Versicherung vergüten? Setzen Sie 1 und 2 ein: (1) bei Vollwertversicherung, (2) bei Erstrisikoversicherung bis € 20.000,–.

a) € 7.500,– ☐

b) € 10.000,– ☐

c) nichts, da Unterversicherung ☐

W 1.22: Wahl der Versicherungsform C
Ein Fabriksgebäude soll gegen Feuer versichert werden. Im Brandfall soll die Gewähr gegeben sein, dass das Gebäude mit der ausbezahlten Versicherungssumme wieder aufgebaut werden kann. Welche Versicherungsform muss gewählt werden?

a) ☐ Erstrisikoversicherung

b) ☐ Neuwertversicherung

c) ☐ Zeitwertversicherung

W 1.23: Sachversicherung im weiteren Sinn A
Nennen Sie drei Beispiele für Sachversicherungen, die nicht zur Sachversicherung im engeren Sinn (wie Feuerversicherung, Einbruchdiebstahlversicherung, Sturmschadenversicherung etc.) zählen:

(1)

(2)

(3)

W 1.24: Selbstbehalt C
In einem Versicherungsvertrag wird ein Selbstbehalt von € 500,– vereinbart.
Was bezahlt die Versicherung, wenn der Schaden

a) € 400,– € ____

b) € 1.200,– € ____

beträgt?

Lerneinheit 3: Versicherungsbetriebe

W 1.25 Rechercheaufgabe ID: 1034

Weitere Übungsaufgabe im SbX

W 1.25: Versicherungsangebote: Rechercheaufgabe D

W 1.26–W 1.31 mit automatischer Aufgabenkontrolle ID: 1034

Weitere Aufgaben zur Lernkontrolle im SbX

W 1.26: Versicherungen (Grundlagen, Versicherungsarten) B
Quiz zu Grundlagen und Arten von Versicherungen

W 1.27: Versicherungsverträge B
Quiz zu verschiedenen Versicherungsverträgen

W 1.28: Versicherungsverträge C
Aufgaben zu verschiedenen Versicherungsverträgen anhand eines Fallbeispiels

W 1.29: Versicherungsverträge C
Bearbeiten Sie Aufgaben zu verschiedenen Versicherungsverträgen und beurteilen Sie Ihre Antworten selbst!

W 1.30: Versicherungsarten 1 A
Kreuzworträtsel zu verschiedenen Versicherungsarten

W 1.31: Versicherungsarten 2 A
Kreuzworträtsel zu verschiedenen Versicherungsarten

Test ID: 1034

Test mit automatischer Aufgabenkontrolle

Test: Das Angebot von Versicherungen B
Überprüfen Sie mit diesem Test, ob Sie Ihr Wissen erfolgreich anwenden können!

English questions

E 1.05: Decide what type of insurance each of the following is:

a) John Garvey rents a car for a week and has to pay any damage done to the car of up to € 500.00 himself. The insurance company will only pay the amount above € 500.00.

b) Katie Norton, who works as an engineer and earns a good salary, is worried that if she dies, her family won't have enough money. She takes out insurance for a lump sum of € 100,000.00.

c) Inez Chadwick has bought a house for € 340,000.00 and has had it insured. The insurance company would repair or build her a new house in the specified situations.

E 1.06: Sandra Hall wants her commercial fishing trawler to be insured. This is a new area of insurance for BAY Insurance GmbH which they intend to develop. Client records show that they have insured three other boats in a nearby harbour.

Explain

a) why BAY Insurance GmbH can accept the risk,

b) what needs to be done to reduce the risk to an acceptable level,

c) the economic importance of the insurance.

▶ Lernen ◉ Üben ◉ Sichern ⇨ Wissen

Ein kurzer Kompetenz-Check, bevor's weitergeht!

Kompetenz-Check

	☺	😐	☹
Ich kann die wirtschaftliche Bedeutung von Versicherungen beschreiben.			
Ich kann die Sozialversicherung und die Individualversicherung voneinander unterscheiden.			
Ich kann die Rechtsgrundlagen für Versicherungen darstellen.			
Ich kann den Versicherungsvertrag beschreiben.			
Ich kann die Rollen der Beteiligten an einem Versicherungsvertrag anhand von Beispielen zeigen.			
Ich kann verschiedene Versicherungszweige nennen.			
Ich kann verschiedene Versicherungsformen beschreiben.			
Ich kann die Höhe der Entschädigung bei verschiedenen Versicherungsverträgen berechnen.			

SbX Download der Lerneinheit LE 4 ID: 1045

Ergänzungs-Lerneinheit 4
Der Schriftverkehr mit den Versicherungen

Die Ergänzungs-Lerneinheit 4 steht im SbX als PDF-Datei zum Download zur Verfügung.

2 FINANZMANAGEMENT

Worum geht's in diesem Kapitel?

Mariana Ilicic und Monika Huber betreiben die Boutique MODA NOVA. Dafür benötigen sie finanzielle Mittel: Sie müssen die angebotene Ware teils selbst herstellen, teils einkaufen, die Geschäftsausstattung instand halten oder erneuern, Rechnungen für Strom, Reinigung und Miete bezahlen, mehrmals im Jahr Werbeaktionen durchführen etc. So wie die Boutique MODA NOVA benötigen auch andere Unternehmen finanzielle Mittel,

- um die laufende Tätigkeit zu finanzieren (z. B. die Wareneinkäufe, die Gehälter für das Personal, die Miete) und
- um zu investieren. Sie müssen z. B. Maschinen oder einen PC kaufen, die Geschäftsausstattung verbessern, eventuell auch Grundstücke und Gebäude erwerben.

Der Umfang der Finanzierung hängt von der Art der Unternehmenstätigkeit ab. Mariana Ilicic und Monika Huber, die das Geschäftslokal nur gemietet haben, müssen vor allem das Lager finanzieren. Ein Automobilerzeuger oder ein Flugzeughersteller benötigt hohe Finanzmittel für die Produktionsanlagen und muss zusätzlich den gesamten Produktionsprozess, das Lager und die Zielverkäufe sowie den Bereich der Forschung und Entwicklung finanzieren.

Wenn Sie dieses Kapitel bearbeiten, erwerben Sie die folgende in der Bildungs- und Lehraufgabe des Lehrplans angeführte Kompetenz:

Sie können
- Finanzierungsmöglichkeiten bewerten und situationsgerecht anwenden.

In diesem Kapitel finden Sie Übungsaufgaben, praxisbezogene Fallbeispiele und Aufgaben zur Lernkontrolle zur Überprüfung Ihrer Kompetenzen auf den Handlungsebenen **A** Wiedergeben, **B** Verstehen, **C** Anwenden und **D** Analysieren & Interpretieren.

Dieses Kapitel umfasst folgende Lerneinheiten:

1 Die Finanzplanung als Basis
2 Die Finanzierung des Unternehmens
3 Die Innenfinanzierung
4 Die Außenfinanzierung
5 Finanzierungskennzahlen
6 Kreditprüfung durch Banken und Lieferanten

▶ Lernen ● Üben ● Sichern ● Wissen

Lerneinheit 1
Die Finanzplanung als Basis

SbX
Alle SbX-Inhalte zu dieser Lerneinheit finden Sie unter der ID: 2010.

Mariana Ilicic ist in ihrer Boutique MODA NOVA für alle kaufmännischen Aufgaben zuständig und hat sich gerade im Internetbanking eingeloggt. Zeile für Zeile überprüft sie alle Kontoeingänge und Kontoausgänge. Zuletzt wirft sie einen Blick auf den Kontostand: Wie immer wundert sie sich, wie viele Geldeingänge, aber auch Geldausgänge das Unternehmen hat und wie wenig Geld schließlich übrig bleibt. Nur mit einer genauen Planung kann man den Überblick über die Finanzlage bewahren.

▶ Lernen

SbX ID: 2011

1 Die Geldflüsse des Unternehmens
[Cash flows in the company]

Unternehmen bekommen Geld und geben Geld aus.

Einzahlung und Auszahlung

> Als **Einzahlungen und Auszahlungen** werden sämtliche Zu- und Abgänge von **Bargeld** sowie alle Einlagen und Abhebungen vom **Bankkonto** bezeichnet. Die meisten **Einzahlungen** stammen **von den Kunden**, die meisten **Auszahlungen** gehen **an die Lieferanten und das Personal**. Zahlungen verändern die Kassa- und Bankkontobestände.

Beispiel

Im letzten Monat erzielte MODA NOVA einen Umsatz von knapp € 15.000,–. Alle Kundinnen haben sofort bar bezahlt. Ein Großteil dieser Einzahlungen fließt als Auszahlungen wieder aus dem Unternehmen hinaus. Außerdem wurde ein Kredit in der Höhe von € 5.000,– zur Anschaffung verschiedener Nähmaschinen im Wert von € 6.000,– aufgenommen:

Grafik
Ein- und Auszahlungen der Boutique MODA NOVA

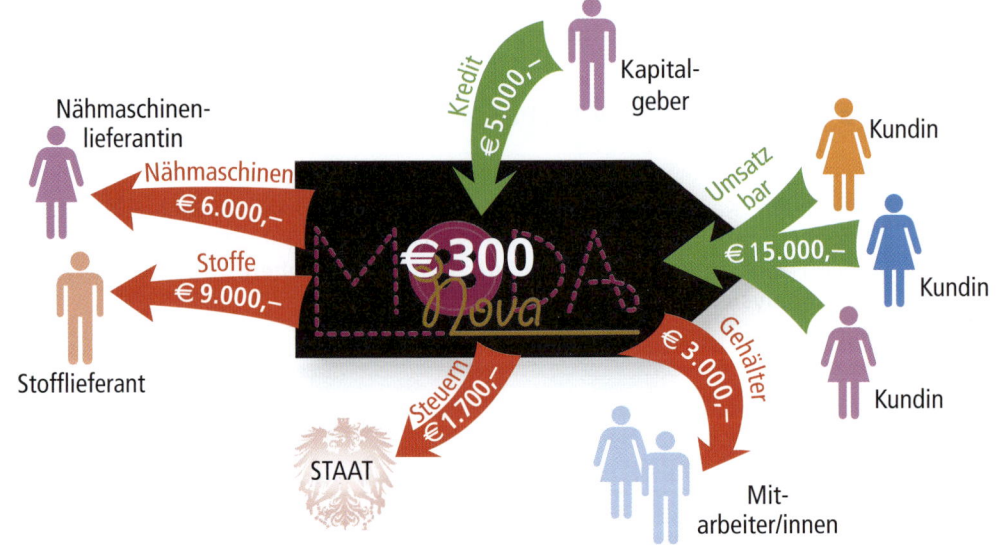

Aus der laufenden Geschäftstätigkeit bleiben der Boutique MODA NOVA somit € 300,–. Das sind 2 % vom Umsatz. Dieses Geld befindet sich in der Kassa bzw. auf dem Bankkonto.

Die Aufgabe der Finanzierung des Unternehmens besteht darin, diese Geldflüsse zu gestalten. Es geht darum,

- die **Einzahlungen und Auszahlungen** zu planen,
- sich für geeignete **Finanzierungsmaßnahmen** zu entscheiden und
- diese Finanzierungsentscheidungen mithilfe von **Finanzierungskennzahlen** vorzunehmen.

2 Die Planung von Einzahlungen und Auszahlungen
[Planning cash inflows and outflows]

Ein Unternehmen muss jederzeit in der Lage sein, die notwendigen Zahlungen zu leisten. Deshalb ist es sinnvoll, alle Ein- und Auszahlungen für einen bestimmten Zeitraum im Voraus zu planen.

Bei der Planung werden **alle laufenden und einmaligen Einzahlungen** sowie **alle laufenden und einmaligen Auszahlungen** eines Unternehmens einander gegenübergestellt.

Beispiele

Laufende Einzahlungen stammen vor allem von den Kunden. Laufende Auszahlungen sind beispielsweise Gehaltszahlungen an die Mitarbeiter, Zahlungen an die Lieferanten, Zahlung der Steuern an den Staat.

Einmalige Einzahlungen sind z. B. Einlagen von Gesellschaftern oder aufgenommene langfristige Kredite. Einmalige Auszahlungen erfolgen beispielsweise aufgrund von Investitionen.

Übungsbeispiel

Ü 2.01: Einmalig oder laufend? C

Ordnen Sie richtig zu:

	Einzahlung		Auszahlung	
	Einmalig	Laufend	Einmalig	Laufend
a) Anlagenverkauf gegen Barzahlung				
b) Zahlung der Löhne an die Mitarbeiter				
c) Ausgleich von Lieferforderungen durch Überweisung				
d) Barzahlung an einen Lieferanten				
e) Zinszahlungen an die Bank				
f) Anschaffung einer neuer Maschine gegen Barzahlung				

Ist die Planung der Ein- und Auszahlungen abgeschlossen, ergibt sich entweder ein **Finanzüberschuss** oder ein **Finanzbedarf**.

Finanzüberschuss und Finanzbedarf

Ein **Finanzüberschuss** bedeutet, dass nach den geplanten Einzahlungen und Auszahlungen ein Rest an Finanzmitteln übrig bleibt. Ein **Finanzbedarf** zeigt an, dass mit den vorhandenen Mitteln die bevorstehenden Auszahlungen nicht gedeckt werden können.

Zur Erinnerung: Diese Begriffe haben Sie schon beim Thema „Budgetierung" gehört.

In der Regel werden am Ende der Planungsperiode die geplanten Ein- und Auszahlungen (Sollwerte) mit den tatsächlichen Ein- und Auszahlungen (Istwerte) verglichen. Negative Abweichungen sind ein Anlass, Maßnahmen zur Verbesserung der Finanzsituation einzuleiten.

3 Der Finanzplan als Planungshilfe
[The cash budget as a planning tool]

Die Planung der Ein- und Auszahlungen erfolgt mithilfe des Finanzplans.

Finanzplan

Im **Finanzplan** werden alle laufenden und einmaligen Ein- und Auszahlungen systematisch festgehalten.

Beachten Sie: In den Finanzplan gehen nur Ein- und Auszahlungen, Barbestände und Bankguthaben sowie evtl. „offene Kreditlinien" ein. Aufwände und Erlöse, die nicht unmittelbar zu Ein- und Auszahlungen führen (z. B. Abschreibungen, Zielkäufe und -verkäufe, Dotierung und Auflösung von Rückstellungen), sind nicht Bestandteil des Finanzplans.

Bei der Erstellung des Finanzplans kann man sich an folgendem Aufbau orientieren:

Finanzplan	Planwerte
A Einzahlungen	
1. laufende Einzahlungen	
2. Einzahlungen aus Anlagenverkauf	
3. Kreditaufnahme	
4. Privateinlagen oder Aufnahme von Gesellschaftern	
Summe aller Einzahlungen	
B. Auszahlungen	
1. laufende Auszahlungen	
2. Investitionen	
3. Kreditrückzahlungen	
4. Privatentnahmen oder Gewinnausschüttungen	
Summe aller Auszahlungen	
Finanzüberschuss oder Finanzbedarf	

Ergibt die Finanzplanung einen **Finanzüberschuss,** so können die überschüssigen Finanzmittel für verschiedene Anschaffungen wie z. B. Wertpapiere oder Geschäftsausstattung oder für die Rückzahlung von Krediten verwendet werden.

Zeigt die Finanzplanung einen **Finanzbedarf,** gibt es zwei Möglichkeiten:

1. **Erhöhung der Einzahlungen**
   - laufende Einzahlungen erhöhen (z. B. Lagerabverkauf, Vermeiden von „Verkauf auf Ziel")
   - nicht mehr benötigtes Anlagevermögen verkaufen (z. B. Beteiligungen an anderen Unternehmen)
   - Kredit aufnehmen
   - Eigenmittel durch Privateinlagen oder Gesellschafter aufbringen

2. **Senkung der Auszahlungen**
   - bei den laufenden Auszahlungen einsparen (z. B. Rabatte beim Einkauf)
   - Investitionen aufschieben (z. B. Ersatz eines Lkw ein Jahr später – sofern der alte Lkw noch funktioniert)
   - Kreditrückzahlungen aufschieben
   - Privatentnahmen bzw. Gewinnausschüttungen verringern

Komplexere Finanzpläne lernen Sie im Gegenstand Rechnungswesen und Controlling kennen.

Üben – Anwenden

Ü 2.02: Ein- und Auszahlungen B

Welche der folgenden Positionen gehen in einen Finanzplan ein? (Mehrfachlösung möglich)

a) ☐ Abschreibungen
b) ☐ Materialeinkäufe gegen Barzahlung
c) ☐ Wareneinkäufe auf Ziel
d) ☐ Aufnahme Bankkredit
e) ☐ Gewinnausschüttungen
f) ☐ Dotation einer Prozessrückstellung
g) ☐ Auflösung einer Pensionsrückstellung

Ü 2.03: Fertigstellung eines Finanzplans C

Ergänzen Sie den untenstehenden Finanzplan (bitte alle blau hinterlegten Felder ausfüllen):

Position	36. Woche	37. Woche	38. Woche	39. Woche
	3.530,00			470,00
Summe Einzahlungen	8.690,00	7.450,00	6.180,00	7.040,00
Summe Auszahlungen	6.740,00	7.890,00	9.450,00	7.710,00
		– 1.100,00	– 1.500,00	
				500,00

Ü 2.04: Analyse eines Finanzplans C

Eine Buchdruckerei plant für das 1. Quartal folgende Zahlen:

Finanzplan	Dezember	Jänner	Februar	März	Summen
A. Einzahlungen					
1. laufende Einzahlungen		20.000,00	20.000,00	10.000,00	50.000,00
2. Einzahlungen aus Anlagenverkauf					
3. Kreditaufnahme				24.500,00	24.500,00
4. Privateinlagen					
Summe aller Einzahlungen		20.000,00	20.000,00	34.500,00	
B. Auszahlungen					
1. laufende Auszahlungen		15.000,00	15.000,00	7.500,00	37.500,00
2. Investitionen				30.000,00	30.000,00
3. Kreditrückzahlungen		5.000,00	2.000,00		7.000,00
4. Privatentnahmen					
Summe aller Auszahlungen		20.000,00	17.000,00	37.500,00	
Finanzüberschuss/ Finanzbedarf		0,00	3.000,00	– 3.000,00	0,00
Kassabestand (Mindestkassa)	2.000,00	2.000,00	5.000,00	2.000,00	
offene Kredite	7.000,00	2.000,00	0,00	24.500,00	

Beantworten Sie die folgenden Fragen zum abgebildeten Finanzplan:

1. Wie hoch war der Stand der liquiden Mittel per 1. Jänner?
2. Wie hoch waren die offenen Kredite per 1. Jänner?
3. Wie hoch ist die gewünschte Mindestkassa pro Monat?
4. Warum kann im Jänner der Kredit mit € 5.000,– zurückgezahlt werden?
5. Wie viel soll im 1. Quartal investiert werden?
6. Warum muss im März ein Kredit von € 24.500,– aufgenommen werden?
7. Wie viel Geld erwirtschaftet das Unternehmen aus den laufenden Ein- und Auszahlungen im 1. Quartal?
8. Wieso beträgt der Finanzüberschuss am Ende des 1. Quartals € 0,–?

Ü 2.05: Erstellung eines Finanzplans C

Antonia Sburny ist Goldschmiedin. Ihr Mann ist Buchhalter und besitzt ein Haus, in dem gerade ein Geschäftslokal frei wurde. Sie selbst will Entwürfe machen und sich um den Verkauf kümmern, ein Geselle soll nach ihren Entwürfen originellen Schmuck anfertigen und Reparaturen durchführen. Kunden sind Private und Juweliere. Für die Unternehmensgründung hat Antonia Sburny € 60.000,– zur Verfügung.

Bei ihrer Finanzplanung geht Antonia Sburny von folgenden **Sollwerten** aus:

- Barerlöse im ersten Jahr — € 120.000,–
- Ankauf einer Ladeneinrichtung — € 70.000,–
- Ankauf von Maschinen — € 20.000,–
- Goldeinkauf — € 60.000,–
- Lohn für Gesellen pro Jahr — € 24.000,–
- Lokalmiete pro Jahr — € 6.000,–
- sonstige Auszahlungen (Heizung, Steuer) — € 10.000,–
- Privatentnahmen im ersten Jahr — € 12.000,–

Am Ende des ersten Jahres ergeben sich folgende **Istdaten**:

- Ladeneinrichtung, bar — € 80.000,–
- Maschinen, bar — € 30.000,–
- Goldeinkauf, bar — € 60.000,–
- Lohn für Gesellen — € 30.000,–
- Lokalmiete — € 6.000,–
- sonstige Auszahlungen — € 12.000,–
- Privatentnahmen im ersten Jahr — € 10.000,–

Für die Berechnung der **Istwerte** ist außerdem zu berücksichtigen:

- Die Hälfte des Goldes wurde vom Gesellen zu Schmuck verarbeitet.
- Zwei Drittel des Schmucks konnten um insgesamt € 120.000,– verkauft werden. Davon Schmuck um € 90.000,– an Privatkunden, die bar bezahlten, und Schmuck um € 30.000,– an Juweliere, die die Rechnung erst im Februar nächsten Jahres bezahlen werden.
- Der restliche Schmuck ist noch auf Lager.
- Gegen Jahresende sind die Goldpreise um 20 % gestiegen. Da Frau Sburnys finanzielle Mittel knapp sind, verkauft sie Gold aus ihrem Lagerbestand mit einem Anschaffungswert von € 20.000,– um € 24.000,–.
- Bei der Kreditabrechnung der Bank werden Zinsen in der Höhe von € 12.000,– in Rechnung gestellt.

a) Wie ist die finanzielle Situation von Antonia Sburny bei Geschäftseröffnung (Sollwerte) und am Ende des ersten Geschäftsjahres (Istwerte)? Den gesamten Goldvorrat hat sie gleich zu Beginn eingekauft.

Finanzplan	Sollwerte	Istwerte	Abweichungen
A. Einzahlungen			
1. laufende Einzahlungen			
Schmuck, bar	120.000,–	90.000,–	
Gold, bar		24.000,–	
2. Einzahlungen aus Anlagenverkauf			
Summe aller Einzahlungen	120.000,–	114.000,–	
B. Auszahlungen			
1. laufende Auszahlungen			
Goldeinkauf	60.000,–	60.000,–	
Löhne	24.000,–	30.000,–	
Lokalmiete	6.000,–	6.000,–	
Sonstiges	10.000,–	12.000,–	
2. Investitionen			
Ladeneinrichtung	70.000,–	80.000,–	
Maschinen	20.000,–	30.000,–	
3. Kreditrückzahlungen / Zinsen		12.000,–	
4. Privatentnahmen	12.000,–	10.000,–	
Summe aller Auszahlungen	202.000,–	240.000,–	
C. Zahlungsmittel zu Geschäftseröffnung	60.000,00	60.000,00	
Finanzüberschuss/Finanzbedarf	–22.000,–	–66.000,–	

b) Worauf können die Abweichungen zurückgeführt werden?

Ü 2.06: Finanzplan C

Ergänzen Sie den abgebildeten Finanzplan für das 1. Quartal. Der Kassenmindestbestand soll € 1.000 nicht unterschreiten.

Position	Jänner	Februar	März
Zahlungsmittelbestand am Periodenanfang	1.200,00		
Summe Einzahlungen	18.000,00	20.500,00	22.000,00
Summe Auszahlungen	−18.700,00	−20.100,00	−21.500,00
Überschuss/Fehlbetrag	500,00		
Mindestbestand	**1.000,00**	**1.000,00**	**1.000,00**
Ausgleichsmaßnahmen	500,00		
Zahlungsmittelbestand am Periodenende	1.000,00		
offener Kredit	500,00		

Ü 2.07: Erstellung einer privaten Einnahmen-Ausgaben-Rechnung C

Versuchen Sie, für Ihre private Situation einen Finanzplan für die nächsten drei Monate aufzustellen. Wodurch unterscheidet sich die Erstellung eines Finanzplans für den privaten Bereich von der Erstellung eines Finanzplans für ein Unternehmen?

Sichern

Zahlungen cash inflows and outflows	Zahlungen verändern die Kassa- und Bankkontobestände. Cash inflows and outflows change cash and bank account balances.	
Einzahlungen cash inflows	Einzahlungen erhöhen die Kassa- und Bankkontobestände eines Unternehmens. Cash inflows increase the cash and bank account balances of a business.	
Auszahlungen cash outflows	Auszahlungen senken die Kassa- und Bankkontobestände eines Unternehmens. Cash outflows reduce the cash and bank account balances of a business.	
laufende Zahlungen current payments	Laufende Zahlungen ergeben sich aus der laufenden Geschäftstätigkeit, z.B. Zahlungen von Kunden, Zahlungen an Lieferanten oder Gehaltszahlungen. Current payments result from the day-to-day running of a business, e.g. payments from customers, payments to suppliers or paying salaries.	
einmalige Zahlungen one-time (one-off) payments	Einmalige Zahlungen entstehen vor allem im Zusammenhang mit Auszahlungen für Investitionen und Kreditrückzahlungen sowie Einzahlungen aufgrund von Kreditaufnahmen. One-time payments arise mainly in connection with outflows of cash for investments or loan repayments, as well as inflows of cash from taking out loans.	
Finanzplan cash budget	Im Finanzplan werden alle laufenden und einmaligen Ein- und Auszahlungen systematisch festgehalten. In the cash budget all current and one-time inflows and outflows of cash are listed systematically.	
Finanzüberschuss oder Finanzbedarf cash surplus or deficit	Ergebnis des Finanzplans ist entweder ein Finanzüberschuss, d.h., die geplanten Einzahlungen sind höher als die geplanten Auszahlungen, oder ein Finanzbedarf. The result of the cash budgeting calculation is either a surplus, i.e. the planned inflows are higher than the planned outflows, or there is a cash deficit.	

Aufwände, die keine Zahlungen sind

non-cash expenses

Die Abschreibungen auf Sachanlagen und die Dotierung von Rückstellungen sind Aufwände, aber keine Zahlungen.

Depreciation of tangible assets and appropriations to provisions are expenses, but do not represent outflows of cash.

SbX ID: 2013

Im SbX finden Sie eine Audio-Wiederholung der englischen Beiträge sowie eine Bildschirmpräsentation mit den Grafiken dieser Lerneinheit.

Wissen

SbX ID: 2014

W 2.01: Finanzplan A
Was versteht man unter einem Finanzplan?

W 2.02: Maßnahmen bei Finanzbedarf A
Welche Maßnahmen kann ein Unternehmen bei einem Finanzbedarf ergreifen?

SbX
W 2.03 mit automatischer Aufgabenkontrolle
ID: 2014

W 2.03: Zahlungen C
Welche der folgenden Posten werden bei der Erstellung des Finanzplans nicht berücksichtigt? Kreuzen Sie an!
a) ☐ in der Planungsperiode fällige Forderungen
b) ☐ Kreditrückzahlungen
c) ☐ Abschreibungen
d) ☐ Dotation von Rückstellungen
e) ☐ Erträge aus der Auflösung von Rückstellungen
f) ☐ Barinvestitionen
g) ☐ in der Planungsperiode fällige Lieferantenrechnungen
h) ☐ Zieleinkäufe von Vorräten
i) ☐ Warenlieferungen auf Ziel

English questions

E 2.01: Give three examples each of:
a) current payments
b) one-off payments

E 2.02: Describe the difference between a finance plan that shows:
a) a cash surplus
b) a cash deficit

Ein kurzer Kompetenz-Check, bevor's weitergeht!

Kompetenz-Check

	☺	😐	☹
Ich kann den Begriff Zahlungen erklären.			
Ich kann laufende und einmalige Zahlungen voneinander unterscheiden.			
Ich kann einen einfachen Finanzplan erstellen.			
Ich kann Gegenmaßnahmen für den Fall eines Finanzbedarfs nennen.			
Ich kann Aufwände, die keine Zahlungen sind, nennen.			
Ich kann eine Einnahmen-Ausgaben-Rechnung für den privaten Bereich erstellen.			

Lerneinheit 2: Die Finanzierung des Unternehmens

Lerneinheit 2
Die Finanzierung des Unternehmens

SbX
Alle SbX-Inhalte zu dieser Lerneinheit finden Sie unter der ID: 2020.

Finanzierung heißt, das Unternehmen mit finanziellen Mitteln zu versorgen. Unternehmen brauchen finanzielle Mittel, um ihre laufenden und einmaligen Zahlungen leisten zu können. In der Praxis stehen den Unternehmen dafür verschiedene Finanzquellen zur Verfügung. Diese lassen sich in Bezug auf ihre Herkunft und Art unterscheiden. Auf die Dauer müssen die Unternehmen in der Lage sein, die nötigen Finanzmittel aus eigener Kraft zu erwirtschaften.

Lernen

SbX ID: 2021

1 Zwei Anlässe zur Finanzierung
[Two situations for financing]

In der Praxis lassen sich zwei Anlässe zur Finanzierung eines Unternehmens unterscheiden:

Grafik
Anlässe zur Finanzierung

In der Regel gelten in der Betriebswirtschaftslehre Zeiträume von bis zu einem Jahr als kurzfristig, bis zu drei Jahren als mittelfristig und über drei Jahren als langfristig.

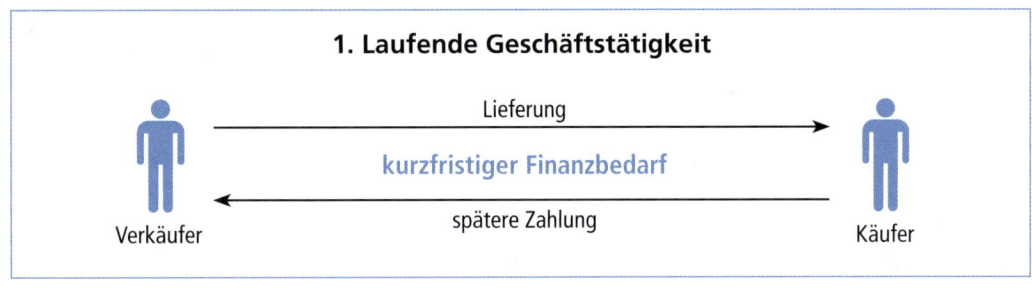

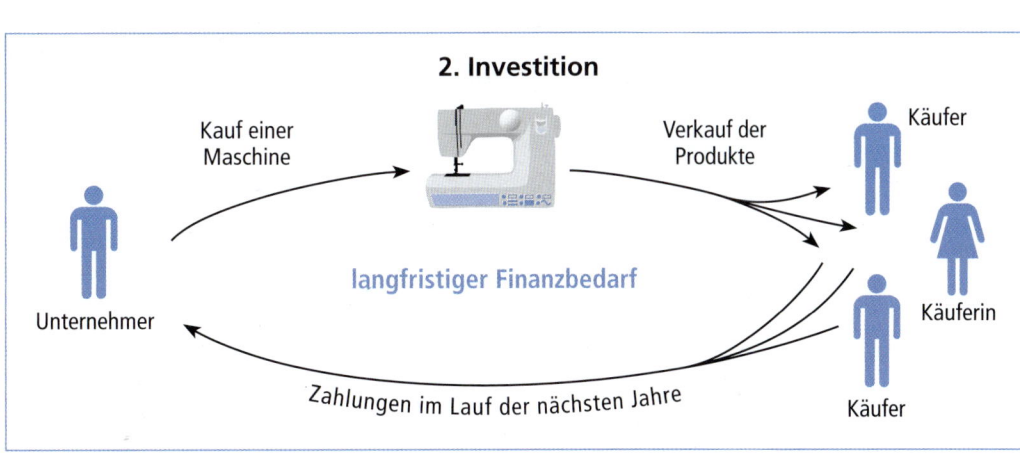

(1) Kurzfristiger Finanzbedarf aus der laufenden Geschäftstätigkeit
Die laufende Geschäftstätigkeit umfasst das Alltagsgeschäft der Unternehmen, d. h. das Verkaufen und Kaufen von Waren und Dienstleistungen. Im Rahmen der laufenden Geschäftstätigkeit schließen Unternehmen Kaufverträge mit Kunden und Lieferanten ab.

Zur Erinnerung:
Im Kaufvertrag können verschiedene Zahlungsbedingungen vereinbart werden. Unternehmen bieten häufig einen Skonto an, um ihre Käufer zu einer raschen Zahlung zu bewegen.

Nicht immer zahlen Kunden sofort. Um die Zeit bis zur Zahlung des Käufers zu überbrücken, braucht der Verkäufer Geld für
- Zahlungen an die eigenen Lieferanten,
- Lohn- und Gehaltszahlungen an die Mitarbeiter/innen,
- Steuerzahlungen an das Finanzamt,
- Zinszahlungen an die Bank
- etc.

Kurzfristiger Finanzbedarf

Die meisten Zahlungen aus der laufenden Geschäftstätigkeit sind innerhalb von wenigen Wochen fällig, daher entsteht für die Unternehmen ein **kurzfristiger Finanzbedarf**.

Beispiel

In ihrer Finanzplanung hat Antonia Sburny einen Umsatz von € 120.000,– vorgesehen und auch tatsächlich erzielt. Allerdings haben nur die Privatkunden bar bezahlt. Die Geschäftskunden müssen noch die Lieferforderungen in der Höhe von € 30.000,– ausgleichen. Diese Überweisungen sind erst im Februar des nächsten Jahres zu erwarten. In der Zwischenzeit muss sie aber den Lohn für den Gesellen und die Miete bezahlen sowie andere Zahlungen leisten. Für die Wochen vom Jahresende bis zum Februar des nächsten Jahres hat Antonia Sburny somit einen kurzfristigen Finanzbedarf.

(2) Langfristiger Finanzbedarf aufgrund von Investitionen

Langfristiger Finanzbedarf

Investieren Unternehmen in Anlagevermögen, um damit Produkte herstellen und verkaufen zu können, dauert es längere Zeit, bis die Investition über den Umsatzprozess wieder zurückverdient wird. Daher entsteht für die Unternehmen ein **langfristiger Finanzbedarf**.

Beispiel

Für die Einrichtung ihrer Werkstätte hat Antonia Sburny Maschinen um € 30.000,– gekauft. Aufgrund ihrer Preiskalkulation weiß sie, dass sie einen Umsatz von mindestens € 480.000,– erzielen muss, bis die Investition zurückverdient sein wird. Da ihr Umsatz derzeit € 120.000,– beträgt, sollte die Finanzierung der Werkzeuge daher für vier Jahre gesichert sein.

2 Finanzquellen des Unternehmens
[Sources of finance for the company]

Zur Deckung des kurz- und langfristigen Finanzbedarfs stehen den Unternehmen verschiedene Finanzquellen zur Verfügung. Die wichtigsten sind:

Art des Kapitals (Rechtsstellung der Kapitalgeber)		Herkunft des Kapitals	
		Innenfinanzierung	Außenfinanzierung
	Eigenkapital (Eigenfinanzierung)	Selbstfinanzierung	Einlagenfinanzierung
		Umschichtungsfinanzierung • Vermögensumschichtung • Abschreibungsfinanzierung	
	Fremdkapital (Fremdfinanzierung)		Kreditfinanzierung
		Rückstellungsfinanzierung	

- Den Unternehmen fließen Finanzmittel von ihren Kunden zu. Diese befinden sich auf den Absatzmärkten. Die Unternehmen verkaufen ihre Produkte und Dienstleistungen zu den kalkulierten Preisen, mitunter veräußern sie auch nicht mehr benötigte Vermögensgüter (z. B. Beteiligungen oder Grundstücke). In beiden Fällen erhalten sie dafür von den Käufern Geld. Natürlich muss ein Unternehmen auch viele Zahlungen leisten (z. B. Zahlungen an Lieferanten oder Gehälter). Aus der Differenz zwischen den Einzahlungen der Partner und den Auszahlungen an die Partner ergibt sich die **Innenfinanzierung**, also eine Finanzierung „aus eigener Kraft" (vgl. Lerneinheit 3).

Lerneinheit 2: Die Finanzierung des Unternehmens

- Bei der **Außenfinanzierung** erhält das Unternehmen Finanzmittel vor allem von den Kapitalgebern und den Lieferanten (vgl. Lerneinheit 4).
- Bei der **Eigenfinanzierung** fließt dem Unternehmen **Eigenkapital** zu.
- Bei der **Fremdfinanzierung** erhält das Unternehmen **Fremdkapital**.

Grafik
Unterschiede Eigen- und Fremdkapital

Die wichtigsten **Unterschiede zwischen Eigenkapital und Fremdkapital** zeigt die folgende Gegenüberstellung:

	Eigenkapital	Fremdkapital
Wie lange steht dem Unternehmen das Kapital zur Verfügung?	Eigenkapital steht in der Regel **unbefristet** (also sehr langfristig) zur Verfügung.	Je nach Kreditvereinbarung kann das Kapital sowohl **kurzfristig** als auch **langfristig** zur Verfügung gestellt werden.
Haben die Kapitalgeber ein Mitspracherecht bei der Unternehmensführung?	Je nach Rechtsform des Unternehmens haben Eigenkapitalgeber **unterschiedliche Mitspracherechte** bei der Unternehmensführung.	Fremdkapitalgeber haben **kein Mitspracherecht** bei der Unternehmensführung.
Was erhält der Kapitalgeber?	Unternehmen **können** einem Eigenkapitalgeber einen **Gewinnanteil** auszahlen.	Unternehmen **müssen** dem Fremdkapitalgeber die **Kredite samt Zinsen** zurückzahlen.
Welche Sicherheit hat der Kapitalgeber, sein Kapital wieder zurückzuerhalten?	Der Eigenkapitalgeber erhält **keine Sicherheit,** sondern einen Anteil am Vermögen des Unternehmens.	Der Fremdkapitalgeber erhält in der Regel eine **Kreditsicherheit**.

Üben – Anwenden

Ü 2.08: Arten der Finanzierung

Ordnen Sie die folgenden Finanzierungsmöglichkeiten den Begriffen Eigen- und Fremdfinanzierung bzw. Außen- und Innenfinanzierung zu.

	Eigenfinanzierung	Fremdfinanzierung	Außenfinanzierung	Innenfinanzierung
a) Ein Prokurist beteiligt sich als stiller Gesellschafter mit € 40.000,–.	X		X	
b) Aus den verdienten Abschreibungsquoten werden 10 Drehbänke auf Ziel gekauft.	X			X
c) 50 % des Jahresgewinns werden vom Unternehmer nicht entnommen, sondern für Rationalisierungsinvestitionen verwendet.	X			X
d) Die Raiffeisenbank gewährt einen Kredit.		X	X	
e) Ein Bauunternehmer stundet uns die Rechnung für einen Zubau für ein halbes Jahr.		X	X	

Ü 2.09: Vor- und Nachteile der Finanzierungsarten

Die Neumeyer OG benötigt für eine Betriebserweiterung 3 Mio. Euro. Da die Gesellschafter den Betrag nicht aufbringen können, überlegen sie, ob sie weitere Gesellschafter aufnehmen sollen oder ob sie versuchen sollen, den Betrag als mittel- oder langfristigen Kredit von einer Bank zu erhalten.

a) Welche Vor- und Nachteile hat die Aufnahme von Gesellschaftern gegenüber der Aufnahme eines Kredits?
b) Welche Möglichkeiten, Gesellschafter aufzunehmen, wären rechtlich denkbar?

Ü 2.10: Innen- oder Außenfinanzierung

Um die Mittel für die Modernisierung des Fuhrparks eines Speditionsbetriebs zu beschaffen, wird ein Betriebsgrundstück veräußert.

a) Handelt es sich um Innen- oder um Außenfinanzierung? (Achtung!)
b) Wie bezeichnet man diese Form der Finanzierung?

Sichern

kurzfristiger Finanzbedarf	Kurzfristiger Finanzbedarf entsteht aus der laufenden Geschäftstätigkeit. Unterschiedliche Ein- und Auszahlungstermine müssen kurzfristig überbrückt werden.
short-term financing requirements	*Short-term financing requirements result from the day-to-day running of the business. The discrepancies between deadlines for inflows and outflows mean that there is a need for short-term bridging finance.*
langfristiger Finanzbedarf	Langfristiger Finanzbedarf entsteht vor allem aus der Investitionstätigkeit eines Unternehmens. Es dauert längere Zeit, bis eine Investition wieder zurückverdient werden kann.
long-term financing requirements	*Long-term financing requirements result mainly from the investment activities of the business. It can take some time before an investment has paid for itself.*
Innenfinanzierung	Bei der Innenfinanzierung erwirtschaftet das Unternehmen Finanzmittel aus eigener Kraft.
internal financing	*With internal financing the business earns the funds through its own activities.*
Außenfinanzierung	Bei der Außenfinanzierung erhält das Unternehmen Finanzmittel von anderen Kapitalgebern (Eigen- oder Fremdkapital).
external financing	*With external financing the business receives funds from other investors (equity or debt (borrowed) capital).*
Eigenfinanzierung	Bei der Eigenfinanzierung fließt dem Unternehmen Eigenkapital zu.
self-financing	*With self-financing equity capital is created by the business.*
Fremdfinanzierung	Bei der Fremdfinanzierung borgt sich das Unternehmen Fremdkapital aus (kurz- oder langfristig).
debt financing	*With debt financing the business borrows debt capital (short- or long-term).*
Unterschiede zwischen Eigen- und Fremdfinanzierung	• Fremdkapital muss zurückgezahlt werden, Eigenkapital nicht. • Fremdkapitalgeber erhalten Zinsen für das verliehene Kapital, Eigenkapitalgeber können Gewinnanteile erhalten. • Eigenkapital steht unbefristet zur Verfügung, Fremdkapital nicht. • Eigenkapitalgeber haben ein Mitspracherecht bei der Unternehmensführung, Fremdkapitalgeber nicht. • Fremdkapitalgeber erhalten eine Kreditsicherheit, Eigenkapitalgeber erhalten keine Sicherheiten, sondern einen Anteil am Unternehmensvermögen.

differences between equity and debt financing

- Debt capital must be repaid, equity capital does not have to be.
- Investors who are creditors receive interest on the capital lent to the business; investors who are part-owners may receive a share of the profits made.
- Equity capital is available for an indefinite period of time; debt capital is not.
- Investors who are part-owners have the right to participate in decision-making, investors who are creditors do not.
- Investors who are creditors have some security for the loan; investors who are part-owners have no security, other than the claim on the business assets.

Im SbX finden Sie eine Audio-Wiederholung der englischen Beiträge sowie eine Bildschirmpräsentation mit den Grafiken dieser Lerneinheit.

W 2.04: Finanzbedarf B

Warum hat ein Unternehmen bei einer Investition (z. B. Anschaffung einer Maschine) einen langfristigen Finanzbedarf?

W 2.05: Innen- und Außenfinanzierung B

Auch Kunden sind „außerhalb" des Unternehmens. Warum leisten sie einen Beitrag zur Innenfinanzierung?

W 2.06: Eigen- und Fremdkapital A

Wodurch unterscheiden sich Eigen- und Fremdkapital? Führen Sie mindestens drei Unterscheidungsmerkmale an.

English questions

E 2.03: The following three companies have made recent investments:

a) Joseph Morris has decided to buy a new kitchen for one of his fish & chip shops. The bank has agreed to give him a loan of € 7,000.00 for this purpose.

b) A lot of new stock was purchased in October by Wanda Games GmbH in preparation for sales coming up to Christmas. The company trades with various toys and it is their busiest time of the year. The supplier, Toy Factory AG, has agreed to wait for payment of € 3,600.00 until January.

c) ArtFace GmbH produces theatrical make-up and other cosmetics. The company has invested in a new machine for the factory at a cost of € 4,700.00. Profits from last year will cover this expense.

Decide and explain why in each case whether
a) the company needs money for a **short-term** or **long-term** project.
b) the company has used **internal** or **external** financing.

Cases	a) Joseph Morris	b) Wanda Games GmbH	c) ArtFace GmbH
short-term or long-term?			
source of finance: internal or external?			

Ein kurzer Kompetenz-Check, bevor's weitergeht!

Kompetenz-Check

	☺	😐	☹
Ich kann Anlässe für den kurzfristigen und langfristigen Finanzbedarf eines Unternehmens unterscheiden.			
Ich kann die Innen- und Außenfinanzierung eines Unternehmens charakterisieren.			
Ich kann Eigen- und Fremdkapital eines Unternehmens anhand verschiedener Kriterien unterscheiden.			

Lerneinheit 3
Die Innenfinanzierung

Im Umsatz bzw. im Preis steckt die wichtigste Finanzquelle eines Unternehmens. Wenn Unternehmen ihre Absatzpreise kalkulieren, versuchen sie, diese so anzusetzen, dass sie damit möglichst viel verkaufen, alle anfallenden Kosten zurückverdienen und einen angemessenen Gewinn erzielen können. Fallweise kann ein Unternehmen auch nicht mehr benötigtes Anlagevermögen verkaufen, um an Geld zu kommen.

In der Marktwirtschaft ist die Existenz eines Unternehmens nur dann gesichert, wenn es ihm auf Dauer gelingt, ausreichende Finanzmittel aus dem Unternehmensprozess zu erwirtschaften.

Alle SbX-Inhalte zu dieser Lerneinheit finden Sie unter der ID: 2030.

Lernen

SbX ID: 2031

1 Bedeutung der Innenfinanzierung
[The importance of internal financing]

Auch private Haushalte müssen mit ihrem Einkommen auskommen!

Langfristig kann ein Unternehmen nur existieren, wenn es die laufenden Auszahlungen und einen Großteil der Investitionen aus den laufenden Einzahlungen zurückverdient. Durch den Verkauf der Produkte bzw. Dienstleistungen müssen ausreichend Finanzmittel aus eigener Kraft („von innen heraus") erwirtschaftet werden. Diese Innenfinanzierungsmöglichkeiten eines Unternehmens sind die Basis der Finanzierung und Voraussetzung dafür, dass das Unternehmen weitere Finanzierungsmaßnahmen ergreifen kann.

Beispiel

Die Miramare GmbH produziert leichte Kunststoffbehälter für die Bepflanzung von Dachterrassen. Besonders erfolgreich ist das Produkt „Toskana". Im nächsten Geschäftsjahr sollen etwa 1000 Stück zu einem Absatzpreis von € 120,– (exkl. USt) verkauft werden. Außerdem liegen folgende Planungsunterlagen vor:

Planwerte aus der GuV-Rechnung		Planwerte aus der Finanzrechnung	
Erlöse		**Einzahlungen**	
Umsatz	120.000,00	Umsatz, zahlungswirksam	120.000,00
Erlös aus Anlagenverkauf	2.000,00	Einzahlungen aus Anlagenverkauf	2.000,00
Aufwände		**Auszahlungen**	
– Wareneinsatz	70.000,00	– Wareneinsatz, zahlungswirksam	70.000,00
– Löhne und Gehälter	20.000,00	– Löhne und Gehälter, zahlungswirksam	20.000,00
– Zuweisung zu Pensionsrückstellungen	1.000,00	– Zuweisung zu Rückstellungen, nicht zahlungswirksam	0,00
– Abschreibungen auf Sachanlagen	7.000,00	– Abschreibungen auf Sachanlagen, nicht zahlungswirksam	0,00
– sonstige Aufwände	5.000,00	– sonstige Auszahlungen, zahlungswirksam	5.000,00
– Zinszahlungen	3.000,00	– Zinszahlungen, zahlungswirksam	3.000,00
– Steuerzahlungen	4.000,00	– Steuerzahlungen, zahlungswirksam	4.000,00
Plangewinn	**12.000,00**	**Finanzüberschuss**	**20.000,00**

Die Miramare GmbH plant einen Gewinn von € 12.000,– und einen Finanzüberschuss von € 20.000,–. Soll eine neue Maschine mit einem Anschaffungswert von € 30.000,– gekauft werden, müssten die fehlenden € 10.000,– von „außen" finanziert werden.

Die Chancen auf eine ausreichende Innenfinanzierung sind umso größer, je besser das Marketing und die Materialwirtschaft eines Unternehmens gestaltet sind.

Übungsbeispiel

Ü 2.11: Fortsetzung des Beispiels Miramare GmbH C

a) Überraschend steigen die Einkaufspreise für das Kunststoffgranulat um 10 %. Wie ändert sich dadurch der Finanzüberschuss der Miramare GmbH?

b) Ein Konkurrent bringt ein vergleichbares Produkt um € 110,– pro Stück auf den Markt. Die Miramare GmbH muss den Preis ebenfalls senken, die Verkaufsmenge bleibt gleich. Wie ändert sich dadurch der Finanzüberschuss der Miramare GmbH?

2 Arten der Innenfinanzierung [Types of internal financing]

Die folgende Übersicht zeigt die wichtigsten Arten der Innenfinanzierung:

Grafik Arten der Innenfinanzierung

- **Eigenfinanzierung** – Selbstfinanzierung: Verdiente Gewinne bleiben im Unternehmen.
- **Umschichtungsfinanzierung** – Vermögensumschichtung: Verkauf von Anlage- und Umlaufvermögen. – Abschreibungsfinanzierung: Im Verkaufspreis werden alle Aufwände einkalkuliert. Nicht alle Aufwände müssen sofort bezahlt werden. Ein Teil der Einzahlungen bleibt somit bis zu seiner Verwendung im Unternehmen.
- **Fremdfinanzierung** – Rückstellungsfinanzierung

Selbstfinanzierung [Self-financing]

Können Unternehmen ihre Produkte und Dienstleistungen erfolgreich vermarkten, erzielen sie einen **Gewinn**.

Selbstfinanzierung

Die Gewinneinbehaltung wird auch als **Thesaurierung** bezeichnet.

Bei der **Selbstfinanzierung** bleibt der Gewinn im Unternehmen – er wird also nicht ausgeschüttet, sondern **einbehalten**. Weil sich das **Eigenkapital erhöht,** kommt es zu einem Finanzierungseffekt. Es handelt sich daher bei der Selbstfinanzierung um **Eigenfinanzierung**.

Beispiel

Wenn die Miramare GmbH den geplanten Gewinn zur Gänze einbehält, beträgt das Ausmaß der Selbstfinanzierung € 12.000,–.

Rücklagen sind Bestandteile des Eigenkapitals, die auf eigenen Konten erfasst werden.

Die einbehaltenen Gewinne erhöhen das Eigenkapital. Sie werden entweder direkt am Eigenkapitalkonto oder auf Rücklagenkonten verbucht. Wichtig ist, wie einbehaltene Gewinne steuerlich behandelt werden:

- Bei **Kapitalgesellschaften** unterliegen einbehaltene Gewinne nur der Körperschaftsteuer (in der Höhe von 25 %). Werden die Gewinne ausgeschüttet, fallen zusätzlich 27,5 % Kapitalertragsteuer an.
- Als Ausgleich sind bei **Personengesellschaften und Einzelunternehmern** bis zu 13 % des Gewinns steuerfrei, wenn bestimmte Investitionen getätigt wurden. Ausgeschlossen sind z. B. Pkw oder Grundstücke. Die Höchstgrenze des Absetzbetrags liegt bei € 100.000,– pro Steuerpflichtigem.

Werden von Personengesellschaften und Einzelunternehmern keine Investitionen nachgewiesen, dürfen pauschal 13 % des Gewinns, jedoch maximal € 3.900,–, steuerfrei gestellt werden.

Umschichtungsfinanzierung [Restructuring financing]

Umschichtungsfinanzierung

Kapital ist **in Vermögen gebunden**. Bei der **Umschichtungsfinanzierung** werden Mittel, die im Vermögen gebunden sind, **freigesetzt**. Bei der Umschichtungsfinanzierung handelt es sich weder um Eigenfinanzierung noch um Fremdfinanzierung!

Die wichtigsten Formen sind:
- **Finanzierung durch Vermögensumschichtung**
  Durch den Verkauf von nicht mehr benötigtem Anlagevermögen kommt Geld ins Unternehmen.

Beispiel: Die Miramare GmbH hat eine alte, bereits völlig abgeschriebene Maschine um € 2.000,– verkauft. Ohne diese Mittelfreisetzung wäre der Finanzüberschuss um € 2.000,– kleiner.

Natürlich kommt es auch zu einem Finanzierungseffekt, wenn das Umlaufvermögen reduziert wird (Senkung der Lagerbestände, Verkürzung der Zahlungsfristen von Kunden etc.).

- **Abschreibungsfinanzierung**
  Das Unternehmen kalkuliert die Wertminderung für den Gebrauch der Anlagegüter in seine Verkaufspreise ein. Durch den Verkaufserlös fließen daher auch die **einkalkulierten Abschreibungsquoten** in das Unternehmen zurück. Da die Anlagegüter erst am Ende der Nutzungsdauer ersetzt werden müssen, können die „verdienten" Abschreibungsquoten in der Zwischenzeit für andere Investitionen verwendet werden.

Beispiel: Zur Herstellung der Kunststoffbehälter hat die Miramare GmbH fünf neue Maschinen im Wert von insgesamt € 35.000,– angeschafft. Das Unternehmen schreibt jährlich 20 % ab, die Abschreibung beträgt also € 7.000,–. Abschreibungen auf Sachanlagen sind ein nicht zahlungswirksamer Aufwand, d. h., es handelt sich um einen Aufwand, der zu keiner Auszahlung führt. Daher bleiben die € 7.000,– im Unternehmen.
Da die Maschinen neu sind, müssen sie noch nicht ersetzt werden. Der Abschreibungsbetrag von € 7.000,– kann daher für andere Zwecke verwendet werden.
Im folgenden Jahr ergibt sich die gleiche Rechnung. Wieder können die € 7.000,– für andere Zwecke verwendet werden.

Rückstellungsfinanzierung [Provision financing]

Rückstellungen werden für drohende oder in der Zukunft fällige Aufwände gebildet, die der Höhe oder dem Rechtsgrund nach noch nicht feststehen.

Rückstellungsfinanzierung

Werden **Rückstellungen** gebildet, stehen dem in der Buchhaltung verbuchten Aufwand zunächst **keine Auszahlungen** gegenüber. Die zur Verfügung stehenden Mittel sind daher größer als der Gewinn und können für die Finanzierung verwendet werden.

Dies gilt vor allem für langfristige Rückstellungen (wie z. B. für langwierige Schadenersatzprozesse oder für Pensionsrückstellungen).

Beispiel: Die jungen Mitarbeiter/innen der Miramare GmbH werden erst in vielen Jahren pensioniert. Da die Zuweisung zur Pensionsrückstellung nicht zahlungswirksam ist, bleiben € 1.000,– im Unternehmen und können für andere Zwecke verwendet werden.

Lerneinheit 3: Die Innenfinanzierung

Üben – Anwenden

Ü 2.12: Innenfinanzierung B
Unter welcher Voraussetzung gelingt es einem Unternehmen, sich aus dem Umsatzprozess zu finanzieren?

Ü 2.13: Umschichtungsfinanzierung C
Ein Unternehmen verkauft ein Grundstück, das sich bereits seit vielen Jahren im Firmenvermögen befindet. Der Buchwert beträgt € 150.000,–, der Verkaufserlös beträgt € 350.000,–.
a) Welche Art der Finanzierung liegt vor?
b) Wie hoch ist die Finanzierungswirkung? (Achtung!)
c) Könnte man das Grundstück, auch ohne es zu verkaufen, für die Finanzierung heranziehen?

Ü 2.14: Rückstellungsfinanzierung B
Erklären Sie, wie man mit „Rückstellungen" finanzieren kann.

Ü 2.15: Rückstellungsfinanzierung C
Die Maschinen- und Fabriksausstattung GmbH verkauft Werkzeugmaschinen mit 2 Jahren Garantie. Sie bildet daher eine Garantierückstellung in der Höhe von 3 % der Jahresumsätze. Das ergibt für dieses Jahr eine Rückstellung von € 3 Millionen.
Welche der folgenden Aussagen sind richtig? (Mehrfachlösungen möglich!)
a) ☐ Wenn die tatsächlichen Garantieleistungen nur bei etwa 2 % liegen, könnte man sagen, dass für den Betrag von € 1 Million Selbstfinanzierung vorliegt.
b) ☐ Wenn die tatsächlichen Garantieleistungen bei etwa € 3,5 Millionen liegen, wäre die gesamte Rückstellung als Fremdfinanzierung zu betrachten.
c) ☐ Wenn die tatsächlichen Garantieleistungen ziemlich genau € 3 Millionen betragen, hat die Rückstellung überhaupt keine Finanzierungswirkung.
d) ☐ Wenn die tatsächlichen Garantieleistungen etwa bei € 2 Millionen liegen, kann man von einer Fremdfinanzierung in der Höhe von € 1 Million sprechen.

Ü 2.16: „Innenfinanzierung" privater Haushalte C
Haben auch private Haushalte Möglichkeiten zur „Innenfinanzierung"?

Sichern

Selbstfinanzierung self-financing	Bei der Selbstfinanzierung werden Gewinne des Unternehmens nicht ausgeschüttet, sondern einbehalten. Einige steuerliche Sonderbestimmungen begünstigen die Nichtausschüttung. With self-financing the business profits are not distributed to the owners, but retained in the business. Some tax regulations favour retaining profits.
Umschichtungsfinanzierung restructuring financing	Bei der Umschichtungsfinanzierung werden Vermögensteile verkauft und der Erlös wird für die Finanzierung von Anschaffungen verwendet. With restructuring financing assets are sold and the proceeds are used to finance the purchase of new assets.
Abschreibungsfinanzierung depreciation financing	Werden die Abschreibungsquoten verdient und noch nicht für die Erneuerung der abgeschriebenen Vermögensteile benötigt, können sie für andere Finanzierungszwecke verwendet werden. If the depreciation amounts have been earned and are not yet required to cover the replacement of the old assets, then they can be used for other financing purposes.

Rückstellungs-finanzierung

Auch Rückstellungen können zur Finanzierung verwendet werden. Werden Rückstellungen gebildet, mindert das zwar den buchhalterischen Gewinn, ihre Bildung stellt aber keine Auszahlung dar. Die Mittel können daher vor allem bei langfristigen Rückstellungen für die Finanzierung verwendet werden.

provision financing

Provisions can also be used for financing. When provisions are created, this represents a non-cash expense, in that it reduces the declared profit, but there is no cash outflow. Provisions – especially long-term provisions – can therefore be used for financing.

SbX
ID: 2033

Im SbX finden Sie eine Audio-Wiederholung der englischen Beiträge sowie eine Bildschirmpräsentation mit den Grafiken dieser Lerneinheit.

Wissen

SbX ID: 2034

W 2.07: Selbstfinanzierung A
Was versteht man unter Selbstfinanzierung?

W 2.08: Selbstfinanzierung B
Kann der gesamte Gewinn eines Geschäftsjahres zur Selbstfinanzierung verwendet werden?

W 2.09: Einbehalten von Gewinnen B
Können Sie in der GuV-Rechnung bzw. in der Bilanz erkennen, ob ein Unternehmen Gewinne einbehalten hat? Berücksichtigen Sie dabei auch, was Sie in Rechnungswesen und Controlling gelernt haben.

W 2.10: Umschichtungsfinanzierung A
Was sind die beiden wichtigsten Arten der Umschichtungsfinanzierung?

W 2.11: Finanzierung durch Abschreibungen B
Erklären Sie an einem Beispiel die Finanzierung durch Abschreibungen.

Weitere Aufgabe zur Lernkontrolle im SbX

SbX
W 2.12
mit automatischer
Aufgabenkontrolle
ID: 2034

W 2.12: Eigen- und Umschichtungsfinanzierung B
Überprüfen Sie mit diesem Test, ob Sie Ihr Wissen erfolgreich anwenden können!

English questions

E 2.04: Name four types of financing within a company which do not involve external financing.

Ein kurzer Kompetenz-Check, bevor's weitergeht!

Kompetenz-Check

	☺	😐	☹
Ich kann die Innenfinanzierung charakterisieren.			
Ich kann die Selbstfinanzierung beschreiben.			
Ich kann die Umschichtungsfinanzierung erklären.			
Ich kann die Abschreibungsfinanzierung anhand von Beispielen erläutern.			
Ich kann die Rückstellungsfinanzierung erklären.			

Lerneinheit 4
Die Außenfinanzierung

SbX
Alle SbX-Inhalte zu dieser Lerneinheit finden Sie unter der ID: 2040.

Finanzmittel können einem Unternehmen von außen als Eigen- oder als Fremdkapital zugeführt werden. Als Eigenkapitalgeber kommen bestehende Eigentümer oder neue Gesellschafter infrage. Die wichtigsten Fremdkapitalgeber sind Lieferanten und Banken. In der Praxis wurden viele verschiedene Finanzierungsformen entwickelt, die auf die unterschiedlichen Finanzierungserfordernisse der Unternehmen abgestimmt sind.

Lernen

SbX ID: 2041

1 Bedeutung der Außenfinanzierung
[The importance of external financing]

Die Innenfinanzierung ist das Rückgrat der Finanzierung. In folgenden Fällen sind Unternehmen jedoch auf **Kapitalgeber außerhalb des Unternehmens angewiesen**:

- **zur Überbrückung von Zahlungsterminen**
  Die laufenden Ein- und Auszahlungen stimmen zeitlich nicht immer überein. Unternehmen haben daher einen kurzfristigen Finanzierungsbedarf aus der laufenden Geschäftstätigkeit. Kurzfristige Finanzmittel müssen von außen zugeführt werden.

- **zur Finanzierung von Investitionen**
  Wenn Unternehmen langfristig zwar genug verdienen, aber die eigenen Mittel im Augenblick nicht ausreichen, um Investitionen vorzunehmen, entsteht ein langfristiger Finanzierungsbedarf. Langfristige Finanzmittel müssen von außen zugeführt werden.

Beispiele

Ein wichtiger Abnehmer der Paper GmbH ist ein Copyshop, der mehrere Filialen betreibt. Im Rahmenvertrag wurde ein Zahlungsziel von 60 Tagen vereinbart. Um die eigenen laufenden Auszahlungen termingerecht vornehmen zu können, braucht die Paper GmbH in diesem Zeitraum immer wieder Kapitalgeber, die ihr kurzfristig Finanzmittel zur Verfügung stellen.

Die Paper GmbH plant die Anschaffung einer neuen Papiermaschine, die mehrere Jahre genutzt werden soll. Diese Investition ist wesentlich höher als die Jahreseinnahmen der Paper GmbH. Sie braucht daher einen Kapitalgeber, der ihr langfristig Finanzmittel zur Verfügung stellt.

2 Arten der Außenfinanzierung [Types of external financing]

Die folgende Übersicht zeigt die wichtigsten Arten der Außenfinanzierung in der Praxis:

Grafik
Arten der Außenfinanzierung

Einlagenfinanzierung (Eigenkapital) [Increasing equity or owners' capital]

Bei der **Einlagenfinanzierung** bringen die Unternehmer **eigene Mittel** in das Unternehmen ein oder es werden **neue Gesellschafter** aufgenommen.

Eigenkapital kann also sowohl von bestehenden Eigentümern als auch von neuen Gesellschaftern zugeführt werden. Es hat den Vorteil, dass es nicht zurückgezahlt werden muss und dem Unternehmen daher unbefristet, also sehr **langfristig** zur Verfügung steht. Außerdem besteht keine Verpflichtung, Gewinne bzw. Gewinnanteile an die Eigenkapitalgeber auszuzahlen. Werden neue Gesellschafter aufgenommen, müssen die bisherigen Gesellschafter ihre Rechte mit den neuen Gesellschaftern teilen.

Kreditfinanzierung (Fremdkapital) [Increasing debt or borrowed capital]

Bei der **Kreditfinanzierung** borgt der Kapitalgeber dem Unternehmen Fremdkapital für einige Zeit. Die wichtigsten Fremdkapitalgeber sind **Lieferanten** und **Kreditinstitute**.

Basis für die Lieferantenkredite sind **Kaufverträge**. Basis für Bankkredite sind **Kreditverträge**. Im Rahmen von Kreditverträgen werden die Höhe des Kredits, die Laufzeit, die Zinsen und sonstigen Kosten, die Rückzahlungsbedingungen bzw. Kündigungsmöglichkeiten und die Sicherheiten, die die Bank für den Kredit verlangt, vereinbart.

Fremdkapital eignet sich sowohl zur Deckung des **langfristigen** als auch des **kurzfristigen Finanzbedarfs**. Als Kreditgeber langfristiger Kredite kommen vor allem die Kreditinstitute infrage.

Für die Beurteilung unterschiedlicher Kredite sind die folgenden Faktoren wichtig:
- Häufigkeit, Besicherung und Kosten der Kreditfinanzierung

Häufigkeit der Kreditfinanzierung
- Beim **einmaligen Kredit** erhält der Kreditnehmer den gesamten Kreditbetrag anlässlich der Kreditaufnahme. Je nach Vereinbarung im Kreditvertrag wird der Kredit in einem bestimmten Zeitraum zu den festgelegten Bedingungen vom Kreditnehmer zurückgezahlt.
- Beim **roulierenden Kredit** wird dem Bankkunden ein Kreditrahmen eingeräumt, über den er verfügen kann. Hat er Teile des Kredits schon zurückgezahlt, kann er die Beträge trotzdem jederzeit wieder beanspruchen.

Rechtlich spricht man im Fall eines roulierenden Kredits von einem **Kredit im engeren Sinn** und im Fall eines einmaligen Kredits von einem **Darlehen**.

3 Besicherung der Kreditfinanzierung [Securing loans]

Vor allem Kreditinstitute verlangen in der Regel **Sicherheiten** für den Fall, dass der Kreditnehmer den Kredit nicht zurückbezahlt. Die wichtigsten Kreditsicherheiten sind:

Langfristige Kredite müssen mit langlebigen Kreditsicherheiten besichert werden!

Personale Sicherstellung [Personal securities]

Der Kredit wird nur durch den Zahlungswillen und die Zahlungsfähigkeit des Kreditnehmers oder einer dritten Person sichergestellt.

● Bürgschaft

Bürgen sind Personen, die sich verpflichten, für die Verbindlichkeiten des Schuldners mitzuhaften, d. h., sie werden zur Zahlung der Verbindlichkeiten herangezogen, wenn der Schuldner nicht zahlt. Diese Haftung kann in drei Arten vereinbart werden:

Bei vielen Krediten wird zusätzlich zu anderen Sicherstellungen eine **Bürgschaft** verlangt. Zum Beispiel wird bei kleineren Kapitalgesellschaften (z. B. kleine GmbH) oft verlangt, dass der geschäftsführende Gesellschafter für Kredite bürgt.

- **Ausfallsbürgschaft:** Der Bürge haftet nur für jenen Teil der Schuld, den der Gläubiger vom Hauptschuldner trotz Ausnutzung sämtlicher außergerichtlicher und gerichtlicher Möglichkeiten (einschließlich Exekution) nicht eintreiben kann.
- **einfache oder subsidiäre (unterstützende) Bürgschaft:** Der Gläubiger muss zunächst den Schuldner mahnen. Zahlt dieser nicht, kann sich der Gläubiger an den Bürgen wenden.
- **Selbstschuldnerische oder solidarische Bürgschaft:** Der Bürge verpflichtet sich als „Bürge und Zahler". Der Gläubiger kann wählen, von wem er zuerst Zahlung verlangen will. In der Praxis wird trotzdem meist zuerst der Hauptschuldner gemahnt.

● Wechsel

Wechsel sind Wertpapiere, auf denen dem Kreditnehmer durch Unterschrift versprochen wurde (z. B. durch einen Käufer), einen bestimmten Betrag zu einem bestimmten Zeitpunkt zu bezahlen. Dieses Wertpapier kann vom Kreditnehmer als Sicherheit verwendet werden, wenn er es vor der Fälligkeit an eine Bank verkauft („diskontiert").

Reale Sicherstellung [Real securities]

Eine genaue **Abgrenzung** zwischen personaler und realer Sicherstellung ist nicht möglich, da natürlich auch Personalkredite indirekt „real" abgesichert sind. Der Kreditnehmer und seine Bürgen haften mit ihrem Einkommen und Vermögen. Diese realen Sicherstellungen sind allerdings nicht ausdrücklich im Kreditvertrag genannt.

Der Kredit wird durch den Wert einer Kreditsicherheit sichergestellt.

● Pfandrechte

Der Kreditgeber erhält eine Sicherstellung durch ein Pfandrecht an beweglichen Gütern (Lombard) oder unbeweglichen Gütern (Hypothek).

○ Lombard

Je nach den verpfändeten beweglichen Vermögensgütern unterscheidet man:

- **Wertpapierlombard:** Verpfändet werden Wertpapiere, die sich im Depot der Bank befinden. Anleihepapiere werden etwa mit 70 % bis 90 %, Aktien etc. werden etwa mit 50 % bis 70 % des Kurswerts belehnt.
- **Edelmetalllombard:** Belehnt werden z. B. Münzen (etwa bis 80 % des Goldwerts).
- **Warenlombard:** Die Waren werden in einem Lagerhaus eingelagert und der Lagerschein wird dem Kreditinstitut übergeben. Der Kreditnehmer kann meist nach Freigabe durch das Kreditinstitut Waren entnehmen und dann neue Waren einlagern. Bevorzugt werden Waren mit einem Markt- oder Börsenpreis belehnt (z. B. Zucker, Kaffee, Metalle).

Die Belehnungsgrenze liegt beim Warenlombard meist zwischen 40 % und 70 %.

○ Hypothek

Eine Hypothek ist ein Pfandrecht auf **Immobilien** (Grundstücke mit oder ohne Gebäude). Dass eine Immobilie als Sicherstellung für einen Kredit dient, wird im Lastenblatt des Grundbuchs eingetragen. Diese Eintragung nennt man Hypothek.

Es können auch mehrere Hypotheken eingetragen werden. Muss versteigert werden, wird die Hypothek, die zuerst eingetragen wurde (= 1. Rang), zuerst ausbezahlt, dann die Hypothek auf dem 2. Rang usw., bis der bei der Versteigerung erzielte Betrag aufgebraucht ist.

● Forderungsabtretung (Zession)

Bei der „Lieferung auf Ziel" vereinbart der Verkäufer mit dem Käufer einen bestimmten Zahlungstermin (z. B. „Zahlung in 60 Tagen"). Diese offene Buchforderung kann der Verkäufer als Kreditsicherheit verwenden, indem er sie vor ihrer Fälligkeit an das Kreditinstitut abtritt („Zession"). Dafür erhält er den Rechnungsbetrag abzüglich Zinsen und Spesen von einer Bank als Kredit, bis der Käufer zahlt.

● Sicherungsübereignung

Bewegliche Sachen werden dem Kreditgeber „nur" übereignet, d. h., der Besitzer kann weiterhin die Sachen benutzen. So können auch bewegliche Sachen als Sicherstellung verwendet werden,

- ○ mit denen weitergearbeitet werden muss (z. B. Maschinen, Kraftfahrzeuge) oder
- ○ die nur schwer als Pfand verwahrt werden können. (So wäre z. B. der Transport von Maschinen in ein Lagerhaus sehr teuer.)

- **Eigentumsvorbehalt**
  Die verkaufte Sache bleibt für die Dauer des Kredits im Eigentum des Verkäufers. Ein entsprechender Vermerk findet sich bei Ziel- und Ratenkäufen häufig auf der Rechnung. In diesem Fall kann der Käufer die Sache bereits vor der vollständigen Bezahlung nutzen.

> Der **Eigentumsvorbehalt** erlischt, wenn die Sache verarbeitet oder weiterverkauft wird.

4 Kosten der Kreditfinanzierung [Borrowing costs]

Fremdkapital steht einem Unternehmen nicht gratis zur Verfügung. Es verursacht Fremdkapitalzinsen, Provisionen und Gebühren.

Brutto- und Nettozinssatz

Die Banken verrechnen neben den „**Sollzinsen**" häufig Provisionen und Gebühren, die die Kreditkosten erhöhen. Manche Banken bieten sogenannte „**Nettozinssätze**" an. Das heißt, dass neben den Zinsen keine weiteren Provisionen verrechnet werden.

Es werden folgende Kreditkosten verrechnet:

Sollzinsen (Zinssatz für den offenen Kreditbetrag)

Großkunden können über die Höhe der Sollzinsen bis zu einer gewissen Grenze verhandeln. Der Zinssatz hängt dann ab

- von der **Bonität** („Güte" = erwartete Zahlungsfähigkeit) des Schuldners,
- von den **Sicherheiten**,
- von der **Höhe und der Laufzeit** des Kredits.

Die meisten Kreditverträge beinhalten auch eine **Zinsschwankungsklausel**, die das Kreditinstitut berechtigt, die Kreditzinsen bei Änderungen der **Sekundärmarktrendite** zu ändern.

> Die irreführende Bezeichnung „**Nettozinssatz**" bedeutet inklusive aller Provisionen, also eigentlich „brutto". Laut **KSchG** muss der **Nettozinssatz** dem Kreditnehmer bekanntgegeben werden.
>
> Die **Kreditprüfung und Bonitätsbeurteilung** wird in Lerneinheit 6 besprochen.
>
> Unter **Sekundärmarktrendite** versteht man den Durchschnittszinssatz der österreichischen Anleihen.

Art der Zinsenverrechnung

Der Kredit kann sich durch die Art der Zinsenverrechnung verteuern.

Beispiele

Die Zinsen werden vierteljährlich abgerechnet, d.h., im nächsten Quartal zahlt man bereits Zinseszinsen.
6% p.a. sind dann ca. 6,14% ($1{,}015 \times 1{,}015 \times 1{,}015 \times 1{,}015 = 1{,}0614$).

Zinsen können statt im Nachhinein (**dekursiv**) im Vorhinein (**antizipativ**) berechnet werden, d.h., sie werden sofort für die erste Zinsperiode vom Kredit (vom Darlehen) abgezogen und der Kreditnehmer erhält nur den verminderten Betrag.
6% antizipativ sind bereits 6,4% dekursiv (da man nur € 94,– für € 100,– bekommt, aber € 6,– an Zinsen bezahlt: $6 \times 100 : 94 = 6{,}4$).

Provisionen

Provisionen werden z.B. in folgender Form verrechnet:

- **Zuteilungsprovision** (bei der Krediteinräumung – vor allem bei Darlehen)
- **Bereitstellungsprovision** (bei roulierenden Krediten vom Kreditrahmen)
- **Kreditprovision** (vom ausgenützten Kreditrahmen)
- **Überziehungsprovision** (von Beträgen, die den Kreditrahmen übersteigen)
- **Umsatzprovision** (z.B. von der größeren Umsatzseite)

Beispiele

Kreditprovision ¼ % pro Monat vom ausgenützten Kredit bedeutet einen Zuschlag von $12 \times ¼\% = 3\%$ pro Jahr.

Bereitstellungsprovision von ⅛ % pro Monat vom Kreditrahmen bedeutet $12 \times ⅛\% = 1{,}5\%$ pro Jahr. Wird jedoch der Kreditrahmen im Durchschnitt z.B. nur zur Hälfte ausgenützt, so erhöhen sich die Kreditkosten um das Doppelte, also um 3% pro Jahr.

Überziehungsprovision von ⅛ Promille pro Tag von der Überziehung bedeutet einen Zinszuschlag von $365 \times ⅛$ Promille = 4,56% pro Jahr.

> **Provisionen** werden häufig nicht pro Jahr, sondern für kürzere **Perioden** angegeben. Sie werden daher häufig unterschätzt.

Gebühren

Gebühren werden vor allem für die Verwaltung und für sonstige Spesen eingehoben (Gebühren pro Buchungszeile, Spesen für Expressüberweisung etc.).

5 Arten der Kreditfinanzierung [Types of borrowing]

Lieferantenkredit [Trade credit]

Lieferantenkredit

Selbstverständlich sind bei Lieferungen auf Ziel Sicherstellungen wie der Eigentumsvorbehalt möglich. Der Lieferant weist den „Lieferantenkredit" als Lieferforderung aus.

Der **Lieferantenkredit** stellt in der Praxis die einfachste Finanzierungsform dar. Er entsteht durch die Kaufvertragsvereinbarung **„Lieferung auf Ziel"**.

Häufig erfolgt die Lieferung „ungesichert", d. h., es wird keine besondere Sicherstellung vereinbart. Kosten entstehen bei dieser Finanzierungsform dadurch, dass der Käufer auf die Ausnutzung des Skontos verzichtet. Die Effektivverzinsung kann erheblich sein.

Beispiel

Zahlbar innerhalb von 14 Tagen mit 2 % Skonto oder innerhalb von 60 Tagen netto Kassa (Das bedeutet: Zahlt man 46 Tage früher, erhält man dafür einen Preisnachlass von 2 %.), Effektivverzinsung pro Jahr: 2 % : (60 – 14) × 365 = 15,9 %

Kontokorrentkredit [Overdraft facility (line of credit)]

Kontokorrentkredit

Der **Kontokorrentkredit** ist ein **Bankkredit**. Sein wichtigstes Merkmal ist, dass alle **Einzahlungen** (Gutschriften) und **Auszahlungen** (Belastungen) auf dem Konto gegeneinander aufgerechnet werden.

Am Ende der Abrechnungsperiode (z. B. am Quartalsende) werden nicht die einzelnen Kontobewegungen, sondern nur der Saldo in Rechnung gestellt.

- **Abwicklung**
  Es wird ein Kreditrahmen eingerichtet, der roulierend ausgenützt und eventuell auch überzogen werden kann.

- **Besicherung**
  Abgesehen vom Eigentumsvorbehalt eignen sich alle Kreditsicherheiten zur Besicherung des Kontokorrentkredits.

- **Kosten**
  Sollzinsen, Bereitstellungs- und/oder Kreditprovision, Überziehungsprovision, Umsatzprovision (je nach Kreditvertrag) sowie Gebühren wie z. B. Zeilengebühr

  Die meisten Kosten sind von der Höhe der Ausnutzung des Kreditrahmens abhängig. Die Bereitstellungsprovision wird jedoch vom Kreditrahmen (unabhängig von dessen Ausnutzung) berechnet.

- **wirtschaftliche Bedeutung**
  Da ein Kreditrahmen eingeräumt wird, passen sich Kontokorrentkredite gut den wechselnden Finanzierungsbedürfnissen eines Unternehmens an. Rechtlich hat der Kontokorrentkredit meist kurze Vertragslaufzeiten (ca. 6 Monate). Wirtschaftlich ist er langfristig und wird immer wieder verlängert. Er kann ohne Gefährdung der wirtschaftlichen Existenz des Kreditnehmers meist nur langsam abgebaut werden.

Langfristige Bankdarlehen [Long-term bank loan]

Langfristige Bankdarlehen werden aufgenommen, um **langfristige Finanzierungserfordernisse** (z. B. Investitionen) zu decken.

- **Abwicklung**
  Meist wird der Kreditbetrag auf einmal ausgezahlt und dann in Raten (z. B. monatlich oder vierteljährlich) zurückgezahlt. Die Darlehenslaufzeit wird üblicherweise der erwarteten Nutzungsdauer der Investition und die Darlehenstilgung den erwarteten verdienten Abschreibungen angepasst.

- **Besicherung**
  Langfristige Bankdarlehen sind gewöhnlich durch Hypotheken gesichert. Deshalb handelt es sich bei langfristigen Bankdarlehen vor allem um Hypothekardarlehen.

- **Kosten**
  Die Kosten des langfristigen Bankdarlehens sind abhängig von der Höhe des Zinssatzes, der Art der Zinsenverrechnung sowie von weiteren Gebühren (z. B. Eintragung einer Hypothek in das Grundbuch durch einen Notar).

- **wirtschaftliche Bedeutung**
Langfristige Bankdarlehen sind für kleine und mittlere Unternehmen die wichtigste Quelle langfristiger Fremdfinanzierung. Aber auch für Großunternehmen haben sie eine große Bedeutung, weil es kostengünstiger sein kann, sich über die Kreditinstitute und nicht über den Kapitalmarkt zu finanzieren.

6 Kurz- und langfristige Sonderfinanzierungsformen
[Short and long-term specialised financing]

Factoring [Factoring]

Factoring ist eine Weiterentwicklung der Forderungszession. Beim Factoring werden **offene Buchforderungen** vor ihrer Fälligkeit abzüglich Zinsen und Spesen **an eine Factoring-Bank verkauft.** Die Zahlungen des Schuldners erfolgen immer direkt an die Factoring-Bank.

Grafik Factoring

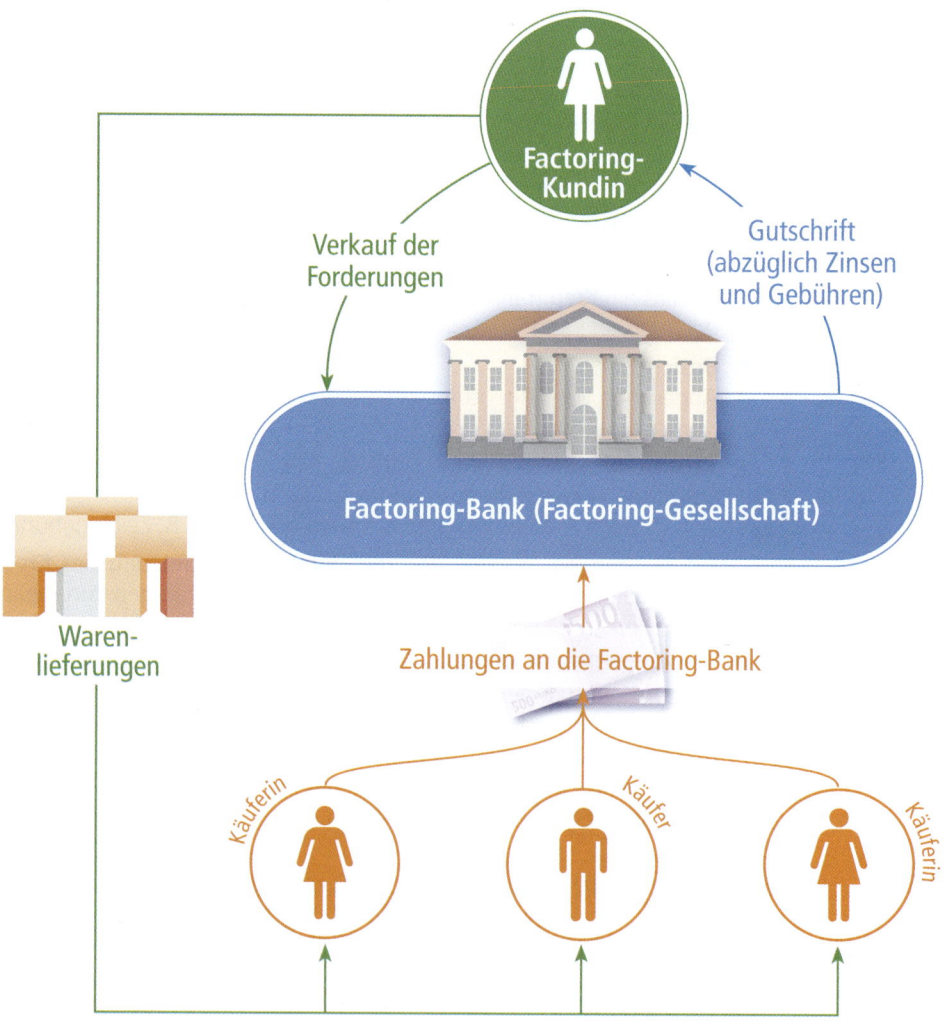

Dubiosenrisiko: aus der Sicht des Kreditgebers das Risiko, dass der Kreditnehmer nicht mehr zahlen kann.

Die Factoring-Gesellschaft erbringt neben dem Kredit weitere Leistungen für die Kunden:
- Führung der Debitorenbuchhaltung
- Übernahme von Mahnungen und Inkasso
- eventuell Übernahme des Dubiosenrisikos (in Österreich unüblich)

Die Kosten hängen von den erbrachten Leistungen ab.

Wirtschaftliche Bedeutung

Das Factoring dient vor allem zur Finanzierung stark steigender (Ziel-)Umsätze und stark schwankender Umsätze (z. B. Saisongeschäft).

Leasing [Leasing]

Unter Leasing versteht man die **Überlassung von Investitionsgütern** für mittlere oder längere Perioden (etwa 18 Monate oder länger) an den Nutzer durch spezielle Leasinggesellschaften. Das heißt, die Leasinggesellschaft erwirbt ein Investitionsgut (eine Maschine, einen Lkw etc.) auf Wunsch des Leasingnehmers (des Kreditnehmers) vom Produzenten oder Händler und „verleast" dieses Investitionsgut an den Leasingnehmer.

Grafik
Abwicklung Leasingfinanzierung

Viele Private leasen ihr Auto. Unternehmen haben oft den gesamten Fuhrpark geleast.

ABWICKLUNG LEASINGFINANZIERUNG

- Beratung
- Anbot ①
- **Nutzer (Leasingnehmer)** ↔ **Hersteller bzw. Händler**
- ②b Leasingvertrag
- Leasingraten ③
- Kaufvertrag ②a
- **Leasinggesellschaft**
- Refinanzierungsvertrag
- **Kreditinstitut(e)**

In Bilanzen nach International Financial Reporting Standards sind Leasingvermögen und Leasingschulden auszuweisen.

Es handelt sich bei der Leasingfinanzierung rechtlich um **keinen Kredit,** sondern um einen **Leasingvertrag,** der dem Mietvertrag ähnlich ist. Leasingverbindlichkeiten scheinen daher in Bilanzen nach UGB nicht als Fremdkapital auf.

Leasinggesellschaften sind keine Kreditinstitute, jedoch gelten einige Bestimmungen des Bankwesengesetzes (z. B. über Geldwäsche, Konsumentenschutz).

Abwicklung

In der Regel einigen sich zunächst der Nutzer und der Hersteller (bzw. Händler) über die Art des benötigten Investitionsguts (über die Maschine, den Lkw etc.). ①

Dann können sich der Verkäufer, der Leasingnehmer oder beide an die Leasinggesellschaft wenden. Die Leasinggesellschaft erwirbt das Investitionsgut vom Verkäufer und verleast es längerfristig an den Nutzer. ②

Der Nutzer bezahlt der Leasinggesellschaft periodisch (z. B. monatlich) eine Leasingrate. ③

Häufig beschaffen sich Leasinggesellschaften die für das Leasinggeschäft benötigten Mittel von Kreditinstituten.

Gestaltungsmöglichkeiten des Leasingvertrags

Der **Leasingvertrag** kann unterschiedlich gestaltet sein:

Auch wenn im Vertrag keine Kaufoption enthalten ist, ist ein Erwerb nach Ablauf der Vertragsdauer meist möglich.

- **mit oder ohne Kaufoption**
  Dem Leasingnehmer kann das Recht eingeräumt werden, das Leasingobjekt nach Ende der Vertragszeit zu einem bereits im Vertrag enthaltenen Preis zu erwerben.

- **mit oder ohne Verlängerungsmöglichkeit**
  Der Leasingnehmer kann vertraglich das Recht erhalten, den Vertrag nach Ablauf der Leasingdauer zu verlängern. Für die Verlängerung werden oft sehr günstige Konditionen vereinbart (z. B. der Betrag einer Monatszahlung pro Jahr).

- **mit oder ohne Kündigungsrecht**
  Dem Leasingnehmer kann zugestanden werden, den Vertrag nach einer bestimmten Mindestlaufzeit zu kündigen. Dies stellt ein großes Risiko für den Leasinggeber dar, der das Wirtschaftsgut auf Wunsch des Kunden angeschafft hat.

  Kündigungsmöglichkeiten sind daher **in der Regel** nur bei Verträgen über leicht verwertbare Güter (z. B. Autos einer gängigen Marke) enthalten und meist mit zusätzlichen Kosten verbunden.

Beim Pkw-Leasing ist Restwertleasing üblich.

- **Amortisationsleasing oder Restwertleasing**

  Beim Amortisationsleasing werden die Leasingraten so bemessen, dass das Leasinggut in der Leasingdauer vollständig oder fast vollständig bezahlt wird.

  Beim Restwertleasing wird ein Restwert vereinbart. Nutzt der Leasingnehmer das Investitionsgut intensiver, muss er zu Leasingende die Wertdifferenz bezahlen bzw. das Gut auf jeden Fall um den Restwert erwerben (üblich z. B. beim Pkw-Leasing).

„Sale and lease back"

Eine Sonderform des Leasings ist erforderlich, wenn Investitionsgüter bereits gekauft wurden und erst dann über Leasing finanziert werden sollen.

In diesem Fall verkauft der Leasingnehmer das Investitionsgut (z. B. ein Bürogebäude) an die Leasinggesellschaft und least sofort wieder zurück (Sale and lease back).

Beispiel für zusätzliche Kosten: Beim Pkw-Leasing wird immer eine Vollkaskoversicherung verlangt.

Die Kosten der Leasingfinanzierung

In den Kosten müssen der Leasingfirma die Abschreibungen, die Zinsen und die Verwaltungskosten vergütet werden. **Zusätzliche Kosten** können durch besondere Versicherungskosten bzw. Wartungskosten auftreten, die die Leasingfirma verlangt.

Wirtschaftliche Bedeutung

Leasing hat zweifellos **Vorteile für den Verkäufer**. Ihm steht eine zusätzliche Möglichkeit der Absatzfinanzierung zur Verfügung, die ihm Risiko, Verwaltungsarbeit und Finanzierungskosten erspart.

Für den Leasingnehmer werden folgende **Vorteile** der Leasingfinanzierung angeführt:

Auch Baumaschinen werden geleast.

- Die Dauer des Leasingvertrags kann genau den Bedürfnissen und den finanziellen Möglichkeiten des Leasingnehmers angepasst werden.
  Dieses Argument war zumindest eine Zeit lang zutreffend, da die Kreditinstitute zu wenig mittelfristige Kredite anboten.

- Leasing hält die „Kreditlinien" bei der Hausbank frei. Das heißt, man hat eine Liquiditätsreserve bei seiner Hausbank, da man die Investitionen über die Leasinggesellschaft finanziert. Dieses Argument hatte nur in der Anfangszeit des Leasinggeschäfts Bedeutung. Heute wird bei der Kreditprüfung selbstverständlich auch gefragt, welche Leasingverpflichtungen bereits bestehen.

- Leasingverpflichtungen scheinen in der Bilanz lt. UGB nicht auf. Wie zukünftige Mietverbindlichkeiten werden sie nicht bilanziert.
  Für dieses Argument gilt das Gleiche wie für die „freien Kreditlinien bei der Hausbank". Ein erfahrener Bilanzanalytiker wird selbstverständlich nach bestehenden Leasingverträgen fragen. Kapitalgesellschaften müssen im Bilanzanhang die Summe der eingegangenen Leasingverpflichtungen für das nächste Jahr und für die nächsten fünf Jahre angeben (vgl. § 237 Z 8 UGB).

- Leasing ist steuerlich günstiger. Ob eine Leasingfinanzierung oder ein Bankkredit für den Leasingnehmer günstiger ist, hängt von einer genauen Analyse der steuerlichen Situation ab. Ein Vergleich ist im Einzelfall rechnerisch sehr schwierig.

Beispiel

Restwert: Der Pkw kann nach Ablauf des Vertrags um diesen Betrag angekauft werden.

Pkw-Privatleasing

Eine Leasinggesellschaft legt folgendes Angebot für ein Pkw-Privatleasing auf 48 Monate:

Peugeot 308 SW Access mit Sonderausstattung	€ 20.990,00
Anzahlung	€ 5.650,00
Restwert nach Ende der Laufzeit	€ 7.630,00
48 monatliche Leasingraten zu je	€ 220,00

Berechnet man die Effektivverzinsung näherungsweise, dann sind folgende Rechenschritte notwendig:

Durchschnittlicher Kreditbetrag

zu Beginn	
Listenpreis	€ 20.990,00
− Anzahlung	€ 5.650,00
= Schuldrest	€ 15.340,00
am Ende (Restwert)	€ 7.630,00
im Durchschnitt daher (€ 15.340 + € 7.630) : 2	€ 11.485,00

Bezahlt werden:

Ratensumme
€ 220,00 × 48 	€ 10.560,00
Restwert 	€ 7.630,00
insgesamt 	€ 18.190,00

Verzinsung
Summer der Rückzahlungen 	€ 18.190,00
Anfangsschuld (Schuldrest) 	€ 15.340,00
Mehrzahlung (= Zinsen) 	€ 2.840,00
pro Jahr (: 4) 	€ 710,00
bezogen auf das durchschnittlich gebundene Kapital 	€ 11.485,00
Verzinsung pro Jahr, gerundet 	6,2 %

*Zum Vergleich können Sie das Beispiel auch unter der Annahme rechnen, dass Sie bei Barzahlung **6 % Preisnachlass** erhalten, d. h., der Barpreis wäre dann um 6 % geringer.*

Wie günstig das Leasingangebot wirklich ist, hängt von verschiedenen Faktoren ab:
- Würde man bei Barzahlung einen Preisnachlass erhalten?
- Meist verlangt die Leasinggesellschaft eine „Vollkaskoversicherung", die man normalerweise vielleicht nicht abschließen würde. Dafür werden diese Versicherungen meist günstiger angeboten.
- Vielleicht kann man den Pkw um mehr als € 7.630,00 verkaufen.
- Vielleicht will man den Pkw nicht um den Restwert kaufen und muss eine zusätzliche Entschädigung zahlen, weil man mehr als vereinbart gefahren ist.

Genau prüfen sollten Sie bei Leasingverträgen auch die Kosten bei vorzeitiger Vertragsauflösung. Oft gilt auch ein Totalschaden als Vertragsauflösung, bei dem Kündigungskosten anfallen.

Sie können sich vorstellen, dass die Berechnung bei einem Unternehmer, der auch die Besteuerung berücksichtigen muss, noch komplizierter ist.

Leasing ist daher eine von vielen Finanzierungsmöglichkeiten, die man sehr genau überprüfen und vergleichen muss.

7 Weitere Kreditformen [Other forms of borrowing]

Die verschiedenen Finanzierungsbedürfnisse der Unternehmen haben unterschiedliche Möglichkeiten der Außenfinanzierung mittels Fremdkapital hervorgebracht. Neben den bereits dargestellten Kreditformen lassen sich für die Praxis noch folgende Kreditformen anführen:

Abnehmerkredit [Buyer credit]

Kredite durch Abnehmer können in zwei Formen gewährt werden:
- **Anzahlungen und Vorauszahlungen**
  Für größere Anschaffungen (z. B. Möbel nach Maß) muss der Käufer oft eine Anzahlung leisten.
  Welche Kosten derartige Kredite für den Verkäufer verursachen, kann kaum festgestellt werden. Diese Finanzierung ist meist Bestandteil der Preisfestlegung im Kaufvertrag und damit auch der Preisverhandlungen.
- **Darlehen für Investitionen**
  Auch Abnehmer gewähren manchmal zur Beschaffungssicherung längerfristige Darlehen an ihre Lieferanten (z. B. große Industriebetriebe an Zulieferbetriebe).

Langfristiger Lieferantenkredit [Long-term trade credit]

Manchmal gewähren Lieferanten den Abnehmern längerfristige Kredite für Investitionen, um den Absatz zu sichern (z. B. Getränkehersteller an Gasthäuser).

Rückzahlung und Verzinsung erfolgen im Rahmen der Einkäufe, z. B. durch einen Preiszuschlag.

Lombardkredit [Lombard facility or loan]

Beim Lombardkredit wird ein kurzfristiges Darlehen gegen Verpfändung beweglicher Sachen (z. B. Wertpapiere, Edelmetalle, Waren) gewährt.

Forderungszessionskredit [Assignment of receivables]

Der Kreditnehmer tritt offene Buchforderungen vor Fälligkeit an das Kreditinstitut ab (er „zediert" die Forderungen). Das Kreditinstitut schreibt den Gegenwert abzüglich Zinsen und Spesen gut. Der Forderungszessionskredit funktioniert daher **ähnlich wie der Wechseldiskontkredit**.

Bei der **Abwicklung** ist zu unterscheiden:

- **stille Zession:** Der Schuldner des Kreditnehmers erfährt nichts von der Abtretung. Der Kreditnehmer muss sich selbstverständlich verpflichten, Zahlungen, die ihm direkt zugehen, sofort an das Kreditinstitut weiterzuleiten.
- **offene Zession:** Dem Schuldner des Kreditnehmers wird die Zession mitgeteilt. Er wird vom Kreditinstitut aufgefordert, Zahlungen nur an das Kreditinstitut zu leisten (bzw. nur auf das Konto des Kreditnehmers bei diesem Kreditinstitut).

Meist werden etwa 85 % der diskontierten Forderungen sofort ausgezahlt und der Rest erst nach Eingang der gesamten Forderung.

> **Beachten Sie:** Beim Forderungszessionskredit übernimmt das Kreditinstitut das Dubiosenrisiko nicht (vgl. Wechseldiskont).

Wechseldiskontkredit [Discounting bills of exchange]

Wechsel werden vom Kreditnehmer vor Fälligkeit dem Kreditinstitut übergeben. Das Kreditinstitut schreibt den Wechselbetrag abzüglich Zinsen und Spesen gut.

Die Abwicklung findet folgendermaßen statt:

Das Kreditinstitut prüft,

- ob der Wechselkreditrahmen ausreicht,
- ob nicht schon zu viele Wechsel, die auf denselben Bezogenen lauten, eingereicht wurden,
- ob der Wechsel zwei gute Unterschriften aufweist, d. h., ob der Bezogene und der Einreicher (meist der Aussteller) als kreditfähig gelten.

Ferner sollte es sich um Wechsel aus Warengeschäften handeln.

Wechsel mit einer Laufzeit von über drei Monaten werden meist nur zu einem erhöhten Zinssatz diskontiert. Wechsel mit einer Restlaufzeit von mehr als 6 Monaten werden in der Regel nicht angenommen.

Notleidende Wechsel

Werden diskontierte Wechsel vom Bezogenen nicht bezahlt, muss der Einreicher die Wechsel meist zurücknehmen, den Bezogenen selbst klagen und dem Kreditinstitut entweder den Betrag zur Verfügung stellen oder neue, gute Wechsel einreichen.

> Wechseldiskontkredite werden häufig im Rahmen von Kontokorrentkrediten abgewickelt.

Wirtschaftliche Bedeutung

Der Diskontkredit dient meist zur Absatzfinanzierung von Großhandel und Industrie.

Akzeptkredit [Acceptance credit]

Beim Akzeptkredit zieht der Kreditnehmer auf das kreditgewährende Institut einen Wechsel. Dieser Wechsel wird vom Kreditinstitut **akzeptiert**. Da Unterschriften von Kreditinstituten als besonders „gute" Unterschriften gelten, kann der Kreditnehmer diesen Wechsel leicht verwerten.

Er kann ihn

- zahlungshalber an einen Gläubiger weitergeben (z. B. an einen Lieferanten – selten) oder
- bei einem Kreditinstitut diskontieren lassen (Regelfall).

Der Kreditnehmer muss sich verpflichten, dem kreditgewährenden Institut den Wechselbetrag knapp vor Fälligkeit des Wechsels zur Verfügung zu stellen.

Akzeptkredite sind nicht sehr häufig.

Für das kreditgewährende Institut (dem Bezogenen des Wechsels) handelt es sich um eine sogenannte **Kreditleihe**. Während der Laufzeit wird nur der „gute Name" zur Verfügung gestellt.

> Bei der ordnungsgemäßen Abwicklung eines Akzeptkredits kommt es **für das Kreditinstitut** zu **keiner Kapitalbindung**.

Lerneinheit 4: Die Außenfinanzierung

Avalkredit [Guaranteed credit]

Das Kreditinstitut erklärt sich bereit, für eine bereits bestehende oder für eine zukünftige Verbindlichkeit des Kunden zu haften. Es erhält eine Provision.

Verwendungszweck

Avalkredite werden für die verschiedensten Zwecke verwendet, wie zum Beispiel als:
- **Zollaval:** Der Kreditnehmer muss den Zoll nicht sofort an der Grenze bezahlen, das Kreditinstitut haftet (z. B. für Spediteure).
- **Frachtaval:** Großkunden bezahlen z. B. für die Transportleistungen der Bundesbahn monatlich. Die Bundesbahn verlangt eine Garantie, dass tatsächlich bezahlt wird.
- **Mängelgarantie:** Das Kreditinstitut haftet mit einem bestimmten Betrag für die Behebung von Mängeln (z. B. bei Großbauten).
- **Anzahlungsgarantie:** Das Kreditinstitut haftet für die Anzahlung – für den Fall, dass der Verkäufer nicht liefert und die Anzahlung nicht zurückzahlt.
- **Lieferungsgarantie:** Das Kreditinstitut haftet für die rechtzeitige Lieferung mit einem Geldbetrag.

Abwicklung von Avalkrediten

Die Abwicklung ist bei manchen Garantien schwierig (z. B. bei der Mängelgarantie). In der Regel zahlt das Kreditinstitut sofort, wenn es in Anspruch genommen wird. Der Kreditnehmer muss dann dem Kreditinstitut den Betrag ersetzen und mit seinem Partner die Rechtslage klären.

Wirtschaftliche Bedeutung

Avalkredite haben große Bedeutung. Sie ermöglichen:
- Verwaltungseinsparungen (z. B. Zoll- und Frachtkostenabrechnungen in größeren Perioden)
- Kreditverhältnisse zwischen Partnern, die miteinander nicht vertraut sind (z. B. Anzahlungsgarantie)
- das Zustandekommen von Geschäften zwischen Partnern, die einander nicht kennen oder die aufgrund der Betriebsgröße oder aus anderen Gründen nicht ausreichend vertrauenswürdig sind (Bietungsgarantie, Lieferungsgarantie, Mängelgarantie)
- Im Geschäft mit öffentlichen Auftraggebern (z. B. bei Bauaufträgen oder bei Anzahlungen aller Art) sind Garantien meist überhaupt Vorbedingung für den Geschäftsabschluss.

Beim Avalkredit muss man zwischen Eventual- und Effektivkredit unterscheiden. Bei einem Effektivkredit wird Geld vergeben. Bei einem Eventualkredit wird die Zusage zu einem eventuellen Kredit gewährt.

Garantien haben vor allem im internationalen Geschäft große Bedeutung, da die Geschäftspartner einander meist nicht so gut kennen wie im Inlandsgeschäft.

Üben – Anwenden

Ü 2.17: Außenfinanzierung B

Unter welchen Voraussetzungen gelingt es einem Unternehmen, sich mit Finanzmitteln von Geldgebern außerhalb des Unternehmens zu versorgen? Überlegen Sie sich mindestens zwei Möglichkeiten.

Ü 2.18: Lieferantenkredit C

Wie teuer ist ein Lieferantenkredit bei der Kondition 3 Monate Ziel oder 2 % Skonto bei Zahlung innerhalb von 14 Tagen? (Rechnen Sie den Monat mit 30 und das Jahr mit 365 Tagen.)

Ü 2.19: Kontokorrentkredit C

Für einen Kontokorrentkredit werden verrechnet:
6 % Zinsen pro Jahr, ¼ % Bereitstellungsprovision vom Kreditrahmen pro Vierteljahr.
Berechnen Sie näherungsweise die Zinskosten für den Kredit, wenn Sie davon ausgehen, dass Sie den Kredit im Durchschnitt zu etwa ¾ ausnützen.
Welche weiteren Kosten fallen auf jeden Fall an, wenn Sie einen Kredit bei einem Kreditinstitut aufnehmen?

Ü 2.20: Umsatzfinanzierung C

Die Elektromotorenerzeugungs GmbH benötigt einen Kredit zur Finanzierung ihrer Kundenforderungen, da der Umsatz ständig ansteigt und die Konkurrenz immer längere Zielfristen anbietet.

Als Sicherheit bietet die Elektromotorenerzeugungs GmbH der Volksbank im Ort die Lombardierung der von ihr erzeugten Elektromotoren an.

a) Die Volksbank lehnt die Lombardierung ab. Welche Gründe wird die Volksbank vermutlich anführen?
b) Welche Art der Kreditgewährung würde sich für das Finanzierungsproblem der Elektromotorenerzeugungs GmbH vermutlich eignen?

Ü 2.21: Hypothekarkredit C

Der Gastwirt Walter Huber erhält zum Ausbau seiner Fremdenzimmer von der Ortssparkasse einen Hypothekarkredit auf ein Baugrundstück in der Höhe von € 150.000,–. Eingetragen wird eine sogenannte Höchstbetragshypothek über € 180.000,–.
Überlegen Sie, warum die Sparkasse eine höhere Hypothek eintragen lassen wird, als es dem Kredit entspricht!

Ü 2.22: Überbrückungskredit C

Sie haben Bundesanleihen mit 4½ % Verzinsung und benötigen für 3 Monate einen Überbrückungskredit von € 50.000,–.
Ist es für Sie günstiger, die Anleihen für einen Kredit zu 6½ % zu lombardieren, oder sollten Sie die Anleihen besser verkaufen, statt den Kredit aufzunehmen (An- und Verkaufsspesen je 0,50 %)?

Ü 2.23: Leasing B

Welche Partner sind an einem Leasinggeschäft beteiligt? Erläutern Sie dies am Beispiel Leasing von fünf Autobussen durch einen Busunternehmer.

Ü 2.24: Leasingvertrag B

Was sollte in einem Leasingvertrag außer der Laufzeit und den Leasingraten noch geregelt werden?

Ü 2.25: Sale and lease back A

Was versteht man unter „Sale and lease back"?

Ü 2.26: Leasingfinanzierung B

Wie beurteilen Sie die Aussage „Leasingfinanzierung hält die Kreditlinie bei der Hausbank frei"?

Ü 2.27: Kosten der Leasingfinanzierung C

Ein Autobus wird zu folgenden Konditionen geleast:
Listenpreis € 350.000,–, Anzahlung € 70.000,–, 60 monatliche Leasingraten zu je € 3.950,–, Restwert € 100.000,–.

a) Welche Effektivverzinsung weist die Leasingfinanzierung auf?
b) Worauf sollte man beim Leasingvertrag achten?
c) Kann man die Kosten der Leasingfinanzierung ohne weiteres mit einem Bankkredit vergleichen?

Zusatzfrage:
Welche Effektivverzinsung ergibt sich, wenn man bei Barzahlung einen Preisnachlass von 6 % erhalten würde?

Ü 2.28: Fallbeispiel „Alfa Romeo"

a) Berechnen Sie ein Leasingangebot über die Website der Bank Austria. Rufen Sie dazu den Kfz Leasing Kalkulator auf (www.unicreditleasing.at, Linkkette: Privatkunden > Kfz-Kalkulator > Jetzt Leasingrate berechnen)

Geben Sie die folgenden Daten in den einzelnen Schritten ein:
Marke: Alfa Romeo, Modell: Giulietta – Neufahrzeug
Type: Giulietta Super 1,4 TB MultiAir (125 kW, 5 Türen)
Neuwagen Kaufpreis: € 29.700,–
Laufzeit: 48 Monate
Kilometer pro Jahr: 20.000
Vorauszahlung: € 5.940,–
kein Depot
Restwert: € 8.800,–

Die monatliche Leasingrate beträgt:

Lerneinheit 4: Die Außenfinanzierung

Beachten Sie: Brechen Sie die Erstellung des Leasingangebots nach der Ausgabe der Leasingrate ab. Geben Sie keine Daten zur Weiterleitung an die Bank Austria ein!
b) Berechnen Sie die Verzinsung für das Leasingangebot mit einfachen Zinsen.
c) Ist es wirtschaftlicher, den Pkw zu leasen oder bar zu kaufen? Die Barmittel könnten zu einem Zinssatz von 1 3/8 % veranlagt werden. Welche weiteren Faktoren müssten Sie bei Ihrer Entscheidung berücksichtigen?

Ü 2.29: Kreditarten C

Um welche Kreditform handelt es sich in den folgenden Fällen? Führen Sie die Kreditform an.

a) Ein Kreditinstitut stellt einer Bäckerei einen Kreditrahmen in der Höhe von € 200.000,– zur Verfügung.

b) Ein Bauunternehmen kauft Ziegel mit einem Zahlungsziel von 90 Tagen.

c) Herr Theuermann leistet eine Anzahlung an den Möbelhändler für den Kauf einer neuen Sitzgarnitur.

d) Ein Kreditinstitut haftet der Gemeinde Wien für den Fall, dass ein Bauunternehmen eine neu zu errichtende Wohnhausanlage nicht rechtzeitig fertigstellt.

Ü 2.30: Privatkredite D

Organisieren Sie in Ihrer Klasse eine Gruppenarbeit für 4 bis 5 Gruppen. Untersuchen Sie in Ihrer Gruppe das Privatkredit-Angebot eines Kreditinstituts Ihrer Wahl. Gehen Sie dabei nach folgenden Fragen vor:
- Welche roulierenden Kredite werden privaten Haushalten angeboten?
- Welche einmaligen Kredite werden privaten Haushalten angeboten?
- Welche Sicherstellungen werden für die Kredite verlangt?
- Wie viel kosten die Kredite für private Haushalte?

Präsentieren Sie die Recherche-Ergebnisse. Diskutieren Sie anschließend in Ihrer Klasse, welche Unterschiede zwischen Unternehmenskrediten und Privatkrediten Sie feststellen konnten. Überlegen Sie auch, worauf diese Unterschiede zurückzuführen sein könnten.

Sichern

Anlässe zur Außenfinanzierung	• Ein- und Auszahlungstermine lassen sich nicht exakt aufeinander abstimmen, wodurch eine bestimmte Zeit mit Finanzmitteln von Geldgebern außerhalb des Unternehmens überbrückt werden muss. • Für eine Investition reicht die momentan verfügbare Innenfinanzierung nicht aus.
situations for external financing	• The timing of cash inflows and outflows cannot be matched exactly, and therefore the financing requirement for the period between the flows must be bridged by using funds from outside the business. • There are insufficient internal funds available to make an investment.
Einlagenfinanzierung (Eigenkapital)	Bei der Einlagenfinanzierung bringen die Unternehmer eigene Mittel in das Unternehmen ein oder es werden neue Gesellschafter aufgenommen. Werden dabei neue Unternehmensformen gebildet, sind die Vor- und Nachteile der verschiedenen Unternehmensformen zu berücksichtigen.
increasing equity or owners' capital	Increasing equity or owners' capital means the existing owners raise their capital contributions, or new partners are taken on. If this means a change in the legal form of the business, then the advantages and disadvantages of the different legal forms must be considered.
Kreditfinanzierung (Fremdkapital)	Der Kapitalgeber borgt dem Unternehmen Fremdkapital für einige Zeit. Die wichtigsten Fremdkapitalgeber sind: • Lieferanten des Unternehmens • Kreditinstitute

 Lernen Üben Sichern Wissen

	Die Bank als Kreditgeber zahlt die vereinbarte Kreditsumme an den Kreditnehmer, der diese Summe zu einem späteren Zeitpunkt zurückzahlen („tilgen") muss und zusätzlich für die in Anspruch genommene Kreditsumme Zinsen zu zahlen hat. Wofür der Kredit verwendet wird und wann die Zins- und Tilgungszahlungen zu erfolgen haben, wird im Kreditvertrag festgehalten.
increasing debt or borrowed capital	The investor/creditor lends money to the business for a period of time. The most important creditors are: ● the suppliers of the business ● financial institutions The bank as lender pays the agreed loan amount to the borrower, who has to repay this amount at a later date, and in addition must pay interest on the amount borrowed. The loan agreement will state the purpose for which the loan is to be used and when the repayments including interest are due.
Häufigkeit der Kreditaufnahme	Kredite können entweder roulierend oder einmalig vereinbart werden.
borrowing frequency	Loans can be either revolving or one-time only.
Besicherung	Kredite werden mit personalen und realen Sicherheiten besichert.
security required	Loans can be secured with personal or real securities.
Kosten der Kredite	Die Kreditkosten sind abhängig von den Zinsen, von der Art, wie die Zinsen verrechnet werden, sowie von verschiedenen Provisionen und Gebühren.
borrowing costs	Borrowing costs depend on the interest rate, the way the interest is calculated and on the various commissions and charges.
Lieferantenkredit	Lieferantenkredite entstehen durch die Kaufvertragsvereinbarung „Kauf auf Ziel".
trade credit	Trade credit occurs when goods are bought "on credit".
Kontokorrentkredit	Rechtlich kurzfristig, wirtschaftlich langfristig, dient der Kontokorrentkredit zur zeitlichen Überbrückung unterschiedlicher Ein- und Auszahlungstermine eines Unternehmens. Der Kontokorrentkredit wird mit verschiedenen Kreditsicherheiten besichert.
overdraft facility (line of credit)	Legally short-term, practically long-term, an overdraft facility helps to bridge the time lags between the various inflows and outflows of cash in a business. Various types of security can be offered in connection with an overdraft facility.
langfristige Kredite	Langfristige Kredite dienen der Finanzierung von Investitionen. Werden langfristige Kredite mit Hypotheken besichert, handelt es sich um Hypothekarkredite.
long-term loans	Long-term loans help to finance investments. If long-term loans are secured by a mortgage, then this is referred to as a mortgage loan.
Factoring	Beim Factoring werden offene Buchforderungen vor ihrer Fälligkeit an eine Factoring-Bank verkauft.
factoring	With factoring accounts receivable are sold to a factoring bank before they fall due.
Leasing	Beim Leasing erwirbt eine Leasinggesellschaft im Auftrag des Nutzers ein langfristiges Wirtschaftsgut (z.B. eine Maschine, ein Gebäude, ein Kraftfahrzeug) und verleast es langfristig an den Nutzer. Im Rahmen der Leasingdauer kann das Leasinggut völlig ausfinanziert werden (Amortisationsleasing) oder es wird ein Restwert vereinbart (Restwertleasing). Oft erbringt die Leasinggesellschaft auch Nebenleistungen (z.B. günstige Versicherung, Wartung etc.). Der Kostenvergleich mit einem Kredit ist daher nicht immer einfach. Es existieren zahlreiche steuerliche Sonderregelungen, die vermeiden sollen, dass die Anschaffungskosten eines Wirtschaftsguts mithilfe des Leasings zu schnell abgeschrieben werden.
leasing	With leasing a leasing company buys a long-term asset (e.g. a machine, a building, a car) following the instructions of the potential user, and leases it long-term to the user. During the period of the leasing contract, the purchase price can be completely paid off (finance lease) or a residual value can be agreed (operating lease).

The leasing company often provides additional services (e.g. cheaper insurance, maintenance). To compare the costs of a lease with those of a loan is therefore not always very easy.

There are many special tax regulations to prevent a lease being used as a way of depreciating the purchase value of the asset over too short a period.

weitere Kreditformen

In der Praxis gibt es noch folgende Kreditformen:
- Abnehmerkredit: Ein Kunde finanziert den Lieferanten durch Voraus- oder Anzahlungen.
- langfristiger Lieferantenkredit: Der Lieferant finanziert den Kunden mit langfristigen Zahlungskonditionen.
- Lombardkredit: Waren oder Wertpapiere werden als Kreditsicherheit für einen kurzfristigen Kredit verwendet.
- Forderungszessionskredit: Forderungen aus Lieferungen und Leistungen werden vor ihrer Fälligkeit an ein Kreditinstitut abgetreten (zediert).
- Wechseldiskontkredit: Wechsel werden vor ihrer Fälligkeit an ein Kreditinstitut diskontiert.
- Akzeptkredit: Die Bank akzeptiert einen Wechsel für den Kreditnehmer.
- Avalkredit: Hier handelt es sich um eine Bürgschafts- oder Garantieerklärung eines Kreditinstituts zugunsten eines Kunden.

further types of loan

In practice there are also the following forms of loan:
- buyer credit: A customer finances the supplier by paying in advance or by paying a deposit.
- long-term trade credit: The supplier finances the customer by offering long-term payment agreements.
- Lombard facility or loan: form of short-term loan where goods or financial instruments are pledged as security
- assignment of receivables: Accounts receivable are signed over to the financial institution before they fall due.
- discounting bills of exchange: a form of credit where bills of exchange are discounted by a financial institution before they fall due
- acceptance credit: The bank accepts a bill of exchange on behalf of its customer, the borrower.
- guaranteed credit: This involves the financial institution guaranteeing payment on behalf of its customer.

SbX
ID: 2043

Im SbX finden Sie eine Audio-Wiederholung der englischen Beiträge sowie eine Bildschirmpräsentation mit den Grafiken dieser Lerneinheit.

Wissen

SbX   ID: 2044

SbX
W 2.13, W 2.22–W 2.25 mit automatischer Aufgabenkontrolle
ID: 2044

W 2.13: Lieferantenkredit B

Sind die folgenden Aussagen über Lieferantenkredite richtig oder falsch? Stellen Sie bitte falsche Aussagen richtig!

a) Die Finanzierung mit Lieferantenkrediten ist in der Regel billiger als die Finanzierung mit Bankkrediten.
   ☐ Richtig   ☐ Falsch, richtig ist:

b) Lieferantenkredite sind meist ungesichert.
   ☐ Richtig   ☐ Falsch, richtig ist:

W 2.14: Kreditvertrag A
Welche Merkmale werden in einem Kreditvertrag geregelt?

W 2.15: Kredit und Darlehen A
Was ist rechtlich der Unterschied zwischen einem Kredit und einem Darlehen?

W 2.16: Kreditsicherstellungen A
Welche Sicherstellungen können in Kreditverträgen vereinbart werden?

W 2.17: Sicherungsübereignung und Eigentumsvorbehalt A

Was versteht man unter Sicherungsübereignung und was unter Eigentumsvorbehalt?

W 2.18: Kreditkosten A

Welche Kosten fallen bei Krediten neben den Zinsen an?

W 2.19: Nettozinssatz A

Was ist ein Nettozinssatz?

W 2.20: Kontokorrentkredit A

Was versteht man unter einem Kontokorrentkredit?

W 2.21: Lombard B

Welche Arten des Lombards sind Ihnen bekannt?

W 2.22: Kontokorrentkredit, Hypothekarkredit A

Welche Aussagen treffen auf den Kontokorrentkredit und welche auf einen Hypothekarkredit zu? Kreuzen Sie jeweils den zutreffenden Begriff an.

a) Wird der Kredit teilweise zurückgezahlt, kann er bei Bedarf neuerlich in Anspruch genommen werden.
   ☐ Kontokorrentkredit   ☐ Hypothekarkredit

b) Man sagt, der Kredit ist roulierend.
   ☐ Kontokorrentkredit   ☐ Hypothekarkredit

c) Wird der Kreditbetrag zurückgezahlt, kann er nicht mehr in Anspruch genommen werden.
   ☐ Kontokorrentkredit   ☐ Hypothekarkredit

d) Die Sicherstellung erfolgt durch die Eintragung eines Pfandrechts für die kreditgewährende Bank in das Grundbuch.
   ☐ Kontokorrentkredit   ☐ Hypothekarkredit

W 2.23: Einmaliger und roulierender Kredit B

Welche der folgenden Aussagen treffen auf einen „einmaligen" Kredit und welche auf einen „roulierenden" Kredit zu?

a) Herr Müller erhält einen Kredit zum Bau eines Hauses. Er nimmt ihn je nach Baufortschritt in Teilbeträgen von € 20.000,–, € 50.000,– und € 80.000,– in Anspruch. Der Kredit wird in 240 Monatsraten zurückgezahlt.
   ☐ Einmalig   ☐ Roulierend

b) Die Firma Reimann & Co erhält einen Kredit zur Renovierung ihres Verkaufslokals in der Höhe von € 30.000,–. Der Kredit wird in einem Betrag ausgezahlt und dann von Reimann & Co in 16 Quartalsraten zurückgezahlt.
   ☐ Einmalig   ☐ Roulierend

c) Die Sanko AG erhält einen Kredit zur Finanzierung ihres Warenlagers in der Höhe von € 1.000.000,–. Der Kredit wird zunächst in einem Betrag ausgezahlt. Dann zahlt die Sanko AG € 700.000,– zurück; nimmt dann wieder € 400.000,– in Anspruch; nimmt weitere € 200.000,– in Anspruch; zahlt € 600.000,– zurück; nimmt € 400.000,– in Anspruch und zahlt schließlich € 700.000,– zurück.
   ☐ Einmalig   ☐ Roulierend

d) Frau Huber borgt von ihrer Tante € 4.000,– und zahlt den Betrag (samt Zinsen) nach einem Jahr auf einmal zurück.
   ☐ Einmalig   ☐ Roulierend

Lerneinheit 4: Die Außenfinanzierung

W 2.24: Kreditsicherstellung C

Bitte ordnen Sie die folgenden Möglichkeiten der Kreditsicherstellung den nachfolgenden Aussagen zu. Beachten Sie, dass eine Kreditsicherstellung mehrmals auftreten kann. Andererseits kann es sein, dass auf eine bestimmte Art der Sicherstellung keine Aussage zutrifft.

Arten der Kreditsicherstellung:

Personalkredit im engeren Sinn, Bürgschaft, Forderungszession, Wechseldiskont, Lombardierung, Hypothek, Sicherungsübereignung, Eigentumsvorbehalt

Aussagen:

a) Frau Oberhuber kauft einen Kühlschrank auf Raten. Auf der Faktura steht: „Bis zur vollständigen Bezahlung bleibt die Ware unser Eigentum."

Sicherstellung:

b) Die Metall GmbH erhält von der örtlichen Raiffeisenbank einen Kredit und übergibt dafür die Lagerscheine für ihre in einem Lagerhaus gelagerten Rohstoffe.

Sicherstellung:

c) Der Filmproduzent Rabenbeiß erhält einen Kredit für die Finanzierung seines nächsten Films. Er übergibt der Bank die Juwelen seiner Frau.

Sicherstellung:

d) Die Raiffeisenbank Retz gewährt dem Landwirt Müller ein Darlehen und lässt für sich ein Pfandrecht an zwei Äckern in das Grundbuch eintragen.

Sicherstellung:

e) Die Produkta AG kauft von der BOREX Import GmbH automatische Drehbänke. Der Kauf wird von der Oberbank finanziert. Die Oberbank lässt an den Maschinen Täfelchen anbringen, aus denen hervorgeht, dass die Maschinen ihr Eigentum sind.

Sicherstellung:

W 2.25: Leasing B

Sind die folgenden Aussagen über Leasing richtig oder falsch? Stellen Sie bitte falsche Aussagen richtig.

a) Beim Leasing wird das Wirtschaftsgut in der Regel direkt vom Produzenten an den Nutzer „verleast".

☐ Richtig   ☐ Falsch, richtig ist:

b) Leasinggesellschaften sind Kreditinstitute.

☐ Richtig   ☐ Falsch, richtig ist:

c) Leasing ist steuerlich auf jeden Fall günstiger als die Finanzierung mit einem Bankkredit.

☐ Richtig   ☐ Falsch, richtig ist:

d) Die Leasingraten werden immer so berechnet, dass das Leasingobjekt zu Ende der Vertragslaufzeit vollständig bezahlt ist.

☐ Richtig   ☐ Falsch, richtig ist:

e) Bei „Sale und lease back" verkauft der Nutzer ein Wirtschaftsgut an eine Leasinggesellschaft und least es dann zurück.

☐ Richtig   ☐ Falsch, richtig ist:

W 2.26: Factoring A

Wie kann sich ein Unternehmen über Factoring finanzieren?

W 2.27: Effektivkredit und Eventualkredit B

Erklären Sie den Unterschied zwischen einem Effektivkredit und einem Eventualkredit.

Lernen   Üben   Sichern   Wissen

SbX
W 2.28–W 2.30
mit automatischer
Aufgabenkontrolle
ID: 2044

Weitere Aufgaben zur Lernkontrolle im SbX

W 2.28: Kreditfinanzierung B
Stellen Sie sich einem Quiz zum Thema Kreditfinanzierung!

W 2.29: Kreditfinanzierung (verschiedene Kreditarten) B
Stellen Sie sich einem Quiz zum Thema Kreditfinanzierung (verschiedene Kreditarten)!

W 2.30: Die Kreditfinanzierung durch die Banken B
Überprüfen Sie mit diesem Text, ob Sie Ihr Wissen erfolgreich anwenden können!

English questions

E 2.05: Complete the following sentences:

a) Rachal Rada, who sells fashion clothing for teenagers in her three shops in Vienna, needs a new car. She does not want a bank loan and does not have much profit, so she decides to _____ one which is a little bit like paying rent for the car.

b) Bibba Fashion KG has taken on a new partner who has contributed € 20,000.00 to the company. The company has increased its _____.

c) Wanda GmbH buys toys from its supplier, Toy Factory AG, on credit. This is called a _____.

d) Sports Fans GmbH increased its _____ when it took out a loan with a bank. It will pay _____ on the agreed amount every year until the loan is repaid in full.

e) Tanya Piper, owner of Piper Plumbing e. U., does not want to pay a high rent for her workshop anymore and has decided to buy her own building. She took out a _____ from the bank to buy a small building.

f) John Child, who makes skateboards, snowboards and skis, is in financial difficulties. He sells his receivables to a _____ before they are due and uses the money to pay his employees.

g) Carter Building AG has an _____ to bridge the gap between purchases of raw materials and the sale of the finished building.

Ein kurzer
Kompetenz-Check,
bevor's weitergeht!

Kompetenz-Check

	☺	😐	☹
Ich kann die Außenfinanzierung charakterisieren.			
Ich kann die Möglichkeiten der Einlagenfinanzierung beschreiben.			
Ich kann die Möglichkeiten der Fremdfinanzierung erklären.			
Ich kann die Besicherungsmöglichkeiten von Bankkrediten unterscheiden und beschreiben.			
Ich kann die Kosten von Bankkrediten ermitteln.			
Ich kann die Vor- und Nachteile von Lieferantenkrediten beschreiben.			
Ich kann die Kosten von Lieferantenkrediten berechnen.			
Ich kann vor allem folgende Arten von Bankkrediten unterscheiden und ihren wichtigsten Verwendungszweck angeben: Kontokorrentkredit, Factoring, Hypothekarkredit.			
Ich kann die Abwicklung von Leasingfinanzierungen beschreiben.			
Ich kann verschiedene Arten der Gestaltung von Leasingverträgen unterscheiden.			
Ich kann die Vor- und Nachteile der Leasingfinanzierung einschätzen.			
Ich kann die Kosten der Leasingfinanzierung annäherungsweise ermitteln.			
Ich kann Finanzierungsmöglichkeiten von Privathaushalten darstellen.			

Lerneinheit 5
Finanzierungskennzahlen

SbX
Alle SbX-Inhalte zu dieser Lerneinheit finden Sie unter der ID: 2050.

Kennzahlen sind Managementhilfen. Sie bringen die Finanzsituation eines Unternehmens auf den Punkt und helfen dabei, betriebswirtschaftliche Entscheidungen zu treffen. Bei der Berechnung von Finanzierungskennzahlen sind verschiedene Zusammenhänge und Verzerrungsmöglichkeiten zu bedenken. Sie sollten daher stets achtsam interpretiert werden.

> Lernen

SbX ID: 2051

1 Kennzahlenbereiche [Types of ratios]

Kennzahlen aus dem internen Rechnungswesen lernen Sie im V. Jahrgang kennen.

Die Tätigkeit eines Unternehmens spiegelt sich im Rechnungswesen. Das Rechnungswesen ist daher eine wichtige Quelle für die Ermittlung von Kennzahlen. Finanzierungskennzahlen, die aus dem externen Rechnungswesen gewonnen werden können, lassen sich nach folgenden Überlegungen darstellen:

Grafik
Kennzahlenbereiche

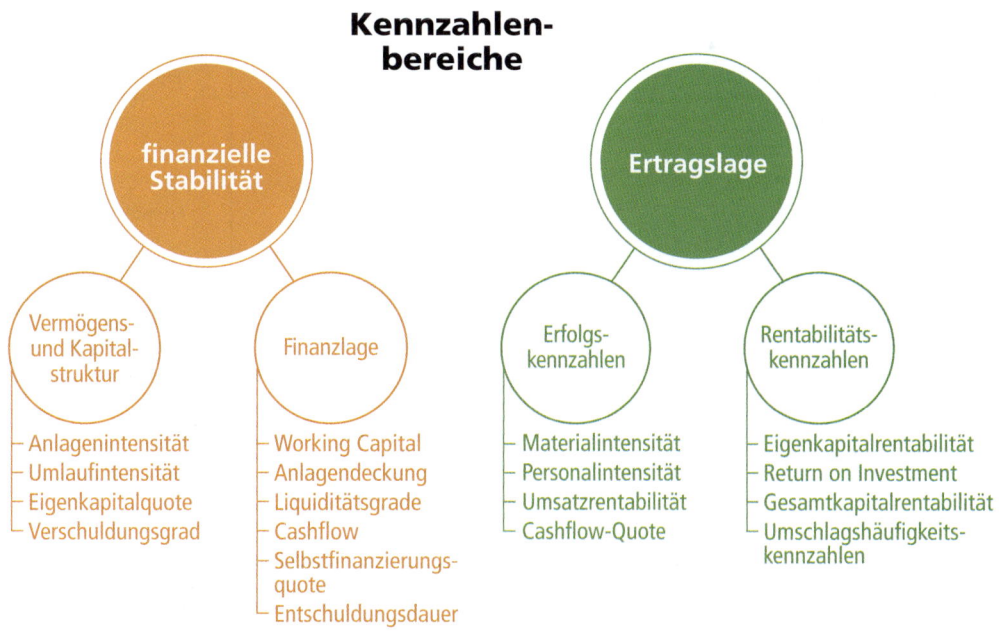

Kennzahlenbereiche

- **finanzielle Stabilität**
  - Vermögens- und Kapitalstruktur
    - Anlagenintensität
    - Umlaufintensität
    - Eigenkapitalquote
    - Verschuldungsgrad
  - Finanzlage
    - Working Capital
    - Anlagendeckung
    - Liquiditätsgrade
    - Cashflow
    - Selbstfinanzierungsquote
    - Entschuldungsdauer
- **Ertragslage**
  - Erfolgskennzahlen
    - Materialintensität
    - Personalintensität
    - Umsatzrentabilität
    - Cashflow-Quote
  - Rentabilitätskennzahlen
    - Eigenkapitalrentabilität
    - Return on Investment
    - Gesamtkapitalrentabilität
    - Umschlagshäufigkeitskennzahlen

Im Gegenstand Betriebswirtschaft steht die Interpretation von Kennzahlen im Mittelpunkt. Wie die Kennzahlen berechnet werden, lernen Sie in Rechnungswesen und Controlling.

Die **finanzielle Stabilität** gibt Aufschluss darüber, wie solide das Unternehmen finanziert ist. Die **Ertragslage** zeigt, wie gut das Unternehmen mit den verfügbaren Mitteln arbeitet.

Die Kennzahlenberechnung erfolgt in der Praxis **nicht einheitlich**. Dieses Buch folgt den Ausführungen der Zeitschrift für Steuer- und Wirtschaftsrecht (SWK).

Beispiel

Kennzahlen – ESOTEX GmbH

Die ESOTEX GmbH ist ein österreichischer Textilproduzent. Aus dem letzten Geschäftsbericht lassen sich folgende Kennzahlen ermitteln:

Kennzahlenanalyse							
finanzielle Stabilität				**Ertragslage**			
Vermögens- und Kapitalstruktur		Finanzlage		Erfolgskennzahlen		Rentabilitätskennzahlen	
Anlagenintensität	71,58 %	Working Capital	1.386.716,17	Materialintensität	45,95 %	Eigenkapitalrentabilität	8,90 %
Umlaufintensität	28,42 %	Anlagendeckung	116,47 %	Personalintensität	33,36 %	Return on Investment	6,66 %
Eigenkapitalquote	74,85 %	Liquidität 1. Grades	6,29 %	Umsatzrentabilität	3,85 %	Gesamtkapitalrentabilität	7,17 %
Verschuldungsgrad	33,00 %	Liquidität 2. Grades	71,62 %	Cashflow-Quote	11,31 %	Kapitalumschlagshäufigkeit	1,73
		Liquidität 3. Grades	253,66 %			Lagerdauer in Tagen	50,48
		Cashflow	1.378.224,00			Debitorenziel in Tagen	8,33
		Selbstfinanzierungsquote	139,62 %			Kreditorenziel in Tagen	35,78
		Entschuldungsdauer	1,26				

2 Aussage der Kennzahlen [Significance of ratios]

Vermögens- und Kapitalstruktur [Structure of assets and capital]

Die folgende Grafik zeigt mögliche Kennzahlen aus diesem Bereich.

Grafik
Kennzahlen der Vermögens- und Kapitalstruktur

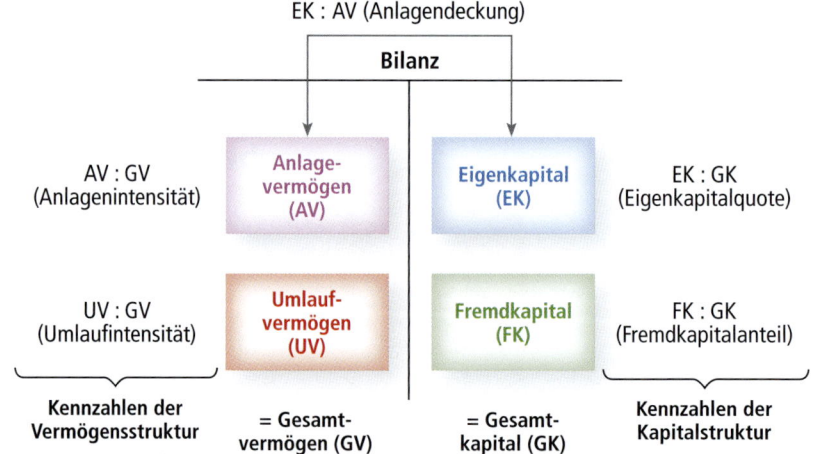

(1) Vermögensstruktur

Bei der Analyse der Vermögensstruktur wird das Verhältnis von Anlagevermögen zum Umlaufvermögen betrachtet. Die Vermögensstruktur ist stark von der Branche abhängig, in der das Unternehmen tätig ist. Man unterscheidet:

- **anlagenintensive Betriebe, z. B.:**
  - Betriebe der Urproduktion (z. B. Bergbau, Erdölförderung, Forstwirtschaft)
  - Industriebetriebe (z. B. Stahlindustrie, chemische Industrie)
  - Verkehrsbetriebe (z. B. Eisenbahnen)
  - Versorgungsbetriebe (z. B. Elektrizitätswerke, Gaswerke, Wasserwerke)

- **umlaufintensive Betriebe, z. B.:**
  vorratsintensive Betriebe:
  - Betriebe, bei denen eine lange Lagerung technisch notwendig ist (z. B. manche Zweige der Holzindustrie)
  - Betriebe mit konzentriertem Produktanfall, aber kontinuierlichem Absatz (z. B. Gemüsekonservenindustrie)
  - Handelsbetriebe mit großem Warenlager (z. B. Drogerie)

  forderungsintensive Betriebe:
  - vor allem die Kreditinstitute

Um exakte Ergebnisse zu erhalten, müsste man die stillen Reserven im Anlagevermögen dazurechnen und auch die gemieteten und geleasten Anlagen berücksichtigen. Andernfalls ist ein Vergleich mit anderen Unternehmen, die weniger stille Reserven aufweisen und weniger gemietet und geleast haben, nicht möglich.

a) Kennzahlen

$$\text{Anlagenintensität} = \frac{\text{Anlagevermögen} \times 100}{\text{Gesamtvermögen}}$$

$$\text{Umlaufintensität} = \frac{\text{Umlaufvermögen} \times 100}{\text{Gesamtvermögen}}$$

b) Kennzahleninterpretation

- Eine hohe **Anlagenintensität** zeigt, dass das Unternehmen einen hohen Kapitalanteil langfristig gebunden hat. Eine hohe Anlagenintensität verursacht höhere Fixkosten, unter anderem in Form von kalkulatorischen Abschreibungen und kalkulatorischen Eigenkapitalzinsen. Daher sind Unternehmen mit hoher Anlagenintensität konjunkturempfindlich, weil die Wettbewerbsfähigkeit sinkt, wenn die Fixkosten aufgrund geringerer Nachfrage unausgelastet bleiben und dadurch Leerkosten entstehen.
- Eine hohe **Umlaufintensität** zeigt, dass das Unternehmen viel Kapital kurzfristig gebunden hat.

> Den Begriff Leerkosten haben Sie bereits im Gegenstand Rechnungswesen und Controlling kennengelernt.

(2) Kapitalstruktur

Bei der Analyse der Kapitalstruktur wird das Verhältnis von Eigenkapital zu Fremdkapital betrachtet. Die Kapitalstruktur hat einen starken Einfluss auf die unternehmerischen Handlungsmöglichkeiten.

a) Kennzahlen

$$\text{Eigenkapitalquote} = \frac{\text{Eigenkapital} \times 100}{\text{Gesamtkapital}}$$

$$\text{Verschuldungsgrad} = \frac{(\text{Fremdkapital} - \text{liquide Mittel}) \times 100}{\text{Eigenkapital}}$$

b) Kennzahleninterpretation

- Die **Eigenkapitalquote** ist ein Maßstab für die Krisenanfälligkeit und Kreditfähigkeit eines Unternehmens. Je höher die Eigenkapitalquote, desto eher kann es Verluste abdecken und desto höher ist die finanzielle Unabhängigkeit. Gut geführte Unternehmen weisen eine Eigenkapitalquote von mindestens 20 % auf.
- Der **Verschuldungsgrad** ist eine weitere Möglichkeit, das Verhältnis von Eigenkapital zu Fremdkapital auszudrücken. Bei einer Eigenkapitalquote von 20 % beträgt der Verschuldungsgrad 400 %.

> Eigenkapitalquote und Verschuldungsgrad stehen in einem engen Zusammenhang zum sogenannten „Leverage-Effekt" (vgl. dazu Seite 85).

Beispiel

> Die Überschuldungsgefahr wird auch als Solvabilitätsrisiko bezeichnet.

Fortsetzung ESOTEX GmbH

Anlagenintensität	71,58 %	Umlaufintensität	28,42 %
Eigenkapitalquote	74,85 %	Verschuldungsgrad	33,00 %

Das Unternehmen weist eine sehr hohe Anlagenintensität auf. Vermutlich ist die Produktion des Unternehmens weitgehend automatisiert. Die überwiegende Bindung finanzieller Mittel in langfristigem Vermögen verursacht hohe Fixkosten, die ESOTEX GmbH ist auf eine hohe Auslastung angewiesen, um Leerkosten zu vermeiden.

Die Eigenkapitalquote übersteigt das geforderte Mindestmaß in der Höhe von 20 % deutlich. Daraus lässt sich schließen, dass das Unternehmen von keiner Überschuldungsgefahr bedroht ist.

Finanzlage [Liquidity ratios]

Die Finanzlage eines Unternehmens wird durch die Finanzierung beeinflusst. Die Finanzierung des Unternehmens ist stets ein Zusammenspiel zwischen Außenfinanzierung und Innenfinanzierung.

Die **Außenfinanzierung** wird auf der Passivseite der Bilanz zu einem bestimmten **Zeitpunkt** sichtbar. Die **Innenfinanzierung** ergibt sich aus der Möglichkeit des Unternehmens, in einem bestimmten **Zeitraum** Finanzmittel aus eigener Kraft zu erwirtschaften. Diese Fähigkeit wird mit dem Cashflow gemessen.

(1) Finanzlage: Verhältnis zwischen Vermögens- und Kapitalstruktur

Untersucht wird das Verhältnis zwischen langfristigem Vermögen und langfristigem Kapital bzw. das Verhältnis zwischen kurzfristigem Vermögen und kurzfristigem Kapital zu einem bestimmten Zeitpunkt.

a) Kennzahlen

$$\text{Anlagendeckung} = \frac{(\text{Eigenkapital} + \text{langfristiges Fremdkapital}) \times 100}{\text{Anlagevermögen}}$$

$$\text{Working Capital} = \text{Umlaufvermögen} - \text{kurzfristiges Fremdkapital}$$

$$\text{Liquidität 1. Grades} = \frac{\text{liquide Mittel} \times 100}{\text{kurzfristiges Fremdkapital}}$$

Kassa/Bank + LF

$$\text{Liquidität 2. Grades} = \frac{(\text{liquide Mittel} + \text{kurzfristige Forderungen}) \times 100}{\text{kurzfristiges Fremdkapital}}$$

LV

$$\text{Liquidität 3. Grades} = \frac{\text{Umlaufvermögen} \times 100}{\text{kurzfristiges Fremdkapital}}$$

b) Kennzahleninterpretation

- Die **Anlagendeckung** zeigt, in welchem Ausmaß das langfristig gebundene Vermögen durch langfristig zur Verfügung stehendes Kapital finanziert ist. Ist das langfristig gebundene Vermögen kurzfristig finanziert, gerät das Unternehmen in Liquiditätsschwierigkeiten.

Goldene Bilanzregel

Die Anlagendeckung durch Eigenkapital und langfristiges Fremdkapital soll mindestens 100 % betragen. Die Einhaltung dieser Finanzierungsregel wird auch als **„goldene Bilanzregel"** bezeichnet. Sie besagt: Langfristiges Vermögen ist langfristig zu finanzieren.

- Ist das **Working Capital** positiv, so kann das gesamte kurzfristige Fremdkapital durch den Verkauf des gesamten Umlaufvermögens zurückbezahlt werden. Außerdem zeigt ein positives Working Capital, dass Teile des Umlaufvermögens langfristig finanziert sind und das Unternehmen die „goldene Bilanzregel" einhält.
- Die **Liquiditätsgrade** zeigen, in welchem Ausmaß das kurzfristige Fremdkapital eines Unternehmens durch kurzfristig verfügbare Mittel gedeckt ist.

Die Liquidität 3. Grades weist einen hohen Zusammenhang zum Working Capital auf. Ist die Liquidität 3. Grades höher als 100 %, ist das Working Capital positiv.

(2) Cashflow und Cashflow-Kennzahlen

Untersucht wird die Fähigkeit eines Unternehmens, innerhalb eines bestimmten Zeitraums aus dem Umsatzprozess Finanzmittel zu erwirtschaften und damit Fremdkapital zu tilgen bzw. Investitionen zu tätigen.

a) Kennzahlen

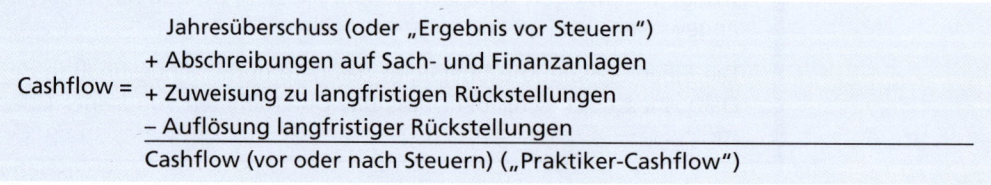

Der Cashflow wird in der Praxis auf viele verschiedene Arten berechnet. Der sogenannte „Praktiker-Cashflow" ermöglicht eine schnelle, allerdings oberflächliche Einschätzung.

$$\text{Selbstfinanzierungsquote} = \frac{\text{Cashflow} \times 100}{\text{Investitionen}}$$

$$\text{Entschuldungsdauer} = \frac{\text{Fremdkapital} - \text{liquide Mittel}}{\text{Cashflow}}$$

fiktive Schuldentilgungsdauer

b) Kennzahleninterpretation

- Der **Cashflow** zeigt, wie viele Finanzmittel ein Unternehmen aus der laufenden Geschäftstätigkeit erzielt. Somit ist der Cashflow eine Maßzahl für die Innenfinanzierungsmöglichkeiten eines Unternehmens. *Kapitalrückfluss eines Unternehmens*

Die Berechnung zeigt folgende Überlegung: Das Unternehmen kann jene Mittel verwenden, die es verdient hat (den Gewinn oder Jahresüberschuss), und auch jene Mittel, die aus den verdienten Abschreibungsquoten und der Dotierung langfristiger Rückstellungen stammen („Abschreibungsfinanzierung" und „Rückstellungsfinanzierung"), da diese Aufwände zwar den Gewinn gemindert haben, aber keine Auszahlungen darstellen.

Handelt es sich wie beim Beispielunternehmen Miramare um eine **GmbH**, erfolgt die Berechnung des Cashflows auf Basis des Jahresüberschusses (also **„nach Steuern"**). Handelt es sich es um ein **Einzelunternehmen** oder um eine **Personengesellschaft**, kann nur der Cashflow **„vor Steuern"** (auf Basis „Ergebnis vor Steuern") berechnet werden, **da jeder Gesellschafter einzeln besteuert wird.** (Manchmal wird in solchen Fällen die Steuerbelastung geschätzt, wenn man den Cashflow nach Steuern berechnen will.)

Ausgangspunkt der Cashflow-Berechnung für externe Partner des Unternehmens ist in der Regel die **Gewinn-und-Verlust-Rechnung**.

Beispiel

Miramare GmbH – Fortsetzung Beispiel (Seite 56)

Miramare ist in der Rechtsform einer GmbH organisiert. Wäre es ein Einzelunternehmen oder eine Personengesellschaft, würde die Berechnung etwas anders erfolgen:

Grafik: Von der Gewinn-und-Verlust-Rechnung zum Cashflow

	Miramare GmbH				**alternativ: Miramare als EU/OG/KG**	
zw.	Erlöse	122.000,00		zw.	Erlöse	122.000,00
zw.	– Aufwände	98.000,00		zw.	– Aufwände	98.000,00
n. zw.	– Abschreibungen auf Sachanlagen	7.000,00		n. zw.	– Abschreibungen auf Sachanlagen	7.000,00
n. zw.	– Zuweisung zu Pensionsrückstellungen	1.000,00		n. zw.	– Zuweisung zu Pensionsrückstellungen	1.000,00
	= **Ergebnis vor Steuern**	16.000,00			= **Ergebnis vor Steuern**	16.000,00
zw.	– Steuern	4.000,00		n. zw.	+ Abschreibungen auf Sachanlagen	7.000,00
	= **Jahresüberschuss**	12.000,00		n. zw.	+ Zuweisung zu Pensionsrückstellungen	1.000,00
n. zw.	+ Abschreibungen auf Sachanlagen	7.000,00			= **Cashflow auf Basis Ergebnis vor Steuern**	24.000,00
n. zw.	+ Zuweisung zu Pensionsrückstellungen	1.000,00				
	= **Cashflow auf Basis Jahresüberschuss**	20.000,00				

zw. = zahlungswirksam
n. zw. = nicht zahlungswirksam

Der Cashflow kann verwendet werden für:
- Investitionen
- Kreditrückzahlungen
- Gewinnausschüttung
- Ansparung von Kapital

Anmerkung:
Bleibt der Geschäftsumfang ungefähr gleich, ist die Berechnung richtig. Es wird zwar ein Teil des Aufwands und der Erlöse „auf Ziel" getätigt, jedoch müssen auch Aufwände aus dem Vorjahr bezahlt werden bzw. werden Erlöse aus dem Vorjahr kassiert. Die Differenz zwischen Erlösen und Aufwänden (ohne Dotation bzw. Auflösung der langfristigen Rückstellungen und der Abschreibungen) entspricht daher ungefähr dem Cashflow.

Ändern sich jedoch der Geschäftsumfang oder die Zielfristen, stimmt die Berechnung nicht mehr.
- Die **Selbstfinanzierungsquote** gibt Auskunft darüber, zu welchem Anteil Investitionen mit Finanzmitteln getätigt werden konnten, die aus eigener Kraft erwirtschaftet wurden. **Je höher** die Selbstfinanzierungsquote ist, **desto positiver** ist die finanzwirtschaftliche Situation des Unternehmens zu sehen, weil es in der Lage ist, Investitionen zur Erhaltung bzw. Stärkung der künftigen Wettbewerbsfähigkeit ohne Außenfinanzierung zu tätigen.
- Die **Entschuldungsdauer** zeigt an, wie viele Jahre ein Unternehmen braucht, das Fremdkapital aus eigener Kraft zurückzubezahlen. Die Kennzahl ist **umso besser** zu beurteilen, **je kleiner** sie ist.

Beispiel

Fortsetzung ESOTEX GmbH

Working Capital	1.386.716,17	Cashflow	1.378.224,00
Anlagendeckung	116,47 %	Selbstfinanzierungsquote	139,62 %
Liquidität 1. Grades	6,29 %	Entschuldungsdauer	1,26
Liquidität 2. Grades	71,62 %		
Liquidität 3. Grades	253,66 %		

Die ESOTEX GmbH hält die „goldene Bilanzregel" ein, weil sowohl das Working Capital positiv als auch die Anlagendeckung über 100 % ist. Dadurch weist das Unternehmen kein Liquiditätsrisiko auf. Dies wird auch durch die hohe Liquidität 3. Grades bestätigt: Sie zeigt, dass die ESOTEX GmbH in der Lage ist, das gesamte kurzfristige Fremdkapital durch das Umlaufvermögen abzudecken.

Die Selbstfinanzierungsquote von 139,62 % besagt, dass alle Investitionen zu 100 % aus dem Innenfinanzierungspotenzial getätigt worden sind und dass 39,62 % für weitere Verwendungszwecke des Cashflows zur Verfügung stehen. Die hohe Innenfinanzierungskraft des Unternehmens zeigt sich auch in der kurzen Entschuldungsdauer.

Erfolgskennzahlen [Performance indicators]

Auch die GuV-Rechnung lässt sich hinsichtlich ihrer Struktur untersuchen. Ausgehend vom Umsatz wird analysiert, welche Aufwände den Erfolg eines Unternehmens am meisten beeinflussen bzw. wie hoch der Erfolg gemessen am Umsatz ist.

(1) Aufwände und Umsatz

a) Kennzahlen

$$\text{Materialintensität} = \frac{\text{Waren- bzw. Materialeinsatz} \times 100}{\text{Umsatz}}$$

$$\text{Personalintensität} = \frac{\text{Personalaufwand} \times 100}{\text{Umsatz}}$$

b) Kennzahleninterpretation
- Die höchsten laufenden Auszahlungen eines Unternehmens betreffen in der Regel das Material und das Personal. Die beiden Kennzahlen **Materialintensität** und **Personalintensität** geben an, wie viel Prozent vom Umsatz für diese beiden wichtigen Positionen ausgezahlt werden. Beide Kennzahlen sind nur im Zeitvergleich aussagekräftig, weil nur ein Zeitvergleich die Interpretation von Auswirkungen von Managemententscheidungen in einem Unternehmen zulässt.

(2) Erfolg und Umsatz

a) Kennzahlen

$$\text{Umsatzrentabilität} = \frac{\text{Jahresüberschuss (oder Ergebnis vor Steuern)} \times 100}{\text{Umsatz}}$$

$$\text{Cashflow-Quote} = \frac{\text{Cashflow} \times 100}{\text{Umsatz}}$$

b) Kennzahleninterpretation

- Die **Umsatzrentabilität** gibt an, wie viel Jahresüberschuss (oder Ergebnis vor Steuern) vom Umsatz prozentuell erzielt wird. Eine Umsatzrentabilität von 5 % bedeutet, dass bei € 100,00 Umsatz € 5,00 Jahresüberschuss erzielt werden.
- Die **Cashflow-Quote** gibt an, wie viel Finanzmittel aus dem Umsatzprozess erzielt werden.

Beispiel — Fortsetzung ESOTEX GmbH

Materialintensität	45,95 %	Umsatzrentabilität	3,85 %
Personalintensität	33,36 %	Cashflow-Quote	11,31 %

Fast 80 % des gesamten Umsatzes entfallen auf das verwendete Material und das Personal des Unternehmens. Beide Kennzahlen können nur im Zeitverlauf sinnvoll interpretiert werden.

Die Umsatzrentabilität liegt deutlich unter der Cashflow-Quote, was vor allem auf die hohen Abschreibungen auf Sachanlagen des Unternehmens zurückzuführen ist. Die hohen Abschreibungen auf Sachanlagen erklären sich aus der hohen Anlagenintensität. Sowohl die Umsatzrentabilität als auch die Cashflow-Quote sind nur im Branchenvergleich aussagekräftig.

Rentabilitätskennzahlen [Profitability ratios]

Rentabilitätskennzahlen geben das Verhältnis zwischen dem Unternehmenserfolg und dem Kapital an. Dieses Verhältnis wird auch von den Umschlagshäufigkeiten des Vermögens bzw. des Kapitals beeinflusst.

(1) Rentabilität

Der Unternehmenserfolg kann mit oder ohne Zinsen auf das Eigenkapital oder das Gesamtkapital bezogen werden.

a) Kennzahlen

$$\text{Eigenkapitalrentabilität} = \frac{\text{Jahresüberschuss (oder Ergebnis vor Steuern)} \times 100}{\text{Eigenkapital}}$$

$$\text{Return on Investment} = \frac{\text{Jahresüberschuss (oder Ergebnis vor Steuern)} \times 100}{\text{Gesamtkapital}}$$

$$\text{Gesamtkapitalrentabilität} = \frac{\text{Jahresüberschuss (oder Ergebnis vor Steuern)} + \text{Fremdkapitalzinsen}}{\text{Gesamtkapital}} \times 100$$

b) Kennzahleninterpretation

- Die **Eigenkapitalrentabilität** gibt an, wie viel Erfolg vom Kapital prozentuell erzielt wird. Eine Eigenkapitalrentabilität von 15 % besagt, dass mit € 100,00 eingesetztem Kapital ein Erfolg von € 15,00 erzielt wird. Die Eigenkapitalrentabilität sollte höher sein, als für Fremdkapitalzinsen bezahlt werden muss, weil Eigenkapitalgeber ein größeres Risiko zu tragen haben als Fremdkapitalgeber.
- Der **Return on Investment** setzt den Unternehmenserfolg in Beziehung zum Gesamtkapital. Der Return on Investment sollte höher sein, als für Fremdkapitalzinsen bezahlt werden muss.
- Die **Gesamtkapitalrentabilität** setzt den Unternehmenserfolg samt Fremdkapitalzinsen in Beziehung zum Gesamtkapital. Auch die Gesamtkapitalrentabilität sollte höher sein, als für Fremdkapitalzinsen bezahlt werden muss.

In der Praxis wird eine Reihe weiterer Kapitalrentabilitätskennzahlen verwendet.

(2) Leverage-Effekt

Leverage (englisch) bedeutet so viel wie Hebel, Hebelwirkung, Einfluss.

Zwischen der Eigenkapitalrentabilität, der Gesamtkapitalrentabilität und der Eigenkapitalquote bzw. dem Verschuldungsgrad liegt ein Zusammenhang vor, der als Leverage-Effekt bezeichnet wird.

Wie der Name schon sagt, geht es dabei um die **Hebelwirkung,** die der Fremdkapitalanteil auf die Eigenkapitalrentabilität erzielen kann: Ein hoher Fremdkapitalanteil kann die **Rentabilität** des Eigenkapitals **erhöhen oder verringern.**

Ist der Fremdkapitalzinssatz niedriger als die Gesamtkapitalrentabilität, so ist die Rentabilität des Eigenkapitals umso höher, je geringer der Eigenkapitalanteil ist **(positiver Leverage-Effekt)**.

Sind hingegen die Fremdkapitalzinsen höher als die Rentabilität des Gesamtkapitals, dann sinkt die Rentabilität des Eigenkapitals, wenn der Eigenkapitalanteil abnimmt **(negativer Leverage-Effekt)**.

Folgendes Beispiel zeigt den Zusammenhang.

Beispiel

$$\text{Gesamtkapitalrentabilität} = \frac{\text{Jahresüberschuss} + \text{Zinsenaufwand}}{\text{Gesamtkapital}} \times 100$$

- **Positiver Leverage-Effekt:**

Jahresüberschuss bei 100 % Eigenkapital: € 150.000,–
Zinsen für Fremdkapital: 6 % p. a.

	Eigenkapital	Fremdkapital	Zinsen	Jahres-überschuss	Eigenkapital-rentabilität	Gesamtkapital-rentabilität
Fall 1	1.000.000,00	–	–	150.000,00	15 %	15 %
Fall 2	800.000,00	200.000,00	12.000,00	138.000,00	17,25 %	15 %
Fall 3	500.000,00	500.000,00	30.000,00	120.000,00	24 %	15 %
Fall 4	200.000,00	800.000,00	48.000,00	102.000,00	51 %	15 %

- **Negativer Leverage-Effekt:**

Jahresüberschuss bei 100 % Eigenkapital: € 30.000,–
Zinsen für Fremdkapital: 6 % p. a.

	Eigenkapital	Fremdkapital	Zinsen	Jahres-überschuss	Eigenkapital-rentabilität	Gesamtkapital-rentabilität
Fall 1	1.000.000,00	–	–	30.000,00	3 %	3 %
Fall 2	800.000,00	200.000,00	12.000,00	18.000,00	2,25 %	3 %
Fall 3	500.000,00	500.000,00	30.000,00	0,00	0 %	3 %
Fall 4	200.000,00	800.000,00	48.000,00	–18.000,00	–9 %	3 %

Eine Erhöhung des Fremdkapitalanteils ist daher bei einem positiven Leverage-Effekt sinnvoll.

Der Anteil des Fremdkapitals kann allerdings in der Praxis nicht beliebig erhöht werden, weil
- es dadurch immer schwieriger wird, weitere Kredite zu bekommen,
- dadurch die Liquidität und damit der Bestand des Unternehmens gefährdet wird,
- das Unternehmen dadurch an Sicherheit verliert und
- das Unternehmen dadurch in seiner Unabhängigkeit eingeschränkt wird.

Bei einem negativen Leverage-Effekt sollte der Eigenkapitalanteil erhöht werden.

(3) Umschlagshäufigkeiten

a) Kennzahlen

$$\text{Kapitalumschlagshäufigkeit} = \frac{\text{Umsatz}}{\text{Gesamtkapital}}$$

$$\text{Lagerumschlagshäufigkeit} = \frac{\text{Waren- oder Materialeinsatz}}{\text{Durchschnittslager}}$$

oder

$$\text{Lagerdauer} = \frac{\text{Durchschnittslager} \times 360}{\text{Waren- oder Materialeinsatz}}$$

$$\text{Debitorenumschlagshäufigkeit} = \frac{\text{Umsatz}}{\text{durchschnittliche Lieferforderungen}}$$

oder

$$\text{Debitorenziel} = \frac{\text{durchschnittliche Lieferforderungen} \times 360}{\text{Umsatz}}$$

$$\text{Kreditorenumschlagshäufigkeit} = \frac{\text{Waren- oder Materialeinsatz}}{\text{durchschnittliche Lieferverbindlichkeiten}}$$

oder

$$\text{Kreditorenziel} = \frac{\text{durchschnittliche Lieferverbindlichkeiten} \times 360}{\text{Waren- oder Materialeinsatz}}$$

b) Kennzahleninterpretation

- Die **Kapitalumschlagshäufigkeit** zeigt, wie oft das Kapital innerhalb eines Zeitraums, z. B. in einem Jahr, durch Umsatzerlöse zurückverdient wird. Eine Kapitalumschlagshäufigkeit von 2 besagt, dass der Umsatz doppelt so hoch ist wie das Gesamtkapital bzw. dass das Gesamtkapital zweimal pro Jahr zurückverdient wird. Je häufiger der Kapitalumschlag erfolgt, desto weniger Kapitaleinsatz ist erforderlich, um eine bestimmte Rentabilität zu erzielen. Im Zeitvergleich erlaubt die Kapitalumschlagshäufigkeit genaue Rückschlüsse auf die Bindungsdauer des Vermögens im Unternehmen.
- Die **Lagerumschlagshäufigkeit** bzw. **Lagerdauer** gibt an, wie lange die Vorräte eines Unternehmens im Unternehmen gelagert werden. Ziel ist es, die Lagerdauer kurz zu halten, ohne die Lieferbereitschaft (Servicegrad) zu gefährden.
- Die **Debitorenumschlagshäufigkeit** bzw. das **Debitorenziel** zeigt, welche durchschnittlichen Zahlungsziele die Kunden nutzen.
- Die **Kreditorenumschlagshäufigkeit** bzw. das **Kreditorenziel** zeigt, welche durchschnittlichen Zahlungsziele das Unternehmen zur Bezahlung der Lieferanten nutzt.

Beispiel

Fortsetzung ESOTEX GmbH

Eigenkapitalrentabilität	8,90 %	Kapitalumschlagshäufigkeit	1,73
Return on Investment	6,66 %	Lagerdauer in Tagen	50,48
Gesamtkapitalrentabilität	7,17 %	Debitorenziel in Tagen	8,33
		Kreditorenziel in Tagen	35,78

Alle Rentabilitätskennzahlen liegen deutlich über der Höhe aktueller Fremdkapitalzinsen. D. h., die ESOTEX GmbH kann das Unternehmensrisiko verdienen.

Trotz der hohen Anlagenintensität zeigt die Kapitalumschlagshäufigkeit, dass die ESOTEX GmbH das gesamte Vermögen fast zweimal im Jahr zurückverdient.

Offensichtlich hat die ESOTEX GmbH ein ausgezeichnetes Mahnwesen, das durchschnittliche Debitorenziel beträgt lediglich 8,33 Tage, eventuell betreibt das Unternehmen Factoring. Die eigenen Lieferverbindlichkeiten zahlt die ESOTEX GmbH nach knapp einem Monat.

3 Einschränkungen der Aussagekraft [Limited significance]

Häufig ist die Berechnung und Interpretation von Kennzahlen aus einem veröffentlichten Geschäftsbericht nur wenig aussagekräftig. Gründe dafür sind:

- **die Bewertungsvorschriften des Unternehmensgesetzbuchs:**
  Wie Sie wissen, gilt der Anschaffungswert bzw. der Anschaffungswert minus Abschreibungen (der „fortgeschriebene Anschaffungswert") als Obergrenze für den Bilanzansatz. Güter, die bereits lange im Betriebsvermögen sind, sind daher in der Regel unterbewertet.

Beispiele

Der Betriebswirt spricht von den stillen Reserven im Betriebsvermögen.

Grundstücke, die vor vielen Jahren angeschafft wurden und deren Wert auf ein Mehrfaches gestiegen ist, scheinen in der Bilanz mit dem Anschaffungswert auf.

Gebäude, die vor vielen Jahren errichtet und laufend abgeschrieben wurden, haben in der Bilanz nur mehr einen geringen oder keinen Wert. Wurden sie gut instand gehalten, sind sie oft erheblich mehr wert als zum Zeitpunkt der Errichtung.

Beteiligungen, die vor Jahren günstig erworben wurden, können ebenfalls auf ein Mehrfaches gestiegen sein.

Wie Sie auch bereits wissen, zählen zum Eigenkapital auch die Rücklagen und der Bilanzgewinn. Das Eigenkapital ist durch die vorsichtige Bewertung des Vermögens, der Rückstellungen, der Fremdwährungsschulden etc. in der Bilanz meist zu gering ausgewiesen.

Auch das Gesamtkapital ist verzerrt, weil sich die obigen Verzerrungen in Folge auf das Gesamtkapital auswirken. Außerdem können Vermögen und Kapital saisonalen Schwankungen unterliegen. So wird z. B. der Zeitpunkt des Jahresabschlusses so gewählt, dass das Lager ziemlich leer ist, um die Inventur zu erleichtern (z. B. Schiindustrie im April).

Die aus dem Jahresabschluss ermittelte Kapitalrentabilität kann daher von den wahren Verhältnissen abweichen,
- weil der Gewinn „vorsichtig" ermittelt wird und der Zähler daher zu klein sein kann,
- weil das Kapital ebenfalls „vorsichtig" bewertet wird und der Nenner des Bruchs daher ebenfalls zu klein sein kann.

● **die zunehmende Finanzierung über Leasing:**
Wird ein Anlagegut, z. B. ein Betriebsgebäude, gekauft und über Kredite finanziert, scheint sowohl das Betriebsgebäude als auch der Kredit in der Bilanz (lt. UGB) auf. Das Gesamtvermögen steigt daher und der Eigenkapitalanteil sinkt.

Wird das Gebäude jedoch geleast, bleiben Anlagevermögen und Schulden gleich und der Eigenkapitalanteil bleibt unverändert.

In der Praxis wird häufig versucht, die Verzerrungen, die sich aus der Art der Finanzierung ergeben, bei der Kennzahlenberechnung zu berücksichtigen.

4 Kennzahlensysteme [Ratio models]

Kennzahlensysteme bringen einzelne Kennzahlen in einen Zusammenhang. Das älteste und bekannteste Kennzahlensystem ist das **DuPont-System**. Es zeigt folgenden Zusammenhang:

Return on Investment			
Umsatzrentabilität		× Kapitalumschlagshäufigkeit	
Jahresüberschuss :	Umsatz	Umsatz :	Gesamtvermögen

Wie aus der Darstellung erkennbar ist, wird der **Return on Investment** beeinflusst durch
● **die Höhe der Aufwände/Kosten,** weil damit der Jahresüberschuss bestimmt wird,
● **die Höhe des Anlage- und Umlaufvermögens,** weil damit das Gesamtvermögen bestimmt wird.

Diese beiden Größen liefern Ansatzpunkte zur Verbesserung der Kapitalrentabilität.

Die **Umsatzrentabilität** steigt:

● durch **Steigerung des Umsatzes,** z. B. durch
  - stärkeren Einsatz des absatzpolitischen Instrumentariums,
  - Erzielung höherer Verkaufspreise,
  - Produktinnovationen

● durch **Senkung der Kosten,** z. B. durch
  - wirksame Kostenkontrolle,
  - optimale Auslastung der Fertigungskapazität

Zur Erinnerung: Bei preispolitischen Maßnahmen ist immer die Preiselastizität zu beachten (vgl. II. Jahrgang). Die Preiselastizität bezieht sich darauf, ob eine Preisänderung auch zu einer Änderung der Nachfrage führt.

Die **Vermögensumschlagshäufigkeit** steigt:
- bei **Senkung des Umlaufvermögens**, z. B. durch
  - Abbau von Vorräten, verbesserte Bestellpolitik,
  - Verbesserung des Mahnwesens,
  - Factoring von Forderungen
- bei **Senkung des Anlagevermögens**, z. B. durch
  - Kapazitätsabbau beim Anlagevermögen

5 Vorgangsweise bei der Kennzahleninterpretation
[Procedure for interpreting ratios]

Kennzahleninterpretation

Es macht keinen Sinn, Kennzahlen isoliert zu interpretieren, weil
- sich ihre Aussagekraft nur durch den Vergleich erschließt,
- es zwischen den Kennzahlen zu viele Abhängigkeiten gibt.

Als Vergleichsmaßstäbe der Kennzahleninterpretation bieten sich an:
- **Soll-Ist-Vergleich:** um zu kontrollieren, ob Planwerte erreicht werden
- **Zeitvergleich:** um langfristige Auswirkungen von Managemententscheidungen auf den Prüfstand zu heben
- **Branchenvergleich:** um sich an den „Besten der Branche" zu messen

Grafik Kennzahlenwerte gut geführter Unternehmen

Ausgewählte Kennzahlenwerte gut geführter Unternehmen:

Kennzahl		Industrie	Einzelhandel
Anlagenintensität		35%	18%
Eigenkapitalquote		20%	10%
Anlagendeckung		130%	150%
Debitorenziel		45 Tage	10 Tage
Kreditorenziel		80 Tage	50 Tage
Lagerdauer		100 Tage	110 Tage
Entschuldungsdauer		5 Jahre	7 Jahre
Gesamtkapitalrentabilität		12%	14%
Eigenkapitalrentabilität		25%	18%
Umsatzrentabilität		5%	4%
Kapitalumschlagshäufigkeit		1,6 x	2,5 x
Return on Investment		8%	10%
Cashflow-Quote		9%	6%
Waren- bzw. Materialintensität	gering	35%	60%
	hoch	55%	70%
Personalintensität	gering	20%	10%
	hoch	40%	20%

Quelle: Kralicek/Böhmdorfer/Kralicek 2013: Kennzahlen für Geschäftsführer (bearbeitet)

Beachten Sie:
Die Übersicht zu den Kennzahlenwerten ist eine Momentaufnahme für zwei ausgewählte Branchen.
1. Man sieht, dass die Kennzahlen **abhängig von der Branche** zum Teil **weit auseinanderliegen** können. Die Eigenkapitalquote ist z. B. in der Industrie doppelt so hoch wie im Einzelhandel. Und trotzdem ist der Wert **in beiden Fällen gut**.
2. Die **Vorstellung** darüber, unter welchen Voraussetzungen eine Kennzahl gut ist, **ändert sich** im Zeitverlauf. Was als „gut" empfunden wird, ist auch abhängig von den jeweils aktuellen Umständen, wie z. B. bei der Gesamtkapitalrentabilität.

Abhängigkeit von Kennzahlen

Um die Problematik der wechselseitigen Abhängigkeit von Kennzahlen zu umgehen, ist es empfehlenswert, eine Kennzahlenanalyse mit vier stabilen, d.h. voneinander weitgehend unabhängigen, Kennzahlen zu beginnen.

Vier Kennzahlen zuerst [Four ratios first]

Grafik 4 stabile Kennzahlen

Kennzahl	Aussage	Mindest-/Sollwert	Risiko, wenn der Mindest-/Sollwert nicht erreicht wird
Eigenkapitalquote	gibt an, wie hoch der Anteil des Eigenkapitals am Gesamtkapital ist	mindestens 20 %	Überschuldungsrisiko
Working Capital	gibt an, ob das Vermögen fristengerecht finanziert ist, d.h., ob langfristiges Vermögen langfristig finanziert ist	positiv	Liquiditätsrisiko
Entschuldungsdauer	gibt an, wie lange es dauert, Fremdkapital aus eigener Kraft zurückzuzahlen	+++ = bis zu 3 Jahre --- = bis zu 30 Jahre	Innenfinanzierungspotenzial ist nicht ausreichend, d.h., das Unternehmen ist auf Außenfinanzierung angewiesen.
Return on Investment	gibt an, wie gut sich das eingesetzte Kapital im Unternehmen verzinst	mindestens so hoch wie die langfristigen Fremdkapitalzinsen	Verzinsung ist nicht ausreichend, d.h., das Unternehmen hat Schwierigkeiten, Kapital durch Außenfinanzierung aufzubringen.

Ursachenforschung [Research the cause]

Wenn die vier Kennzahlenwerte den Mindest-/Sollwert unterschreiten, muss eine Ursachenforschung vorgenommen werden. Dabei sind zu den vier Kennzahlen folgende andere Kennzahlen zu untersuchen:

Grafik Ursachenforschung Kennzahlenwerte

Eigenkapitalquote	Working Capital	Entschuldungsdauer	Return on Investment

● Fremdkapitalzinsen
● Umsatzrentabilität
● Privatentnahmen
● Gewinnausschüttung
	● Verhältnis Debitoren-/Kreditorenziel
	● Verhältnis Anlagevermögen/langfristiges Fremdkapital
		● Eigenkapitalquote
		● Cashflow in % des Umsatzes
			● Umsatzrentabilität
			  ○ Materialintensität
			  ○ Personalintensität
			  ○ Fremdkapitalzinsen
			● Kapitalumschlagshäufigkeit
			  ○ Anlagenintensität
			  ○ Lagerdauer
			  ○ Debitorenziel
			  ○ liquide Mittel

Maßnahmenempfehlungen [Recommendations]

Aus der Ursachenforschung ergibt sich schlüssig ein Therapieplan für das Unternehmen:

Grafik Maßnahmen zu 4 stabilen Kennzahlen

Eigenkapitalquote	Working Capital	Entschuldungsdauer	Return on Investment
● Aufnahme von Gesellschaftern prüfen ● Gewinnverbesserung anstreben ● Privatentnahmen bzw. Ausschüttungen reduzieren	● langfristige Außenfinanzierungsmöglichkeiten prüfen	● Gewinnverbesserungen anstreben ● Privatentnahmen bzw. Ausschüttungen reduzieren	● DuPont-Schema anwenden

Üben – Anwenden

Ü 2.31: Kennzahleninterpretation C
Interpretieren Sie die folgenden Kennzahlen eines Schuhsohlenherstellers:

Kennzahl	Kennzahlenwert
Eigenkapitalquote	17 %
Working Capital	positiv
Entschuldungsdauer	8 Jahre
Gesamtkapitalrentabilität	15 %

Ü 2.32: Kennzahleninterpretation C
Interpretieren Sie die folgenden Kennzahlen eines Steckdosenherstellers:

Kennzahl	Kennzahlenwert
Eigenkapitalquote	32 %
Working Capital	negativ
Entschuldungsdauer	6 Jahre
Gesamtkapitalrentabilität	8 %
Debitorenziel	132 Tage
Kreditorenziel	9 Tage

Ü 2.33: Fertigungsbetrieb vs. Handelsbetrieb D
Vergleichen Sie die Kennzahlen der beiden folgenden Unternehmen:

a) Worauf sind Unterschiede im Kennzahlenbild zurückzuführen?

b) Welche Maßnahmen empfehlen Sie den beiden Unternehmen zur Verbesserung des Return on Investment (ROI)? Begründen Sie Ihre Ansicht.

Kennzahl	Werte Handelsbetrieb	Werte Fertigungsbetrieb
Anlagenintensität	19,05 %	58,42 %
Eigenkapitalquote	30,95 %	49,42 %
Anlagendeckung	325,00 %	146,00 %
Working Capital	900.000,00	3.371.000,00
Debitorenziel in Tagen	6,68	63,60
Kreditorenziel in Tagen	38,15	113,85
Lagerdauer in Tagen	58,46	111,20
Gesamtkapitalrentabilität	10,71 %	10,78 %
Eigenkapitalrentabilität	15,08 %	9,56 %
Umsatzrentabilität	0,91 %	4,06 %
Kapitalumschlagshäufigkeit	5,14	1,16
Cashflow	298.000,00	2.093.000,00
Entschuldungsdauer	3,95 Jahre	2,63 Jahre
Cashflow-Quote	2,76 %	14,34 %
Materialintensität	70,00 %	40,00 %
Personalintensität	20,00 %	30,00 %

Ü 2.34: Verdana GmbH D
Bei der Verdana GmbH handelt es sich um einen Malstiftproduzenten. Verdana ist am österreichischen Markt aufgrund der eher schlechten Qualität trotz des geringen Preises wenig verankert. Dazu äußert sich einer der Geschäftsführer der Verdana GmbH folgendermaßen: „Wir haben keine Marke und produzieren sehr kostenbewusst."

a) Analysieren Sie die vorliegenden Kennzahlenwerte.
b) Auf welche Ursachen sind schlechte Kennzahlenwerte zurückzuführen?
c) Welche Maßnahmen empfehlen Sie dem Unternehmen zur Verbesserung schlechter Kennzahlenwerte?

Kennzahl	Wert
Anlagenintensität	67,82 %
Eigenkapitalquote	10,73 %
Anlagendeckung	59,53 %
Working Capital	−10.961.740,00
Debitorenziel in Tagen	39,37
Kreditorenziel in Tagen	41,31
Lagerdauer in Tagen	10,93
Gesamtkapitalrentabilität	4,72 %
Eigenkapitalrentabilität	21,17 %
Umsatzrentabilität	1,26 %
Kapitalumschlagshäufigkeit	1,81
Return on Investment	2,27 %
Liquidität 1. Grades	0,36 %
Liquidität 2. Grades	61,70 %
Liquidität 3. Grades	75,02 %
Cashflow	8.696.980,00
Entschuldungsdauer	14,74 Jahre
Cashflow-Quote	3,35 %
Materialintensität	78,19 %
Personalintensität	6,29 %

Sichern

Kennzahlenbereiche / types of ratios

Kennzahlenanalysen untersuchen die finanzielle Stabilität sowie die Ertragslage eines Unternehmens.

Ratio analysis examines the financial stability as well as the profitability of a business.

finanzielle Stabilität / financial stability

Die Analyse der finanziellen Stabilität untersucht die Bereiche Vermögens- und Kapitalstruktur sowie die Finanzlage.

The analysis of financial stability examines the areas asset and capital structure, as well as liquidity.

Ertragslage / profitability

Die Ertragslage kann mit Erfolgskennzahlen und mit Rentabilitätskennzahlen untersucht werden.

Profitability can be assessed using performance indicators and profitability ratios.

Kennzahlen der Vermögens- und Kapitalstruktur

Die wichtigsten Kennzahlen der Vermögens- und Kapitalstruktur sind:
- Anlagenintensität
- Umlaufintensität
- Eigenkapitalquote
- Verschuldungsgrad

Lerneinheit 5: Finanzierungskennzahlen

ratios for asset and capital structure	The most important ratios when looking at asset and capital structure are: ● fixed asset intensity ratio ● current asset intensity ratio ● equity ratio ● debt ratio
Finanzlage	Die wichtigsten Kennzahlen der Finanzlage sind: ● Working Capital ● Anlagendeckung ● Liquidität 1.–3. Grades ● Cashflow ● Selbstfinanzierungsquote ● Entschuldungsdauer
financing situation	The most important ratios when looking at the financing situation are: ● working capital ● fixed asset coverage ratio ● liquidity ratios: acid-test ratio, current ratio ● cash flow ● self-financing ratio ● debt repayment period
Erfolgs-kennzahlen	Wichtige Erfolgskennzahlen sind: ● Materialintensität ● Personalintensität ● Umsatzrentabilität ● Cashflow-Quote
performance indicators	Important performance indicators are: ● materials expense ratio ● personnel expense ratio ● return on sales ● cash flow to sales ratio
Rentabilitäts-kennzahlen	Wichtige Kennzahlen zur Untersuchung der Rentabilität sind: ● Eigenkapitalrentabilität ● Return on Investment ● Gesamtkapitalrentabilität ● Kapitalumschlagshäufigkeit ● Lagerdauer in Tagen ● Debitorenziel in Tagen ● Kreditorenziel in Tagen
profitability ratios	Important ratios to evaluate profitability are: ● return on equity (ROE) ● return on investment (ROI) ● return on capital employed (ROCE) ● capital turnover ● days in stock ● days receivable ● days payable
Einschränkung der Aussagekraft	Da die Kennzahlen aus dem externen Rechnungswesen errechnet werden, muss bei der Interpretation auf die Verzerrungen, die sich aus den Vorschriften des Unternehmensgesetzbuchs ergeben, geachtet werden.
limited significance	As ratios must be calculated from the published results of a business, it is important to be aware of the fact that the information is distorted by various requirements of the Austrian Commercial Code.
Kennzahlen-systeme	Zu den bekanntesten Kennzahlensystemen zählt das DuPont-Schema mit der Spitzenkennzahl „Return on Investment".

| ratio models | The DuPont system with its key ratio "Return on Investment" is one of the best-known ratio models. |

Vorgangsweise bei der Kennzahleninterpretation

Kennzahlen sind nur im Vergleich aussagekräftig. Mögliche Vergleichswerte sind:
- Soll-Ist-Vergleich
- Zeitvergleich
- Branchenvergleich

Bei der Kennzahlenanalyse sollten zunächst vier „stabile" Kennzahlen berechnet werden. Erst dann kann die Ursachenforschung für schlechte Werte beginnen und ein Maßnahmenplan entwickelt werden.

procedure for interpreting ratios

Ratios are only meaningful when they can be compared. Possible comparisons are:
- planned-actual results
- results of two or more time periods
- results of other businesses in the same industry

Ratio analysis should start by calculating four "stable" ratios. Only then can the search for explanations begin, and a strategy for improvement be developed.

ID: 2053

Im SbX finden Sie eine Audio-Wiederholung der englischen Beiträge sowie eine Bildschirmpräsentation mit den Grafiken dieser Lerneinheit.

Wissen

W 2.31: Kennzahlenbereiche A
Welche Kennzahlenbereiche lassen sich unterscheiden?

W 2.32: Finanzielle Stabilität B
Wodurch ist die finanzielle Stabilität eines Unternehmens charakterisiert?

W 2.33: Ertragslage B
Worüber gibt die Ertragslage eines Unternehmens Auskunft?

W 2.34: Kennzahlenwahl B
Geben Sie zu jedem Kennzahlenbereich mindestens drei Kennzahlen an.

W 2.35: Leverage-Effekt B
Erläutern Sie den Leverage-Effekt.

W 2.36: DuPont-Schema B
Charakterisieren Sie das DuPont-Schema.

W 2.37: Durchführung der Kennzahleninterpretation B
Welche Schritte sind bei der Durchführung einer Kennzahleninterpretation empfehlenswert?

English questions

E 2.06: State the two main areas of a business which financial ratios examine.

E 2.07: When is it NOT useful to use ratio analysis?

E 2.08: Ratios based on published accounts have only limited significance. Explain why this is so.

E 2.09: Decide which of the following ratios are used to examine
a) the financial stability of the business
b) the profitability of the business

Put an X in the appropriate box.

Ratio	Examines financial stability	Examines profitability
return on capital employed (ROCE)		
acid-test ratio		
return on sales		
fixed asset intensity ratio		
equity ratio		
personnel expense ratio		
debt repayment period		
return on investment (ROI)		

Ein kurzer Kompetenz-Check, bevor's weitergeht!

Kompetenz-Check

	☺	😐	☹
Ich kann verschiedene Kennzahlenanalysebereiche unterscheiden.			
Ich kann den Kennzahlenanalysebereichen die richtigen Finanzierungskennzahlen zuordnen.			
Ich kann die Aussage verschiedener Finanzierungskennzahlen beschreiben.			
Ich kann Finanzierungskennzahlen eines Unternehmens interpretieren.			
Ich kann Ursachen schlechter Kennzahlenwerte identifizieren.			
Ich kann Maßnahmen zur Verbesserung schlechter Kennzahlenwerte formulieren.			

Lerneinheit 6
Kreditprüfung durch Banken und Lieferanten

SbX — Alle SbX-Inhalte zu dieser Lerneinheit finden Sie unter der ID: 2060.

Banken müssen, Lieferanten sollten die Bonität ihrer Kunden prüfen. Schließlich sind sowohl Banken als auch Lieferanten Kreditgeber. Banken stellen Fremdkapital auf der Basis eines Kreditvertrags zur Verfügung, Lieferanten auf der Basis eines Kaufvertrags, wenn die Zahlungsbedingung „auf Ziel" lautet. Mit der Kreditprüfung schätzen Banken und Lieferanten die Bonität ihrer Kunden ein, d. h., sie prüfen, ob die Rückzahlung des Fremdkapitals durch die Kunden gesichert ist.

Lernen

SbX ID: 2061

1 Kreditprüfung durch Banken [Credit report by banks]

Bevor ein Kredit gewährt wird, überprüft das Kreditinstitut, ob der Kreditnehmer den Kredit zurückzahlen kann und will. Durch diese **Kreditprüfung** soll das **Dubiosenrisiko** möglichst **gering** gehalten werden. Die Kreditprüfung beginnt meist mit einem Kreditgespräch. Kleinere Kredite werden allerdings auch über das Internet abgewickelt. Beispiele finden Sie im Internet unter dem Stichwort „Kreditantrag online".

Grafik Kreditprüfung

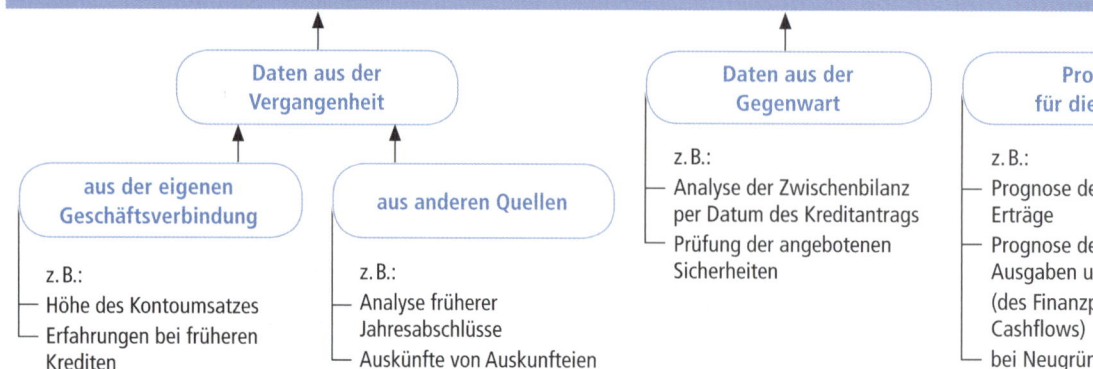

(1) Beilagen zum Kreditantrag

Welche Unterlagen vorgelegt werden müssen, hängt von der Höhe und von der Dauer des Kredits ab.

Vom Unternehmer können folgende Unterlagen verlangt werden:
- der letzte Jahresabschluss (einschließlich Geschäftsbericht und Prüfungsbericht, soweit diese erstellt werden)
- eine Zwischenbilanz oder eine Statusbilanz für den Zeitpunkt des Kreditantrags
- ein Auszug aus dem Firmenbuch (soweit es sich um eingetragene Unternehmen handelt)
- eine Aufstellung über die Vermögensgüter (eventuell mit Angabe von Belastungen, wie Eigentumsvorbehalten, Sicherungsübereignungen, Verpfändungen, Hypotheken)
- Angaben über die Umsatzentwicklung, den Auftragsstand, die geplanten Investitionen
- Angaben über die Finanzstruktur (Zusammensetzung des Eigenkapitals, bestehende Kreditverhältnisse einschließlich Rückzahlungspläne)
- Finanzplan für die Kreditlaufzeit (zumindest für die erste Rechnungsperiode nach der Kreditgewährung)
- Verzeichnis der Sicherheiten (Grundbuchauszüge, Debitorenlisten, Adressen von Bürgen, Bestandsverzeichnisse über Rohstoffe, Fertigfabrikate, Handelswaren etc.)

Bei Privatkrediten werden meist verlangt:
- Einkommens- und Beschäftigungsbestätigung
- Angabe von Bürgen
- Grundbuchauszüge bei Hypothekardarlehen (bei Darlehen für Eigentumswohnungen oder Wohnhausbau)

(2) Die Prüfung der persönlichen Kreditwürdigkeit des Kreditwerbers

Die Kreditwürdigkeit hängt vor allem vom bisherigen Verhalten des Kreditwerbers ab. Es wird unter anderem Folgendes überprüft:

- Hat er seine Schulden bzw. frühere Bankkredite immer pünktlich bezahlt?
- Ist er als pünktlicher Lieferant bekannt?
- Besteht das Unternehmen schon lange bzw. ist ein privater Kreditwerber schon längere Zeit beim gleichen Dienstgeber beschäftigt?
- Gilt die Geschäftsführung als initiativ und ideenreich?

(3) Die Prüfung der sachlichen Kreditfähigkeit

*Wie die Beispiele zeigen, sind die Begriffe **persönliche Kreditwürdigkeit** und **sachliche Kreditfähigkeit** nicht eindeutig voneinander zu trennen. Die **Kreditwürdigkeit** wirkt sich unmittelbar auf die **Kreditfähigkeit** aus (bekannte Unternehmen bzw. ideenreiche und initiative Geschäftsführer werden Kredite auch eher zurückzahlen können).*

Bei der sogenannten **statischen Kreditprüfung** wird festgestellt, ob der Kreditwerber **gegenwärtig** kreditfähig ist. Dies hängt ab von

- den angebotenen Sicherheiten,
- der derzeitigen Vermögens- und Kapitalsituation (Anteil des Fremdkapitals, Liquidität der Vermögensteile).

Bei größeren Krediten wird eine **Statusbilanz** verlangt, die die tatsächlichen Verhältnisse wiedergibt, d. h.,

- stille Reserven (durch Unterbewertung) sind aufzulösen,
- Forderungen sind mit jenem Wert anzugeben, mit dem sie wahrscheinlich eingehen werden,
- die Verbindlichkeiten sind um jene Werte zu erhöhen, die in der Bilanz nicht aufscheinen (z. B. Miet- und Leasingverbindlichkeiten).

Die **statische Kreditprüfung** hat **verschiedene Nachteile:**

- Die Sicherheiten, die für einen Kredit angeboten werden, können das Dubiosenrisiko zwar stark vermindern oder z. B. bei Hypothekarkrediten sogar weitgehend ausschalten.
  Es ist jedoch nicht der Hauptzweck der Kreditprüfung, festzustellen, ob die Forderung zwangsweise eingetrieben werden kann, wenn der Kreditnehmer nicht zahlt. Sinnvoll ist es vielmehr, einen **Kredit** nur dann zu **gewähren**, wenn er **vermutlich ordnungsgemäß zurückgezahlt werden kann.**
- Ferner gibt die derzeitige Vermögenslage über die zukünftige Finanzkraft (d. h. über die Fähigkeit, die notwendigen Barmittel für die Kreditrückzahlung aufzubringen) nur unzureichend Auskunft.

Die **statische Kreditprüfung** wird daher durch eine **dynamische Kreditprüfung** ergänzt.

Dabei werden geprüft:
- Rückzahlungspläne für den gewährten Kredit
- Finanzpläne für das Gesamtunternehmen
- Prognosen für die Gewinn-und-Verlust-Rechnung in zukünftigen Rechnungsperioden

Beispiel

Der Inhaber eines kleinen Gastgewerbebetriebs ersucht um die Gewährung eines Kredits von € 300.000,– zur Erweiterung seines Gasthauses um 30 Fremdenbetten (15 Doppelzimmer). € 100.000,– Eigenmittel sind vorhanden. Er bietet dafür eine Hypothek auf den 1. Rang auf ein Grundstück, dessen Verkehrswert auf € 500.000,– geschätzt wird.

Statisch gesehen ist der Kredit absolut sicher und könnte gewährt werden.

Bei einer zehnjährigen Laufzeit und einem Zinssatz von 5 % p. a. würden jährlich inklusive Nebenkosten für Rückzahlung und Verzinsung ca. € 40.000,– erforderlich sein.

Die Vorschaurechnung ergibt, dass nur mit einer Auslastung von ca. 100 Nächten pro Jahr zu rechnen ist. Nach Abzug der laufenden Ausgaben einschließlich der Steuern verbleiben jährlich ca. € 30.000,–. Die Privatentnahmen für die Lebensführung des Inhaberehepaars sind noch nicht berücksichtigt.

Der Kredit ist laut statischer Prüfung absolut sicher. Er sollte jedoch abgelehnt werden, da er aus den Erträgen der Investition nicht zurückgezahlt werden kann.

Für die **statische** bzw. die **dynamische Kreditprüfung** stehen den Kreditinstituten folgende Hilfen zur Verfügung:
- Auskünfte des Kreditschutzverbands, mit dem die Kreditinstitute online verbunden sind (vgl. **www.ksv.at**)
- EDV-Programme, die aus den Werten des Rechnungswesens Kennzahlen und Prognosen errechnen

(4) Die Kreditgeschäfte in der Praxis (ergänzende Hinweise)

Neben der Unternehmensfinanzierung sind Darlehen an **Private**, an **Bund, Länder und Gemeinden** und an **andere Kreditinstitute** wichtige Teile des Kreditgeschäfts.

Privatkredit

Unterschieden werden:
- Personalkleinkredite (kleinere Kredite mit kürzerer Laufzeit)
- Anschaffungskredite (größere Kredite mit längerer Laufzeit)

Die Bezeichnungen sind jedoch bei den Kreditinstituten unterschiedlich.

Selbstverständlich werden auch an private Kreditnehmer **Hypothekardarlehen** gewährt. Diese werden wie Hypothekardarlehen an Unternehmen abgewickelt.

Abwicklung

Rechtlich handelt es sich um ein **Darlehen**, das meist in gleich hohen Monatsraten verzinst und zurückgezahlt wird.

Kosten

Beachten Sie, dass sich der Kredit durch die Art der Zinsenberechnung und durch Nebengebühren verteuern kann.

Beispiel

Zuteilungs- und Bearbeitungsgebühr 2 %:

Bezieht man diese Gebühr auf die Laufzeit und auf die halbe Durchschnittsschuld, beträgt die Erhöhung der Effektivverzinsung durch diese Gebühr
- bei einer Kreditlaufzeit von 1 Jahr ca. 4 %,
- bei einer Kreditlaufzeit von 5 Jahren jedoch nur ca. 0,8 % (2 % : 5 = 0,4 % pro Jahr, bezogen auf den halben Kreditbetrag = 0,8 %).

Die Kreditinstitute sind verpflichtet, die Effektivzinssätze anzugeben.

Sicherheiten

Privatkredite werden meist durch das Einkommen des Kreditnehmers und häufig durch eine Bürgschaft (z. B. des Ehepartners, der Eltern) gesichert.

Wirtschaftliche Bedeutung

Der Privatkredit wurde zu einem bedeutenden Zweig des Kreditgeschäfts, da der Handel die Kreditwünsche nicht mehr decken kann und auch die Kreditprüfung und die Verwaltung (Inkasso, Mahnung etc.) nicht durchführen kann.

Laut Statistik betragen Kredite an Private über 20 % des gesamten Kreditgeschäfts.

Privatgeldvermittler und Kreditbüros (Hinweis)

Privatgeldvermittler und Kreditbüros bieten oft kurzfristige Kredite zu überhöhten Zinsen an.

Sie verrechnen in der Regel:

- aufschlagsmäßige Zinsen
- hohe Zuteilungs- und Bearbeitungsgebühren

Üblicherweise kommt es zum sofortigen Abzug aller Zinsen und Gebühren und zur Auszahlung des Nettobetrags.

Beispiel

Kreditlaufzeit 6 Monate, aufschlagsmäßige Verzinsung 0,4 % pro Monat, im Vorhinein; 2 % Bearbeitungsgebühr

Kreditbetrag	€ 6.000,–
• abzüglich 0,4 × 6 = 2,4 % von € 6.000,–	€ 144,–
• abzüglich Bearbeitungsgebühr 3 % von € 6.000,–	€ 120,–
Auszahlung	€ 5.736,–
Rückzahlung 6 × € 1.000,–	€ 6.000,–

Effektivverzinsung (vgl. Rechnungswesen):
Kapital: € 5.736,–, Gesamtkosten € 264,–, durchschnittliche Laufzeit = 3,5 Monate (1+6) : 2, ergibt p = 15,8 %

Ø Laufzeit =
(Fälligkeit der 1. Rate + Fälligkeit der letzten Rate) : 2

$$p = \frac{\text{Zinsen} \times 1200}{\text{Kapital} \times \text{Monate}}$$

2 Kreditprüfung durch Lieferanten [Credit check by suppliers]

Zur Erinnerung: Dieses Thema wurde auch schon im I. Jahrgang im Zusammenhang mit dem Thema Zahlungsverzug besprochen.

Lieferantenkredite sind die wichtigste kurzfristige Finanzierungsform vieler Unternehmen. Diese Kredite sind für Lieferanten **Lieferforderungen** an ihre Kunden. Zahlungsverzögerungen oder Zahlungsausfälle von Kunden können im Unternehmen des Lieferanten ernsthafte Schwierigkeiten verursachen, sie schmälern den Gewinn und die Liquidität.

Beispiel

Zahlungsausfall

Zahlt ein Kunde seine Lieferforderungen in der Höhe von € 10.000,00 (exkl. USt) nicht, kommt es zu Veränderungen in der Finanzplanung. Unter Umständen muss der Lieferant seinen eigenen Kontokorrentkredit überziehen oder seine eigenen Lieferverbindlichkeiten verspätet zahlen. Bei einer Umsatzrentabilität von 5 % muss ein zusätzlicher Umsatz von € 200.000,00 erzielt werden, um diesen Verlust auszugleichen.

Im Unterschied zu Banken haben Lieferanten eingeschränkte Möglichkeiten zur Kreditprüfung. Liegen keine Erfahrungen mit dem Zahlungsverhalten von Kunden vor, sind die Bilanz des Kunden oder andere Veröffentlichungen des Geschäftspartners wichtige Auskunftsquellen.

Außerdem kann die Bonitätseinschätzung von Kunden durch Auskunfteien erfolgen.

Weitere Datenquellen für die Einschätzung der Kundenbonität sind der Kreditschutzverband von 1870 oder der Alpenländische Kreditorenverband.

Üben – Anwenden

Ü 2.35: Kreditprüfung A
Woher bekommen Kreditinstitute die Daten, wenn sie die Kreditfähigkeit eines Kreditwerbers überprüfen wollen?

Ü 2.36: Kreditgewährung C
Der eingetragene Einzelunternehmer Walter Maier erhält einen Kredit in der Höhe von € 50.000,– zur Erweiterung des Geschäftslokals. Rückzahlung und Verzinsung des Kredits soll in 20 Vierteljahresraten zu je € 2.770,– erfolgen. Als Sicherheit muss Walter Maier einen Blankowechsel unterschreiben.

a) Welche Sicherheit hat die Bank neben der Unterschrift auf dem Blankowechsel?
b) Welche Unterlagen wird das Kreditinstitut bei der Kreditprüfung von Walter Maier verlangen?
c) Woher könnte das Kreditinstitut weitere Informationen über Walter Maier beziehen?

Ü 2.37: Bonitätsprüfung von Kunden C
Untersuchen Sie das Angebot von verschiedenen Auskunfteien, vom Kreditschutzverband von 1870 und vom Alpenländischen Kreditorenverband. Stellen Sie Ihre Rechercheergebnisse übersichtlich zusammen und präsentieren Sie diese.

Sichern

SbX ID: 2063

Kreditprüfung

Bei der Kreditprüfung wird geprüft, ob der Kreditnehmer den Kredit voraussichtlich zurückzahlen kann und zurückzahlen will. Als Unterlagen dienen:
- Informationen über die bisherigen Geschäftsbeziehungen (Kontoumsatz, Überziehungen etc.)
- mögliche Sicherheiten
- Geschäftsentwicklung in der Vergangenheit (Jahresabschlüsse)
- vermutliche Geschäftsentwicklung in der Zukunft (Finanzplan, Prognose GuV)
- Unternehmensdaten, wie Management, Forschung und Entwicklung, Marktanteile etc.
- Auskünfte von Kreditschutzverbänden

Bei privaten Kreditnehmern werden die Dauer der Beschäftigung, die Einkommenshöhe und dauernde finanzielle Belastungen geprüft.

credit report

A credit report examines whether the borrower is likely to be able and willing to repay the loan. The main resources are:
- information about previous business conduct (transaction volume on the account, overdrafts, etc.)
- possible securities
- development of business in the past (financial statements)
- likely development of business in the future (cash budget, budgeted profit and loss statement)
- business data (like management team, research and development, market share, etc.)
- information from credit rating agencies

In the case of private or consumer lending, length of employment, level of income and long-term financial burdens are checked.

Kreditprüfung durch Lieferanten

Lieferanten sollten die Bonität ihrer Kunden prüfen. Auskunfteien, der Kreditschutzverband von 1870 sowie der Alpenländische Kreditorenverband liefern dafür wichtige Informationen.

credit check by suppliers

Suppliers should check the creditworthiness of their customers. Credit rating agencies, the "Kreditschutzverband von 1870" (Austria's premier credit rating agency) as well as the "Alpenländischer Kreditorenverband" give valuable information in these cases.

SbX ID: 2063

Im SbX finden Sie eine Audio-Wiederholung der englischen Beiträge sowie eine Bildschirmpräsentation mit den Grafiken dieser Lerneinheit.

Lerneinheit 6: Kreditprüfung durch Banken und Lieferanten

 **Wissen**

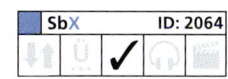

W 2.38: Kreditprüfung A
Welche Fragen werden bei einer Kreditprüfung geklärt?

W 2.39: Kreditprüfung A
Was versteht man unter statischer und was unter dynamischer Kreditprüfung?

W 2.40: Kreditprüfung B
Ordnen Sie die folgenden Begriffe der statischen bzw. der dynamischen Kreditprüfung zu. Setzen Sie für statische Kreditprüfung SP und für dynamische DP ein.

a) letzter Jahresabschluss:

b) Angaben über die derzeitige Umsatzstruktur:

c) Finanzplan für die nächsten zwei Jahre:

d) Grundbuchauszug:

e) Prognose der GuV-Rechnung für die nächsten zwei Jahre:

W 2.41: Kreditprüfung A
Wie kann man die Kreditwürdigkeit eines Kreditwerbers prüfen?

W 2.42: Bonitätsprüfung von Kunden B
Wie kann die Bonitätsprüfung von Kunden erfolgen?

SbX
W 2.43–W 2.44
mit automatischer
Aufgabenkontrolle
ID: 2064

Weitere Aufgaben zur Lernkontrolle im SbX

W 2.43: Kreditrisiken: Zuordnungsübung A

W 2.44: Kreditprüfung: Auswahlfragen B

SbX
Test
ID: 2064

Test mit automatischer Aufgabenkontrolle

Test: Wie die Kreditinstitute ihre Mittel verwenden B
Überprüfen Sie mit diesem Test, ob Sie Ihr Wissen erfolgreich anwenden können!

English questions

E 2.10: State the main goal of a credit report examining creditworthiness.

E 2.11: Emer Dalton works for Bibba Fashion KG at the moment but she has also started her new design business and spends her free time creating her fashion designs. She has 20 orders and will not be paid until the orders are completed and delivered. She asks her local bank for a loan to pay for an assistant. Write down the information Emer needs to bring with her when she meets the bank manager.

Ein kurzer
Kompetenz-Check,
bevor's weitergeht!

Kompetenz-Check

	☺	😐	☹
Ich kann eine Übersicht über die Vorgangsweise bei der Kreditprüfung durch Banken geben.			
Ich kann die Unterschiede zwischen statischer und dynamischer Kreditprüfung durch Banken erklären.			
Ich kann Möglichkeiten zur Kreditprüfung durch Lieferanten aufzeigen.			

3 INVESTITIONSMANAGEMENT

Worum geht's in diesem Kapitel?

Unternehmen müssen mit den Entwicklungen im Umfeld und mit den sich ändernden Ansprüchen ihrer Partner Schritt halten, wenn sie ihre Existenz sichern und ihre Ziele erreichen wollen. Dafür sind Entscheidungen in den Bereichen Marketing, Materialwirtschaft oder Personal nötig. Häufig sind damit auch Entscheidungen im Bereich des Anlagevermögens verbunden. Das heißt, Unternehmen müssen entscheiden, in welche Gebäude, Maschinen, Lkw, Geschäftseinrichtungen, Patente etc. sie investieren, um wettbewerbsfähig zu bleiben. Investitionen in das Anlagevermögen sind überwiegend langfristig und beeinflussen die Leistungserstellung eines Unternehmens erheblich. Fehlentscheidungen können die Existenz eines Unternehmens gefährden. Daher brauchen Unternehmen ein professionelles Investitionsmanagement.

Wenn Sie dieses Kapitel bearbeiten, erwerben Sie die folgenden in der Bildungs- und Lehraufgabe des Lehrplans angeführten Kompetenzen:

Sie können
- **Investitionsentscheidungen auf Basis der Investitionsrechnung und qualitativer Kriterien treffen.**

In diesem Kapitel finden Sie Übungsaufgaben, praxisbezogene Fallbeispiele und Aufgaben zur Lernkontrolle zur Überprüfung Ihrer Kompetenzen auf den Handlungsebenen **A Wiedergeben**, **B Verstehen** und **C Anwenden**.

Dieses Kapitel umfasst folgende Lerneinheiten:

1 Phasen des Investitionsmanagements

2 Tools für das Investitionsmanagement

Lerneinheit 1
Phasen des Investitionsmanagements

Investitionen in das Anlagevermögen sind erforderlich, um die Wettbewerbsfähigkeit eines Unternehmens nachhaltig zu sichern. Da Investitionsentscheidungen langfristig wirksam sind, sollten sie sorgfältig getroffen werden. Es muss rechtzeitig überlegt werden, ob investiert werden soll und welche Investitionen zur Wahl stehen. Auf dieser Basis ist jene Investition auszuwählen, die die erforderliche Leistung in der nötigen Qualität zu den geringsten Kosten erbringt. Nach der Durchführung der Investition ist zu kontrollieren, ob die Entscheidung richtig war.

Alle SbX-Inhalte zu dieser Lerneinheit finden Sie unter der ID: 3010.

Lernen

1 Arten von Investitionen [Types of capital budgeting]

Unternehmen investieren aus vielen verschiedenen Anlässen. Daraus ergeben sich verschiedene Arten von Investitionen:

Grafik: Arten der Investition

INVESTITIONSARTEN

- **NEUINVESTITION**
  - Erstinvestition
  - Erweiterungsinvestition
  - Rationalisierungsinvestition
- **ERSATZINVESTITION**

- **Neuinvestition:** Anschaffung neuer Investitionsobjekte
- **Erstinvestition:** Bereitstellung der Erstausstattung bei Unternehmensgründung
- **Erweiterungsinvestition:** Investition zur Produktionsausweitung
- **Rationalisierungsinvestition:** Investitionen insbesondere zur Senkung der Produktionskosten, wobei häufig technisch noch weiter nutzbare Investitionsobjekte aus wirtschaftlichen Gründen vorzeitig ersetzt werden
- **Ersatzinvestition:** Ersatz von verbrauchten Investitionsobjekten, die technisch und damit auch wirtschaftlich nicht mehr nutzbar sind

Bei einzelnen Investitionsobjekten ist eine Abgrenzung oft schwierig, da Investitionen häufig aus mehreren Gründen gleichzeitig durchgeführt werden.

Beispiel

Ein Tonstudio ersetzt sein altes Mischpult durch ein neues, digitales, voll computerisiertes Mischpult. Das neue Mischpult ist wesentlich leistungsfähiger, bedienungsfreundlicher und die Tonqualität der Aufnahmen wird wesentlich erhöht.

Diese Investition ist gleichzeitig:

- eine Ersatzinvestition (Das alte Mischpult wird ersetzt.)
- eine Rationalisierungsinvestition (Die Aufnahmezeit wird wesentlich verkürzt und damit werden Kosten eingespart.)
- eine Erweiterungsinvestition (Die Leistungsfähigkeit wird erhöht, d. h., es können in der gleichen Zeit mehr Aufnahmen durchgeführt werden; außerdem wird die Tonqualität der Aufnahmen wesentlich erhöht.)

2 Phasen des Investitionsmanagements
[Phases of capital budgeting]

Das Investitionsmanagement begleitet den gesamten Investitionsprozess. Dieser gliedert sich in vier Phasen. In jeder Phase sind verschiedene Tätigkeiten auszuführen.

Grafik
Die 4 Phasen im Investitionsprozess

Phasen	Tätigkeiten	Beispiel
1. Investitionsplanung	Anregung der Investition	Aufgrund der aktuellen Portfolio-Situation hat die Hoffen GmbH beschlossen, die neue SGE „Babydecken" zu entwickeln. Dafür benötigt das Unternehmen einen neuen Webstuhl.
	Festlegung von Entscheidungskriterien	Angesichts des verfügbaren Budgets, der geplanten Absatzmenge, der Qualitätsansprüche der Zielgruppe, der gewünschten Verzinsung und weiterer Überlegungen werden Entscheidungskriterien wie Preis, mögliche Produktionsmenge, Qualität, Rentabilität etc. festgelegt.
	Einholung von Investitionsalternativen	Angebote verschiedener Webstuhlhersteller werden eingeholt und miteinander verglichen.
2. Investitionsentscheidung	Vorauswahl der Investitionsalternativen	Manche Angebote scheiden aus, weil sie bestimmte Mindestkriterien wie z. B. den Preis oder die erzielbare Qualität nicht erfüllen.
	Bewertung der Investitionsalternativen	Die verbliebenen Investitionsalternativen werden mithilfe verschiedener Tools bewertet. Die Ergebnisse liefern eine wichtige Grundlage für die endgültige Investitionsentscheidung.
3. Investitionsdurchführung	Bestellung und Bezahlung	Ist die Entscheidung getroffen, wird der gewählte Webstuhl bestellt. Vorbereitende Maßnahmen werden getroffen, z. B. werden die nötigen Räumlichkeiten bereitgestellt. Der Lieferant wird bezahlt.
4. Investitionskontrolle	Abgleich der geplanten und erreichten Ziele	Zu bestimmten Zeitpunkten, z. B. pro Quartal, wird kontrolliert, ob die Investition die geforderte Leistung zu den geplanten Kosten erbringt bzw. worauf Abweichungen zurückzuführen sind.

Dem Investitionsmanagement kommt aus mehreren Gründen große Bedeutung zu:

- Investitionen binden meist viel Kapital in der Form von Anlagevermögen.
- Investitionen verursachen meist längere Kapitalbindungen.
- Investitionen können kurzfristig und ohne Verluste kaum rückgängig gemacht werden.
- Investitionen verändern die Kostenstruktur im Unternehmen. Mit ihnen erhöht sich der Anteil der Fixkosten, die unabhängig von der Auslastung verdient werden müssen.

Üben – Anwenden

Ü 3.01: Investitionsarten B

Eine Wäscherei steht vor der Entscheidung, moderne Trockenmaschinen anzuschaffen. Erklären Sie an diesem Beispiel den Unterschied zwischen den verschiedenen Investitionsarten.

Ü 3.02: Phasen des Investitionsmanagements C

a) Sie wollen sich für zu Hause einen neuen Drucker kaufen. Wie können Sie das Phasenschema des Investitionsprozesses in diesem Fall nutzen?
b) Ein Copyshop mit mehreren Filialen verfügt über 340 Kopiergeräte. Welche Aufgaben hat der Investitionsmanager in diesem Unternehmen?

Ü 3.03: Analyse eines Investitionsvorhabens C

Ein Autobusunternehmer ersetzt im Streckenverkehr nach Budapest und Prag seine Autobusse mit 30 Sitzen durch Autobusse mit 60 Sitzen. Die neuen Busse verbrauchen weniger Benzin pro Kilometer und weisen längere Serviceintervalle auf. Handelt es sich um eine Ersatzinvestition? Begründen Sie Ihre Ansicht.

Sichern

SbX ID: 3013

Investition
Unter Investition versteht man die langfristige Bindung finanzieller Mittel im materiellen oder immateriellen Vermögen.

investment
Investment is the activity of converting capital into long-term tangible or intangible assets.

Investitionsarten
Bei Investitionen können folgende Arten unterschieden werden:
- Neuinvestition (Erst-, Erweiterungs-, Rationalisierungsinvestition)
- Ersatzinvestition

Eine genaue Abgrenzung ist schwierig, da Investitionen oft aus mehreren Gründen durchgeführt werden.

types of investment
There are the following types of investment:
- *new investments (first-time investments, expansion or rationalisation investments)*
- *replacement investments*

It is hard to draw a clear line between the different types because often there is more than one reason for making the investment.

Investitionsmanagement
Das Investitionsmanagement umfasst die Planung, Entscheidung, Durchführung und Kontrolle von Investitionen.

capital budgeting
Capital budgeting includes planning, decision-making, execution and quality control of investments.

Investitionsprozess
Der Investitionsprozess umfasst alle Tätigkeiten, die im Zusammenhang mit dem Investitionsmanagement anfallen.

capital budgeting process
The capital budgeting process includes all the activities that are necessary in capital budgeting.

SbX ID: 3013

Im SbX finden Sie eine Audio-Wiederholung der englischen Beiträge sowie eine Bildschirmpräsentation mit den Grafiken dieser Lerneinheit.

Lerneinheit 1: Phasen des Investitionsmanagements

 Wissen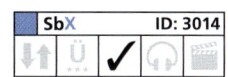

W 3.01: Investitionsrechnung B

Sind die folgenden Aussagen zur Investitionsrechnung richtig oder falsch? Stellen Sie falsche Aussagen richtig.

a) Aus betriebswirtschaftlicher Sicht ist auch die Mittelverwendung für eine Werbekampagne eine Investition.

☐ Richtig   ☐ Falsch, richtig ist:

b) Spricht ein Unternehmer von Investition, meint er in der Regel die Mittelverwendung für Güter des Anlagevermögens.

☐ Richtig   ☐ Falsch, richtig ist:

W 3.02: Investitionsarten B

Wie kann man die einzelnen Investitionsarten unterscheiden und warum ist diese Unterscheidung nicht immer eindeutig möglich? Erklären Sie dies an einem selbst gewählten Beispiel.

W 3.03: Investitionsmanagement A

In welche Phasen gliedert sich das Investitionsmanagement?

W 3.04: Investitionsprozess B

Stellen Sie die Tätigkeiten im Rahmen des Investitionsprozesses am Beispiel eines Laufbands in einem Fitnesscenter dar.

Weitere Aufgabe zur Lernkontrolle im SbX

W 3.05: Investitionsmanagement A

Lösen Sie ein Kreuzworträtsel mit Fragen zum Thema Investition, Investitionsrechnung und Investitionsarten!

SbX
W 3.05
mit automatischer
Aufgabenkontrolle
ID: 3014

English questions

E 3.01: What is the purpose of investment?

E 3.02: What type of investment is involved in the following?

a) Sports Fans GmbH, a chain of sports shops, is building a new branch in Vienna.
b) Wanda Games GmbH has a machine to make the boards in the production of various board games. It is old and constantly needs repairs. It has been decided to buy a new machine.
c) ArtFace GmbH produces theatrical make-up and other cosmetics. The company has invested in a new machine which can mix larger amounts of cream and bottle them in a shorter time using fewer employees for the process.
d) At the moment Emer Dalton works for Bibba Fashion KG which produces clothes. She has many ideas for new exciting designs and would like to start her own business. Emer has rented a room for her workshop and has invested in a professional sewing machine to create her own designs.

E 3.03: What processes does Emer Dalton have to complete regarding investments when budgeting for her newly set-up company?

Betriebswirtschaft und Projektmanagement HLW IV

Ein kurzer Kompetenz-Check, bevor's weitergeht!

Kompetenz-Check

	☺	😐	☹
Ich kann Grundlagen für Investitionsentscheidungen im Unternehmens- und Privatbereich aufbereiten.			
Ich kann den Zusammenhang zwischen Unternehmensführung und Investition erläutern.			
Ich kann Arten von Investitionen unterscheiden.			

Lerneinheit 2
Tools für das Investitionsmanagement

SbX
Alle SbX-Inhalte zu dieser Lerneinheit finden Sie unter der ID: 3020.

Der Beschluss der Hoffen GmbH, künftig auch Babydecken aus Frottee zu produzieren, hat weitreichende Folgen. Im Vorfeld wurde dafür der Absatzmarkt für Babydecken auf sein Marktpotenzial geprüft. Rohstofflieferanten wurden anhand der Kriterien Zuverlässigkeit, Preis, Pünktlichkeit oder Qualität ausgewählt. Aus der Stellenbeschreibung für den Produktmanager wurden Anforderungskriterien an die Qualifikation der Bewerber/innen formuliert. Da auch neue Webstühle angeschafft werden müssen, braucht die Hoffen GmbH Kriterien, die sie für die Entscheidung für neue Maschinen heranziehen kann.

 **Lernen**

1 Tools für die Investitionsentscheidung
[Decision-making tools in capital budgeting]

Um eine Entscheidung zwischen mehreren Investitionsalternativen herbeizuführen, benötigt das Investitionsmanagement Bewertungskriterien. Es gibt verschiedene Tools, die den Vergleich zwischen mehreren Investitionsalternativen ermöglichen.

Grafik
Investitionsentscheidung – Tools

- Bei der **Scoringmethode** werden verschiedene Kriterien zielabhängig gewichtet. Die Investitionsalternativen können anschließend danach bepunktet werden, wie gut sie diese Kriterien erfüllen.
- Bei der **Kostenvergleichsrechnung** werden die Kosten verglichen, die durch die Investitionsmöglichkeiten im Durchschnitt pro Periode (meist pro Jahr) verursacht werden.
- Bei der **Rentabilitätsvergleichsrechnung** wird die mögliche Verzinsung des eingesetzten Kapitals verglichen.
- Bei der **Amortisationsrechnung** wird der Zeitraum, in dem das investierte Kapital wieder in das Unternehmen zurückfließt, verglichen.
- Bei der **Kapitalwertmethode** wird verglichen, ob die künftigen Cashflows – abgezinst auf den Zeitpunkt der Investition – insgesamt höher sind als die Auszahlung für die Investition.

2 Scoringmethode (Punktwertmethode)
[Weighted scoring method]

Die verschiedenen Eigenschaften alternativer Lösungen werden bewertet und unterschiedlich gewichtet.

(1) Aufbau der Punktwertmethode (Übersicht)

Ziel der Punktwertmethode ist es, eine einzige Maßzahl für jede Entscheidungsalternative zu bekommen. Dazu sind folgende Schritte erforderlich:

- Definition der Merkmale für die Bewertung
- Formulierung von Mindestanforderungen für die verschiedenen Merkmale
- Entwicklung einer Bewertungsskala und Bewertung der Alternativen
- Zuordnung eines Gewichtungsfaktors zu jedem Merkmal
- Multiplikation der Punktwerte mit den Gewichten und Ermittlung der Gesamtpunkte

(2) Merkmale für die Bewertung

Beispiel

Hoffen GmbH: Auswahl eines Webstuhls

Für die Herstellung von Babydecken aus Frottee soll ein neuer Webstuhl angeschafft werden.
Folgende Merkmale sollen in die Bewertung einbezogen werden:
Preis, Anzahl der Fadenvorrichtungen, Anzahl der Webschäfte, Anzahl der möglichen Farben, Servicenähe, Servicepreis, Reparaturanfälligkeit

(3) Formulierung von Mindestanforderungen

Beispiel

Folgende Mindestanforderungen wurden festgelegt:

- Höchstpreis: € 150.000,00
- mindestens 4 Fadenvorrichtungen
- mindestens 8 Webschäfte
- mindestens 8 Farben

Alle Webstühle, die diese Mindestanforderungen nicht erfüllen, werden ausgeschieden.

Nach dem Ausscheiden der unzureichenden Alternativen verbleiben folgende Modelle zur Auswahl:

Merkmale	Jiangsu Webstuhl „Keke"	Lusamatex Webstuhl „Alfred"	Weifang Panda Loom Webstuhl „Coni"
Preis	€ 150.000,00	€ 140.000,00	€ 100.000,00
Fadenvorrichtungen	8	6	6
Webschäfte	16	12	8
Farben	16	12	8
Servicenähe	Wien (100 km)	Wien (100 km)	Hamburg (1200 km)
Servicepreise	unbekannt	fix	unbekannt
Reparaturanfälligkeit	gering	gering	mittel

(4) Entwicklung einer Bewertungsskala und Zuordnung von Punkten

Die Bewertungsskala soll etwa 5 bis 7 Stufen haben. Wählt man weniger Stufen, können vorhandene Unterschiede nicht ausreichend berücksichtigt werden. Wählt man mehr Stufen, so täuscht man eine Genauigkeit vor, die man beim Einschätzen der Merkmale nie erreichen kann.

Wenn quantitative Merkmale in Punkte umgerechnet werden sollen, muss man genau überlegen, welche Werte als sehr hoch bzw. als sehr gering zu betrachten sind. Dazwischen sind dann die Abstufungen zu wählen.

Beispiel

Es sollen mindestens 8 Farben erzielbar sein.
Die mögliche Farbpalette reicht von 8 bis 16 Farben.
Daher könnte folgende Skala verwendet werden:
8 Farben: 1 Punkt, 12 Farben: 2 Punkte, 16 Farben: 3 Punkte

Handelt es sich nur um qualitative Merkmale, so sollte man zumindest die Einstufung in Worten ausdrücken:

Beispiel

Servicenähe
100 km: 5 Punkte, 250 km: 4 Punkte, 500 km: 3 Punkte, 750 km: 2 Punkte,
1000 km und mehr: 1 Punkt

Mithilfe der Bewertungsskala werden den einzelnen Merkmalen Punkte zugeordnet.

(5) Zuordnen von Gewichtungen in Prozentzahlen

Folgende Vorgangsweise erleichtert die Zuordnung von Gewichtungen:

- Zuerst werden die Merkmale nach der Wichtigkeit gereiht. Sind zwei Merkmale gleich wichtig, werden sie auf den gleichen Platz gereiht.
- Dann bewertet man die Merkmale nach ihrer Wichtigkeit in Prozent, wobei die Gesamtsumme der Merkmale 100 % ergeben muss. Gleich wichtige Merkmale erhalten die gleiche Gewichtung.
- Es muss kontrolliert werden, ob die Gewichtungen sinnvoll sind:

  Wurde z. B. die Reparaturanfälligkeit mit 20 % und die Webschäfte mit 2 % gewichtet, so ist zu prüfen, ob dieses Verhältnis von 10:1 den tatsächlichen Anforderungen entspricht.

(6) Multiplikation der Punkte mit der Gewichtung

Das Ergebnis sehen Sie in der nachfolgenden Tabelle.

Beispiel

Merkmale	Gewicht	Webstuhl „Keke"		Webstuhl „Alfred"		Webstuhl „Coni"	
		Punkte	Ergebnis	Punkte	Ergebnis	Punkte	Ergebnis
Preis	40 %	2	80	3	120	5	200
Fadenvorrichtungen	5 %	4	20	1	5	1	5
Webschäfte	20 %	5	100	3	60	1	20
Farben	5 %	3	15	2	10	1	5
Servicenähe	5 %	5	25	5	25	1	5
Servicepreise	5 %	1	5	4	20	1	5
Reparaturanfälligkeit	20 %	4	80	4	80	3	60
gesamt	100 %		325		320		300

Interpretation

Der Webstuhl „Keke" von Jiangsu erreicht die höchste Gesamtpunkteanzahl. Allerdings ist der Webstuhl „Alfred" von Lusamatex nur um 5 Punkte schlechter bewertet.

Die richtigen Alternativen auswählen

Bevor man die Scoringmethode anwendet, muss man unbedingt alle Alternativen ausscheiden, die den Mindestanforderungen nicht entsprechen. Es könnte sonst geschehen, dass eine Alternative die höchste Punktezahl bekommt, die in zwei wichtigen Faktoren hohe Punktwerte aufweist, jedoch bei anderen Merkmalen die Mindestanforderungen nicht erfüllt (z. B. ein billiger und zuverlässiger Webstuhl, der jedoch nicht die notwendige Leistung erbringt).

3 Statische Investitionsrechenverfahren
[Static capital budgeting methods]

Die statischen Investitionsrechenverfahren sind einfache Vergleichsrechnungen. Als Entscheidungskriterien werden die **Kosten**, die **Rentabilität** oder die **Amortisationszeit** verwendet. Bei den statischen Verfahren werden nur Durchschnittswerte für eine Periode – z. B. ein Jahr – betrachtet.

Aufbereitung der Daten [Preparation of data]

Vor Durchführung der Investitionsrechnung werden die Daten aus den Angeboten für die verschiedenen Investitionsalternativen aufbereitet und um interne Planungsdaten ergänzt.

Beispiel
Eine übersichtliche Datenaufbereitung erleichtert die Berechnung – z. B. mit Excel.

Für die Herstellung von Babydecken hat die Hoffen GmbH eine Wahl zwischen zwei Angeboten zu treffen. Außerdem liegen bereits interne Planungsdaten vor. Zunächst ist geplant, die Babydecken nur in einer Größe, aber in verschiedenen Farben anzubieten. Die Daten werden folgendermaßen aufbereitet:

	Jiangsu Webstuhl „Keke"	Lusamatex Webstuhl „Alfred"
Anschaffungswert	€ 150.000,00	€ 140.000,00
geplante Nutzungsdauer	10 Jahre	10 Jahre
wahrscheinlicher Restwert am Ende der Laufzeit	null	€ 10.000,00
variable Kosten pro Meter	€ 18,80	€ 19,00
sonstige fixe Kosten pro Jahr	€ 16.000,00	€ 8.000,00
Zinsen auf das durchschnittlich gebundene Eigenkapital	10 %	10 %
maximale Kapazität	60 000 Stück	60 000 Stück
Verrechnungspreis	€ 21,00	€ 20,00
geplante Auslastung	70 %	70 %

Kostenvergleichsrechnung [Cost comparison]

Mit der Kostenvergleichsrechnung werden die Kosten von zwei oder mehreren Investitionsalternativen verglichen, um die kostengünstigste Variante herauszufinden. Der Kostenvergleich wird je nach Problemstellung unterschiedlich eingesetzt:

Grafik
Arten des Kostenvergleichs

Investitionen verursachen zusätzliche variable und fixe Kosten. Dabei sind folgende Rechengrößen zu beachten:

- **Restwert:** Kann mit dem Investitionsobjekt am Ende der Nutzungsdauer ein Verkaufserlös erzielt werden, so ist dieser Restwert sowohl bei der kalkulatorischen Abschreibung als auch bei den kalkulatorischen Eigenkapitalzinsen zu berücksichtigen.
- **Kalkulatorische Abschreibung:** Kann ein Restwert erzielt werden, wird weniger abgeschrieben. Die Differenz zwischen Anschaffungs- und Restwert ist somit die Basis für die Berechnung der kalkulatorischen Abschreibung.
- **Kalkulatorische Eigenkapitalzinsen:** Kann ein Restwert erzielt werden, wird zwar weniger abgeschrieben, allerdings ist das durchschnittlich gebundene Kapital höher, weil der Restwert über die gesamte Nutzungsdauer unverändert hoch ist.

(1) Kostenvergleich bei bekannter Auslastung

Beispiel — Kostenvergleich pro Periode

Webstuhl „Keke" von Jiangsu			
Werte		**Nebenrechnungen**	
variable Kosten pro Meter	18,80		
Produktionsmenge bei 70 % Auslastung	42 000	Kapazität × Auslastung	60.000 × 70 %
durchschnittlich gebundenes Kapital	75.000,00	$\dfrac{\text{Anschaffungswert + Restwert}}{2}$	$\dfrac{150.000 + 0}{2}$
variable Kosten bei 70 % Auslastung	789.600,00	Kv/m × Menge	18,80 × 42 000
zahlungswirksame sonstige Fixkosten	16.000,00		
kalkulatorische Abschreibung	15.000,00	$\dfrac{\text{Anschaffungswert – Restwert}}{\text{Nutzungsdauer}}$	$\dfrac{150.000 - 0}{10}$
kalkulatorische Eigenkapitalzinsen	7.500,00	Zinssatz × Ø geb. Kapital	10 % × 75.000
Kostensumme	**828.100,00**		

Webstuhl „Alfred" von Lusamatex			
Werte		**Nebenrechnungen**	
variable Kosten pro Meter	19,00		
Produktionsmenge bei 70 % Auslastung	42 000	Kapazität × Auslastung	60.000 × 70 %
durchschnittlich gebundenes Kapital	75.000,00	$\dfrac{\text{Anschaffungswert + Restwert}}{2}$	$\dfrac{140.000 + 10.000}{2}$
variable Kosten bei 70 % Auslastung	798.000,00	Kv/m × Menge	19,00 × 42 000
zahlungswirksame sonstige Fixkosten	8.000,00		
kalkulatorische Abschreibung	13.200,00	$\dfrac{\text{Anschaffungswert – Restwert}}{\text{Nutzungsdauer}}$	$\dfrac{140.000 - 10.000}{10}$
kalkulatorische Eigenkapitalzinsen	7.500,00	Zinssatz × Ø geb. Kapital	10% × 75.000
Kostensumme	**826.700,00**		

Interpretation

Bei der vorliegenden Auslastung von 70 % verursacht der Webstuhl „Alfred" pro Jahr geringere Kosten als der Webstuhl „Keke".

Kostenvergleich pro Leistungseinheit

Der Kostenvergleich pro Periode ist nur sinnvoll, wenn die Leistung der Investitionsalternativen gleich hoch ist. Ist eine ungleich hohe Auslastung geplant, dann ist ein Kostenvergleich pro Leistungseinheit, z. B. pro Stück oder pro Meter, nötig.

Beispiel — Kostenvergleich pro Leistungseinheit

- Webstuhl „Keke": verfügt über mehr Webschäfte, er kann daher auch für die Produktion von Handtüchern mit denselben variablen Kosten eingesetzt werden. Die Auslastung beträgt dann 100 %.
- Webstuhl „Alfred": Eine höhere Auslastung durch die Herstellung anderer Produkte ist nicht möglich.

Webstuhl „Keke" von Jiangsu			
Werte		**Nebenrechnungen**	
variable Kosten pro Meter	18,80		
Produktionsmenge bei 100 % Auslastung	60 000		
variable Kosten bei 100 % Auslastung	1.128.000,00	Kv/m × Menge	18,80 × 60 000
zahlungswirksame sonstige Fixkosten	16.000,00		
kalkulatorische Abschreibung	15.000,00	Anschaffungswert − Restwert / Nutzungsdauer	(150.000 − 0) / 10
kalkulatorische Eigenkapitalzinsen	7.500,00	Zinssatz × Ø geb. Kapital	10 % × 75.000
Kostensumme	1.166.500,00		
Produktionsmenge	60 000		
Kosten pro Meter	19,44		

Die Rechenwerte des Webstuhls Alfred ändern sich nicht – siehe Seite 113.

Webstuhl „Alfred" von Lusamatex			
Kostensumme	826.700,00		
Produktionsmenge	42 000		
Kosten pro Meter	19,68		

Interpretation

Da der Webstuhl „Keke" eine höhere Jahresleistung erbringt und diese auch ausgelastet werden kann, ist er pro Meter kostengünstiger als der Webstuhl „Alfred".

(2) Kostenvergleich bei unbekannter Auslastung

Kann die Auslastung nicht genau geplant werden, muss ermittelt werden: Bis zu welcher Auslastung ist die eine und ab welcher Auslastung ist die andere Investitionsalternative günstiger? Die Auslastung, die bei beiden Investitionsalternativen dieselbe Kostenhöhe verursacht, bezeichnet man als **„kritische Auslastung"**.

Für diese Berechnung sind die Kosten in fixe und variable Kosten zu trennen. Die kritische Auslastung erhält man aus:

$$\frac{\text{Differenz der Fixkosten pro Periode}}{\text{Differenz der variablen Kosten pro Leistungseinheit}} = \frac{\text{Fixkosten (1)} - \text{Fixkosten (2)}}{\text{var. Kosten (2)} - \text{var. Kosten (1)}}$$

Die Formel besagt: Wie viele Leistungseinheiten müssen erstellt werden, bis man durch die Einsparung bei den variablen Kosten die Fixkostendifferenz erspart?

Beispiel — 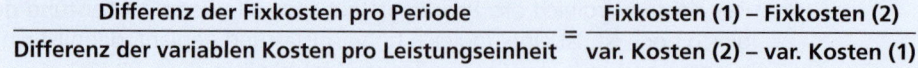 Kritische Auslastung

	Webstuhl „Keke"	Webstuhl „Alfred"
variable Kosten pro Meter	18,80	19,00
Fixkosten	38.500,00	28.700,00
kritische Auslastung	(38.500,00 − 28.700,00) : (19,00 − 18,80) = 49 000 Meter	

Interpretation

Bis zu einer Auslastung von 49 000 Metern ist der Webstuhl „Alfred" kostengünstiger. Ab einer Auslastung von 49 000 Metern verursacht der Webstuhl „Keke" geringere Kosten.

Rentabilitätsvergleichsrechnung [Average rate of return]

Sind die Gewinne bzw. die Kostenersparnis in den einzelnen Perioden unterschiedlich hoch, wird der Gesamtwert über die gesamte Nutzungsdauer ermittelt und ein Durchschnitt berechnet.

Haben die Investitionsalternativen verschiedene Anschaffungswerte und/oder werden mit den Investitionsobjekten unterschiedliche Erträge erzielt, ist der Kostenvergleich nicht geeignet. Die Rentabilität zeigt die Verzinsung des eingesetzten Kapitals. Man erhält sie aus:

$$\text{Rentabilität (R)} = \frac{\text{Gewinn bzw. Kostenersparnis}}{\text{durchschnittlich gebundenes Kapital}} \times 100$$

Anstelle der Gewinne kann auch die Kostenersparnis auf das durchschnittlich gebundene Kapital bezogen werden.

Beispiele

Neue Webstühle der Hoffen GmbH bringen unmittelbar keine Erträge, da die Produkte die Vorstufe für die Näharbeiten darstellen. Würden die neuen Webstühle alte Webstühle ersetzen, könnte die Kosteneinsparung (z. B. kürzere Bedienzeiten, weniger Reparaturen) als Ertrag betrachtet werden.

Webstühlen in einer Weberei können Erträge zugeordnet werden, wenn die gewebten Stoffe unverarbeitet weiterverkauft werden können.

Beispiel

Rentabilitätsvergleichsrechnung

Für die Produktion von Babydecken müssen die gewebten Frotteestoffe noch weiterverarbeitet werden. In der Qualität, in der die Stoffe mit dem Webstuhl „Keke" bzw. „Alfred" hergestellt werden, könnten sie auch um € 20,00 pro Meter verkauft werden.

Webstuhl „Keke" von Jiangsu			
Werte		**Nebenrechnungen**	
Verrechnungspreis pro Meter	20,00		
variable Kosten pro Meter	18,80		
Produktionsmenge bei 70 % Auslastung	42 000	Kapazität × Auslastung	60 000 × 70 %
durchschnittlich gebundenes Kapital	75.000,00	$\frac{\text{Anschaffungswert + Restwert}}{2}$	$\frac{150.000 + 0}{2}$
Erträge bei 70 % Auslastung	840.000,00	Preis × Menge	20,00 × 42 000
– variable Kosten bei 70 % Auslastung	789.600,00	Kv/m × Menge	18,80 × 42 000
– zahlungswirksame sonstige Fixkosten	16.000,00		
– kalkulatorische Abschreibung	15.000,00	$\frac{\text{Anschaffungswert – Restwert}}{\text{Nutzungsdauer}}$	$\frac{150.000 – 0}{10}$
Gewinn	19.400,00		
durchschnittlich gebundenes Kapital	75.000,00		
Rentabilität	25,87 %	$\frac{\text{Gewinn} \times 100}{\text{durchschnittlich gebundenes Kapital}}$	$\frac{19.400 \times 100}{75.000}$

Webstuhl „Alfred" von Lusamatex			
Werte		Nebenrechnungen	
Verrechnungspreis pro Meter	20,00		
variable Kosten pro Meter	19,00		
Produktionsmenge bei 70 % Auslastung	42 000	Kapazität × Auslastung	60 000 × 70%
durchschnittlich gebundenes Kapital	75.000,00	$\dfrac{\text{Anschaffungswert + Restwert}}{2}$	$\dfrac{140.000 + 10.000}{2}$
Erträge bei 70 % Auslastung	840.000,00	Preis × Menge	20,00 × 42 000
– variable Kosten bei 70 % Auslastung	798.000,00	Kv/m × Menge	19,00 × 42 000
– zahlungswirksame sonstige Fixkosten	8.000,00		
– kalkulatorische Abschreibung	13.200,00	$\dfrac{\text{Anschaffungswert – Restwert}}{\text{Nutzungsdauer}}$	$\dfrac{140.000 – 10.000}{10}$
Gewinn	20.800,00		
durchschnittlich gebundenes Kapital	75.000,00		
Rentabilität	27,73 %	$\dfrac{\text{Gewinn × 100}}{\text{durchschnittlich gebundenes Kapital}}$	$\dfrac{20.800 \times 100}{75.000}$

Interpretation

Die Anschaffung des Webstuhls „Alfred" ist empfehlenswerter, weil eine höhere Rentabilität erzielt werden kann.

Berechnung der Rentabilität

Bei der Berechnung der Rentabilität ist zu beachten:

Die kalkulatorischen Eigenkapitalzinsen können nicht berücksichtigt werden, weil die Höhe der Verzinsung durch die Berechnung der Rentabilität erst ermittelt wird.

Die statische Amortisationsrechnung [Static payoff period]

Ein Problem des Kosten- und des Rentabilitätsvergleichs ist, dass die gesamte Investitionsdauer (Nutzungsdauer) in die Überlegungen einbezogen wird. Bei längerfristigen Investitionen ist es jedoch äußerst unsicher, wie sich die Kosten und Erträge in fünf oder mehr Jahren entwickeln werden. Eine verlässliche Prognose ist häufig nur für wenige Jahre möglich.

Bei der Amortisationsrechnung wird daher ermittelt, in welchem Zeitraum die Ausgaben für die Investition durch Gewinne bzw. Kosteneinsparungen wieder gewonnen werden, d. h., in welchem Zeitraum sich die Investition **amortisiert**. Dabei gilt: Je kürzer die Amortisationszeit, desto besser.

Die Amortisationszeit erhält man aus:

Die Amortisationszeit wird auch als **Pay-off-Periode**, das Rechenverfahren daher als **Pay-off-Methode** bezeichnet.

$$\text{Amortisationszeit (Pay-off-Periode)} = \frac{\text{Anschaffungskosten – Restwert}}{\text{Gewinn bzw. Kostenersparnis pro Jahr}}$$

Die Amortisationszeit muss innerhalb der Nutzungsdauer liegen. Ist dies nicht der Fall, amortisiert sich die Investition nicht und sollte auf keinen Fall durchgeführt werden.

Berechnung der Amortisationszeit

Bei der Berechnung der Amortisationszeit ist zu beachten:

Die Abschreibung zählt nicht zu den Kosten, da ja berechnet wird, wie schnell sich die Investition amortisiert, d. h., wie schnell sie abgeschrieben werden könnte.

Beispiel — Statische Amortisationsrechnung

Webstuhl „Keke" von Jiangsu

Werte		Nebenrechnungen	
Verrechnungspreis pro Meter	20,00		
variable Kosten pro Meter	18,80		
Produktionsmenge bei 70 % Auslastung	42 000	Kapazität × Auslastung	60 000 × 70 %
durchschnittlich gebundenes Kapital	75.000,00	$\dfrac{\text{Anschaffungswert + Restwert}}{2}$	$\dfrac{150.000 + 0}{2}$
Anschaffungswert	150.000,00		
Restwert	0,00		
Erträge bei 70 % Auslastung	840.000,00	Preis × Menge	20,00 × 42 000
– variable Kosten bei 70 % Auslastung	789.600,00	Kv/m × Menge	18,80 × 42 000
– zahlungswirksame sonstige Fixkosten	16.000,00		
– kalkulatorische Eigenkapitalzinsen	7.500,00	Zinssatz × ø geb. Kapital	10 % × 75.000
Gewinn	26.900,00		
Amortisationszeit	5,6 Jahre	$\dfrac{\text{Anschaffungswert – Restwert}}{\text{Gewinn}}$	$\dfrac{150.000 - 0}{26.900}$

Webstuhl „Alfred" von Lusamatex

Werte		Nebenrechnungen	
Verrechnungspreis pro Meter	20,00		
variable Kosten pro Meter	19,00		
Produktionsmenge bei 70 % Auslastung	42 000	Kapazität × Auslastung	60 000 × 70 %
durchschnittlich gebundenes Kapital	75.000,00	$\dfrac{\text{Anschaffungswert + Restwert}}{2}$	$\dfrac{140.000 + 10.000}{2}$
Anschaffungswert	140.000,00		
Restwert	10.000,00		
Erträge bei 70 % Auslastung	840.000,00	Preis × Menge	20,00 × 42 000
– variable Kosten bei 70 % Auslastung	798.000,00	Kv/m × Menge	19,00 × 42 000
– zahlungswirksame sonstige Fixkosten	8.000,00		
– kalkulatorische Eigenkapitalzinsen	7.500,00	Zinssatz × ø geb. Kapital	10 % × 75.000
Gewinn	26.500,00		
Amortisationszeit	4,9 Jahre	$\dfrac{\text{Anschaffungswert – Restwert}}{\text{Gewinn}}$	$\dfrac{140.000 - 10.000}{26.500}$

Interpretation

Der Webstuhl „Alfred" ist günstiger, weil er sich schneller amortisiert, d. h., das Kapital wird schneller zurückverdient.

Nachteil der statischen Amortisationsrechnung

Der Nachteil der statischen Amortisationsrechnung ist, dass alle Erträge und Kosten, die nach Ende der Amortisationszeit anfallen, nicht mehr berücksichtigt werden. Weichen die Nutzungsdauern der Investitionsalternativen (erheblich) voneinander ab, liefert die statische Amortisationsrechnung kein verlässliches Ergebnis.

4 Beurteilung der statischen Investitionsrechenverfahren
[Evaluation of static capital budgeting methods]

Vor- und Nachteile der einzelnen Verfahren
[Advantages and disadvantages of each method]

Beachten Sie: In der betrieblichen Praxis wird der Kostenvergleich oft auch bei unterschiedlichem Kapitaleinsatz angewendet, falls den Investitionsalternativen keine Erträge zugeordnet werden können.

- Der **Kostenvergleich** ist nur dann geeignet, wenn die Investitionsalternativen die **gleiche Leistung** in etwa der **gleichen Qualität** erbringen. Er ist nicht geeignet, wenn die mit der Investition erzielten Erlöse unterschiedlich hoch sind.
- Der **Rentabilitätsvergleich** ist dann geeignet, wenn die Investitionskosten der Alternativen und/oder die erzielten Erlöse oder Kosteneinsparungen unterschiedlich hoch sind.

  Gerechnet wird mit den durchschnittlichen Erlösen bzw. Kosteneinsparungen für die gesamte Investitionsdauer. Diese müssen daher für längere Perioden prognostiziert werden.
- Die **statische Amortisationsrechnung** ermittelt jenen Zeitraum, innerhalb dessen sich die Investition durch die Gewinne oder die Kosteneinsparungen amortisiert.

  Gewinne oder Kosteneinsparungen, die sich nach Ende der Amortisationszeit ergeben, werden in die Rechnung nicht einbezogen. Ist die Nutzungsdauer der verglichenen Alternativen sehr unterschiedlich, ist die Amortisationsrechnung daher nicht sehr zuverlässig.

  Die Amortisationsrechnung wird vor allem für eine grobe **Schätzung des** mit der Investition verbundenen **Risikos** verwendet. Je kürzer die Amortisationszeit, desto kürzer ist das investierte Kapital gebunden und desto flexibler kann das Unternehmen daher z. B. auf erforderliche Kapazitätsänderungen reagieren. Je länger die Amortisationszeit, desto höher ist das Risiko.
- Alle Verfahren der statischen Investitionsrechnung gehen davon aus, dass **Auszahlungen und Erlöse** während der Nutzungsdauer der Investition **ungefähr gleich** bleiben. Dies ist vor allem bei den Erlösen wenig wahrscheinlich. Fallen die Zahlungen unregelmäßig an, müsste man berücksichtigen, dass spätere Aus- und Einzahlungen weniger wert sind als solche, die früher anfallen. Der Wahl des Zinssatzes kommt daher eine sehr große Bedeutung zu.

5 Dynamische Investitionsrechnung
[Dynamic capital budgeting]

Verursacht die Investition unregelmäßige Ein- und Auszahlungen, so ist es wichtig, ob die Zahlungen früher oder später erfolgen.

Beispiel

Investitionen mit unregelmäßigen Aus- und Einzahlungen

Annahme: Restwert 0, durchschnittlich gebundenes Kapital daher halber Anschaffungswert

	Anschaffungs-ausgaben	Einzahlungsüberschüsse in Tsd. €				Durch-schnitt	Durchschnittl. geb. Kapital	Renta-bilität
		1. Jahr	2. Jahr	3. Jahr	4. Jahr			
Investition A	3 Millionen	300	450	600	750	525	1,5 Mio.	35 %
Investition B	5 Millionen	1.250	1.000	750	500	875	2,5 Mio.	35 %

Die Rentabilität wäre bei beiden Investitionen gleich. Die Rechnung berücksichtigt jedoch nicht, dass bei Investition A die größten Einzahlungsüberschüsse am Ende der Nutzungsdauer, bei Investition B hingegen bereits zu Beginn der Nutzungsdauer anfallen. Einzahlungsüberschüsse, die früher erfolgen, sind jedoch höher zu bewerten als solche, die später erfolgen.

Da sich die Investitionsrechnung über mehrere Jahre erstreckt, muss mit Zinseszinsen, also finanzmathematisch, gerechnet werden.

Will man dieses Problem lösen, so muss man alle Einzahlungen und Auszahlungen, die mit einer Investition zusammenhängen, verzinsen.

Verfahren, die alle Ein- und Auszahlungen verzinsen, bezeichnet man als **dynamische Verfahren der Investitionsrechnung**.

6 Die Zinseszinsenrechnung (Exkurs)
[Compound interest calculation]

(1) Aufzinsen (Ermittlung des Endwerts „E")
Einmalzahlungen werden aufgezinst, indem die einfachen Zinsen jährlich dazugezählt **(kapitalisiert)** werden, d. h., ab dem zweiten Jahr werden Zinsen von den Zinsen **(Zinseszinsen)** berechnet.

> **Beispiel**
> Sollte Ihr Rechner keine Potenzfunktion ($1{,}06^3$) haben, müssen Sie dreimal mit 1,06 multiplizieren.

Aufzinsen

Kapital: € 150.000,00, p: 6 % p. a.

1. Jahr: 150.000 + 6 % v. 150.000 (€ 9.000,00) =   € 159.000,00
2. Jahr: 159.000 + 6 % v. 159.000 (€ 9.540,00) =   € 168.540,00
3. Jahr: 168.540 + 6 % v. 168.540 (€ 10.112,40) =   € 178.652,40

Statt jährlich 6 % zu addieren, könnte man auch mit 1,06 multiplizieren.
Der Endwert nach drei Jahren würde sich daher auch ergeben aus:
$150.000 \times 1{,}06^3 = 150.000 \times 1{,}191016 = 178.652{,}40$

Der Faktor 1,06 ist der sogenannte **Aufzinsungsfaktor**. Der Aufzinsungsfaktor besteht aus: $(1 + p/100)$. Der Ausdruck $p/100$ wird auch mit „i" abgekürzt.

> **Beispiele**
> Für den Aufzinsungsfaktor werden unterschiedliche Symbole verwendet. Am häufigsten sind: q, r oder direkt $(1 + i)$ oder $(1 + p/100)$. Sie können den Aufzinsungsfaktor daher jederzeit anschreiben bzw. in den Rechner oder den Computer eingeben.

Verschiedene Aufzinsungsfaktoren:

- p =   8,5 %,   Faktor: 1,085
- p =   0,75 %, Faktor: 1,0075
- p = 12,25 %, Faktor: 1,1225 usw.

Den Endwert erhält man somit aus:

$$E_n = B \times (1 + i)^n$$

(2) Abzinsen (Ermittlung des Barwerts „B")
Abgezinst wird, indem man durch den potenzierten Aufzinsungsfaktor dividiert bzw. mit dem Kehrwert des potenzierten Aufzinsungsfaktors **(= Abzinsungsfaktor)** multipliziert.

$$B = E : (1 + i)^n \text{ oder } E \times \frac{1}{(1 + i)^n}$$

> **Beispiel**

Abzinsen

Ein Betrag von € 18 Millionen soll in 5 Jahren ausgezahlt werden. Wie hoch ist sein heutiger Wert, wenn 4,75 % Zinseszinsen pro Jahr berechnet werden sollen?
$B = €\ 18.000.000{,}-\ :\ (1{,}0475)^5 = €\ 14.272.575{,}43$

7 Die Kapitalwertmethode
[Net present value method]

Das einfachste und am weitesten verbreitete Verfahren der dynamischen Investitionsrechnung ist die Kapitalwertmethode. Um die Ein- und Auszahlungen vergleichen zu können, werden alle Ein- und Auszahlungen mit einem vorgegebenen Zinssatz auf den Barwert abgezinst.

Kapitalwert = Barwert der Einzahlungen – Barwert der Auszahlungen

Ist der Kapitalwert positiv, ist die Investition rentabel. Werden mehrere Investitionen verglichen, ist die Investition mit dem höchsten Kapitalwert die beste.

Als Zinssatz wählt man z. B.:
- die gewünschte Verzinsung
- den Fremdkapitalzinssatz, der verdient werden muss, weil die Investition mit Fremdkapital finanziert werden soll
- den im Unternehmen üblichen Kalkulationszinssatz

Verzinsung

Verzinst werden nur Einzahlungen und Auszahlungen. Abschreibungen und kalkulatorische Zinsen sind keine Auszahlungen, sie werden daher bei den dynamischen Verfahren nicht berücksichtigt. Stattdessen geht der volle Anschaffungswert als Auszahlung in die Rechnung ein. Will man einen Restwert berücksichtigen, stellt dieser eine Einzahlung am Ende der Nutzungsdauer dar.

Beispiel

Kapitalwertmethode

Ein Modehaus schließt einen Mietvertrag auf 5 Jahre ab. Mit einer Verlängerung kann nicht gerechnet werden.
Für die Adaptierung des Lokals müssen etwa € 700.000,– aufgewendet werden. Zu Ende der Nutzungsdauer fallen weitere € 500.000,– an, um das Lokal wieder in den ursprünglichen Zustand zurückzubauen.
Das Modehaus rechnet mit folgenden laufenden Einzahlungsüberschüssen:
1. Jahr: € 100.000,–, 2. Jahr: € 300.000,–, 3. Jahr: € 400.000,–, 4. Jahr: € 500.000,–, 5. Jahr: € 600.000,–
Wie hoch ist der Kapitalwert bei einem Zinssatz von 10 %?

Von den Einzahlungsüberschüssen sind die Mieten bereits abgezogen.

Die Barwerte werden mittels Division durch den Aufzinsungsfaktor berechnet. In der Praxis wird eine Exceltabelle verwendet.

Jahr	Auszahlungen		Einzahlungen		Aufz.-Faktor
	Betrag	Barwert	Betrag	Barwert (gerundet)	(durch diesen wird dividiert)
0	700.000	700.000			1
1			100.000	91.000	$1{,}1^1$
2			300.000	248.000	$1{,}1^2$
3			400.000	301.000	$1{,}1^3$
4			500.000	342.000	$1{,}1^4$
5	500.000	310.000	600.000	373.000	$1{,}1^5$
Summe		1.010.000		1.355.000	

Kapitalwert: 1.355.000 – 1.010.000 = € 345.000,– (gerundet, exakt € 342.968,–).
Die Investition ist bei einem Zinssatz von 10 % positiv zu beurteilen.

8 Herausforderungen bei der dynamischen Investitionsrechnung [The challenges of dynamic capital budgeting]

Die dynamische Investitionsrechnung geht von der Grundannahme aus, dass **jede Investition „heute" eine Auszahlung für die Anschaffung** verursacht und **in den Folgejahren Einzahlungen bzw. Auszahlungen** bewirkt. Alle Ein- und Auszahlungen werden in die Berechnung miteinbezogen.

Die **Qualität des Aussagewerts** wird bei dieser Berechnungsmethode durch **drei Faktoren** bestimmt: die Schätzung der Ein- und Auszahlungen, die Betrachtungsdauer und den Kalkulationszinssatz.

(1) Schätzung der Ein- und Auszahlungen

Der Aussagewert der dynamischen Investitionsrechnung hängt von der Qualität der prognostizierten Ein- und Auszahlungen ab.

Wie die Praxis zeigt, ist nicht nur die Schätzung der Einzahlungen schwierig. Bei umfangreichen Projekten (Hotels, Flughäfen etc.) ist auch die Prognose der Zahlungen für die Anschaffung fehleranfällig. Als Beispiele dafür können der Bau des neuen Flughafens in Berlin oder der Skylink in Wien Schwechat genannt werden.

(2) Festlegung der Betrachtungsdauer

Handelt es sich um Investitionsprojekte, die keine konkrete betriebliche Nutzungsdauer aufweisen, muss bei Verwendung der dynamischen Investitionsrechnung die **Betrachtungsdauer bestimmt** werden. Jede Veränderung der betrachteten Perioden wirkt sich auf die Ergebnisse aus.

(3) Wahl des Kalkulationszinssatzes

Das Ergebnis der dynamischen Investitionsrechnung hängt erheblich vom gewählten Kalkulationszinssatz ab.

Möglichkeiten zur Festlegung des Kalkulationszinssatzes sind:

- **Geplante Mindestrentabilität des Kapitals**

    Im Unternehmen wird festgelegt, welche Rentabilität das investierte Kapital mindestens erbringen soll. Diese Mindestrentabilität wird dann als Zinssatz verwendet.

- **Kosten des langfristigen Fremdkapitals**

    Muss die Investition überwiegend mit Fremdkapital finanziert werden, ist sie nur dann rentabel, wenn zumindest die Kreditzinsen verdient werden.

- **Zinssatz bei risikofreier, langfristiger Kapitalanlage plus Risikozuschlag**

    Wird die Investition mit Eigenkapital finanziert, so besteht die Möglichkeit, das Kapital statt im Unternehmen in weitgehend risikofreien festverzinslichen Wertpapieren anzulegen.

    Da unternehmerische Investitionen immer mit Risiko behaftet sind, müssten sie eine höhere Verzinsung erbringen als die Anlage in Wertpapieren (derzeit ca. 1 bis 3 %). Das höhere Risiko des unternehmerischen Engagements kann (als grobe Faustregel) dadurch berücksichtigt werden, dass der Zinssatz um einen **Zuschlag für die Unsicherheit** erhöht wird. In der Praxis verwendet man Zuschläge von **3 bis 5 %**.

    Beispiel: Mieterträge von Immobilien werden meist durch eine Indexklausel gegen die Inflation geschützt.

    Legt man Kapital in festverzinslichen Wertpapieren an, so ist es dem Sinken des Geldwertes (der Inflation) ausgesetzt. In der Verzinsung festverzinslicher Wertpapiere ist daher ein bestimmter Inflationsanteil enthalten (derzeit ca. 1,5 bis 2,5 %). Investitionen im engeren Sinn (ins Anlagevermögen) betreffen aber Sachwerte und sind daher weitgehend gegen die Inflation geschützt. Bei steigender Inflation können die Preise der mit der Investition erstellten Leistungen den sinkenden Geldwerten angepasst werden. Die Inflation kann durch einen **Abschlag vom Zinssatz** berücksichtigt werden. Für die zukünftige Entwicklung der Inflationsrate stehen in der Praxis Prognosen zur Verfügung.

Beispiel

Verwendet man die Methode des internen Zinssatzes, kann man das Problem der Zinssatzwahl umgehen.

Zinssatz für festverzinsliche Wertpapiere:	2,5 %
Zuschlag für höheres Risiko des unternehmerischen Engagements:	+ 5,0 %
Abschlag für Inflationsrate:	– 2,0 %
Kalkulationszinssatz netto:	5,5 %

Üben – Anwenden

Ü 3.04: Scoringmethode

Für die Kundenbetreuer eines Textilgroßhändlers sollen neue Kombi-Pkw angeschafft werden. Die Kundenbetreuer müssen pro Jahr ca. 60 000 km zurücklegen und haben eine umfangreiche Musterkollektion zu befördern.

Gelegentlich übernehmen sie auch Auslieferungsaufträge bzw. nehmen Waren, die nicht der Bestellung entsprachen, zurück.

Folgende Alternativen werden in Betracht gezogen:

	Modell 1	Modell 2	Modell 3	Modell 4	Modell 5	Modell 6	Modell 7	Modell 8
Preis	29.000,00	26.000,00	32.000,00	30.000,00	24.500,00	35.000,00	25.000,00	23.500,00
Superbenzin- bzw. Dieselverbrauch	8 l	10 l	12 l	6,5 l	7 l	8 l	9 l	6 l
Reparaturanfälligkeit	mittel	gering	sehr gering	gering	gering	hoch	sehr gering	sehr gering
Servicekosten lt. Liste für einen 10 000-km-Service	380,00	350,00	450,00	330,00	320,00	350,00	350,00	300,00
Dichte des Servicenetzes	groß	groß	sehr groß	groß	mittel	mittel	gering	gering
Länge des Laderaums	130 cm	140 cm	140 cm	120 cm	120 cm	130 cm	160 cm	105 cm
Handlichkeit	groß	mittel	groß	sehr groß	sehr groß	mittel	mittel	sehr groß
Ausstattung	gut	mittel	sehr gut	gut	schlecht	gut	mittel	schlecht
Sicherheit	hoch	mittel	sehr hoch	hoch	mittel	hoch	mittel	schlecht

Mindestanforderungen sind:

- **Preis:** nicht über € 30.000,–
- **Mindestlänge des Kombiladeraums:** 120 cm, da sonst die genormten Kleiderständer der Kollektion nicht hineinpassen
- **hohe Zuverlässigkeit,** da beim Ausfall eines Wagens der Kundenbetreuer seine vorgesehene Route nicht einhalten kann und die Kunden schlecht betreut werden

a) Scheiden Sie zunächst alle Alternativen aus, die den Mindestanforderungen nicht entsprechen.
b) Bewerten Sie die einzelnen Merkmale in Punkten (5-stufige Skala). Sie müssen dazu die quantitativen Daten in Punkte umrechnen. Verwenden Sie dazu folgende Angaben als Anhaltspunkte:
- **Benzinverbrauch:** sehr hoch: etwa 13 l und mehr; sehr gering: etwa 6 l und darunter
- **Servicekosten:** sehr hoch: etwa € 500,– und mehr; sehr gering: etwa € 300,– und weniger
- **Länge des Laderaums:** maximal 180 cm; minimal 120 cm
- **Preis:** sehr hoch: etwa € 30.000,–; sehr gering: etwa € 23.000,– und darunter

Ü 3.05: Statische Investitionsrechenverfahren

Ein Großbetrieb der Tourismusbranche hat zwischen zwei Investitionsmöglichkeiten in neue Hotels zu wählen.

Bei der einen Möglichkeit würde man eine Erstinvestition von € 150 Millionen benötigen, bei der anderen eine von € 250 Millionen. Die jährlichen Rückflüsse betragen € 15 Mio. bzw. € 26 Mio.

Welche Verfahren der Investitionsrechnung können durchgeführt werden?

a) ☐ Kostenvergleichsrechnung
b) ☐ Rentabilitätsvergleich
c) ☐ Amortisationsrechnung

Ü 3.06: Kostenvergleichsrechnung C

Welche Aussage trifft auf das Verfahren der Kostenvergleichsrechnung im Rahmen der Investitionsrechnung zu?

a) ☐ Das Verfahren ist nur dann sinnvoll, wenn zwischen zwei Investitionen entschieden wird, die etwa die gleiche qualitative und quantitative Leistung erbringen.
b) ☐ Das Verfahren ist nur dann sinnvoll, wenn die Nutzungsdauer der Investitionsmöglichkeiten, die zur Wahl stehen, stark unterschiedlich ist.
c) ☐ Das Verfahren ist nur dann sinnvoll, wenn ich die Gewinne, die ich mit den erzeugten Produkten erzielen könnte, nicht kenne.

Ü 3.07: Statische Amortisationsrechnung C

Wie lange ist die Amortisationszeit für eine Investition von € 5 Mio., die während der vierjährigen Laufzeit folgende Einnahmenüberschüsse erbringt: 1. Jahr: € 1 Mio., 2. Jahr: € 2 Mio., 3. Jahr: € 2 Mio., 4. Jahr: € 3 Mio.? Kalkulationszinssatz 8 %. Führen Sie die Berechnung einmal mit und einmal ohne Zinsen durch.

Ü 3.08: Fallbeispiel „Porzellanerzeuger" C

Das Management eines Porzellanerzeugers überlegt, ob es einen halbautomatischen oder einen vollautomatischen Brennofen anschaffen soll.

Folgende Daten stehen zur Verfügung:

	Halbautomatischer Brennofen	Vollautomatischer Brennofen
Anschaffungswert	€ 800.000,00	€ 1.200.000,00
Nutzungsdauer	8 Jahre	8 Jahre
laufende Kosten (variabel):		
• Energie	€ 70.000,00	€ 50.000,00
• Personalkosten für Bedienung	€ 100.000,00	€ 40.000,00
• sonstige	€ 30.000,00	€ 20.000,00
Restwert	€ 0,00	€ 60.000,00

Zinssatz = 9 % p. a.

a) Welches Rechenverfahren soll aufgrund dieser Angabe angewendet werden?
b) Welcher Brennofen soll angeschafft werden?
c) Welche Voraussetzungen nimmt man bei diesem Verfahren an?
d) Ist es sinnvoll, die Abschreibung als Fixkosten zu betrachten?
e) Mit den Öfen werden jeweils 80 000 Stück Porzellan pro Jahr gebrannt. Ein Teil des Absatzes (der Export) ist allerdings unsicher. Welches Rechenverfahren soll aufgrund dieser Angabe angewendet werden?
Welcher Brennofen soll angeschafft werden?
f) Die neueste Marktstudie für den Exportmarkt ergibt, dass mit hoher Wahrscheinlichkeit nur ein Teil der geplanten Exportaufträge einlangen wird. In diesem Fall müssten nur 50 000 Stück pro Jahr gebrannt werden.
Welcher Brennofen soll unter diesen Bedingungen angeschafft werden?

Ü 3.09: Investitionsrechnung C

Eine Lebensmittelkette will eine Filiale eröffnen. Es gibt zwei Möglichkeiten:

- Variante A: Mietobjekt
  Die Dauer des Mietvertrags beträgt 10 Jahre. Danach muss das Objekt ersatzlos geräumt werden. Die notwendigen Investitionen betragen € 4 Millionen. Zu Ende der Nutzungsdauer ist mit Abbruchkosten von € 1 Million zu rechnen. Miete pro Jahr € 300.000,–.
- Variante B: Eigentumslokal
  Anschaffungskosten € 10 Millionen. Adaptierungskosten wie oben. Jedoch könnte man das Eigentumslokal nach 10 Jahren inklusive der Einrichtung um ca. € 14 Millionen verkaufen.

In beiden Fällen fallen folgende fixe Kosten pro Jahr zusätzlich an:
Personalkosten (fix € 2.000.000,–), Heizung, Beleuchtung, laufende Reparaturen € 300.000,–
Der Wareneinsatz beträgt 60 % des Umsatzes (ohne Umsatzsteuer).
Es wird mit einem Jahresumsatz von € 12 Millionen (ohne USt) gerechnet.
Kalkulationszinssatz 8 %

a) Machen Sie einen Kostenvergleich. Verwenden Sie einen Zinssatz von 8 %. Rechnen Sie im Mietfall die Abbruchkosten zu den Investitionskosten.
b) Führen Sie einen Rentabilitätsvergleich durch.
c) Ermitteln Sie die Amortisationszeiten.
d) Bei welchem Umsatz liegt die Gewinnschwelle bei beiden Alternativen?
e) Berechnen Sie den Kapitalwert beider Investitionen. (Nutzen Sie dafür ein Tabellenkalkulationsprogramm.)
f) Aus welchen Gründen könnte das Unternehmen mit einem Kalkulationszinssatz von 8 % rechnen?
g) Warum ist die Anwendung von statischen Verfahren der Investitionsrechnung bei diesem Fall besonders problematisch?
h) Zeigen Sie an diesem Fall die grundsätzlichen Probleme der Investitionsrechnung auf.

Ü 3.10: Investitionsentscheidung C

In einem Unternehmen soll entschieden werden, ob 10 kleine Kopiergeräte angeschafft und dezentral aufgestellt werden sollen oder ob ein Großkopierer in einer zentralen Kopierstelle aufgestellt werden soll.
Zeigen Sie anhand dieses Beispiels den Ablauf der Investitionsplanung und überlegen Sie, welche quantitativen und welche nicht quantitativen Daten eine Rolle spielen könnten.

Ü 3.11: Investitionsentscheidung C

Zwei Investitionsvarianten stehen zur Wahl. Beide erfordern einen Kapitaleinsatz von € 100 Millionen und haben eine Nutzungsdauer von ca. 20 Jahren.

Bei der Investition A ist eine gewinnlose Zeit von ca. 5 Jahren zu erwarten. Dann dürfte der durchschnittliche jährliche Überschuss der Einzahlungen ca. € 18 Millionen betragen.

Bei Investition B wird in den ersten 10 Jahren ein Einzahlungsüberschuss von jährlich ca. € 14 Millionen erwartet. In den folgenden 10 Jahren dürfte der Einzahlungsüberschuss auf ca. € 10 Millionen pro Jahr zurückgehen.

a) Zeigen Sie an dieser Problemstellung, warum die einfachen Investitionsrechnungsverfahren kein brauchbares Ergebnis liefern werden.
b) Ermitteln Sie den Kapitalwert beider Investitionsalternativen, und zwar
  - mit einem Kalkulationszinssatz von 5 %,
  - mit einem Kalkulationszinssatz von 9 %.

Lerneinheit 2: Tools für das Investitionsmanagement

 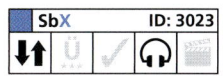

Sichern

Tools für das Investitionsmanagement

Mit diesen Tools kann eine Entscheidung zwischen mehreren Investitionsalternativen herbeigeführt werden.

tools in capital budgeting

These tools help in making a decision between several investment alternatives.

Scoringmethode

Bei der Scoringmethode werden alternative Lösungen einander gegenübergestellt und deren Eigenschaften (bzw. Merkmale) bewertet und gewichtet. Es wird in folgenden Schritten vorgegangen:
- Merkmale festlegen, die die Lösungsalternative aufweisen soll
- Lösungen ausscheiden, die die Mindestanforderungen nicht erfüllen
- Skala für die einzelnen Merkmale entwickeln und die Merkmale bewerten
- Merkmale gewichten
- Punktezahl mit der Gewichtung multiplizieren und die Gesamtpunktezahl für jede Alternative berechnen

weighted scoring method

In the scoring method alternative solutions are compared and their characteristics evaluated and weighted. This happens in the following steps:
- decide what criteria the solution should fulfil
- discard solutions which do not meet the minimum requirements
- decide on a scale for the individual criteria and evaluate them
- weight the criteria
- multiply the points by the weighting factor and calculate the total points for each alternative

statische Investitionsrechenverfahren

Es handelt sich um einfache Vergleichsrechnungen. Als Entscheidungskriterien werden die Kosten, die Rentabilität oder die Amortisationszeit verwendet.

static capital budgeting methods

These are simple comparison calculations. The decision criteria can be costs, profitability or payback period.

Kostenvergleichsrechnung

Die Kostenvergleichsrechnung vergleicht die Kosten (pro Periode bzw. pro Leistungseinheit) von zwei oder mehreren Investitionsalternativen.

Der Kostenvergleich kann auf verschiedene Arten durchgeführt werden:
- bei bekannter Auslastung – pro Periode bzw. pro Leistungseinheit
- bei unbekannter Auslastung

cost comparison

The cost comparison method compares the costs (per period or per unit) of two or more investment alternatives.

The cost comparison can be done in different ways:
- at a known capacity utilisation – per period or per unit
- at an unknown capacity utilisation

Beurteilung der Kostenvergleichsrechnung

Der Kostenvergleich ist nur geeignet, wenn die Investitionsalternativen Leistungen in gleicher Menge und in gleicher Qualität erbringen.

evaluation of the cost comparison method

The cost comparison method is only suitable when the investment alternatives produce output in the same quantity and in the same quality.

Rentabilitätsvergleichsrechnung

Der Rentabilitätsvergleich zeigt die Verzinsung des eingesetzten Kapitals.

average rate of return

The average rate of return shows the return on the invested capital.

Beurteilung der Rentabilitätsvergleichsrechnung	Der Rentabilitätsvergleich ist geeignet, wenn die Investitionsalternativen unterschiedliche Anschaffungskosten haben und/oder unterschiedliche Erlöse bzw. Kosteneinsparungen erzielen.
evaluation of the average rate of return	*The average rate of return is suitable when the investment alternatives have different purchase prices and/or different revenues or cost savings.*
statische Amortisationsrechnung	Die statische Amortisationsrechnung ermittelt, in welchem Zeitraum sich eine Investition zurückverdienen lässt.
static payback period	*The static payback period calculates how long it takes an investment to pay for itself.*
Beurteilung der statischen Amortisationsrechnung	Die statische Amortisationsrechnung zeigt das mit der Investition verbundene Risiko auf. Je schneller sich die Investition amortisiert, desto geringer ist ihr Risiko.
	Die Amortisationsrechnung ist für den Vergleich von Investitionen mit unterschiedlicher Nutzungsdauer nicht geeignet.
evaluation of the static payback period	*The static payback period highlights the risks associated with the investment. The sooner the investment pays for itself, the lower the risk.*
	The static payback period is not suitable for comparing investments that do not have the same useful life.
Beurteilung der statischen Verfahren	Die statischen Verfahren gehen vereinfachend davon aus, ● dass die laufenden Kosten und Erträge während der gesamten Investitionsdauer jährlich etwa gleich bleiben, ● dass spätere Zahlungen ebenso viel wert sind wie frühere Zahlungen.
evaluation of the static methods	*The static methods simplify the situation by assuming* ● *that the running costs and revenues remain roughly the same per year over the life of the investment,* ● *that payments received later are worth exactly the same as payments received earlier.*
dynamische Investitionsrechnung	Dynamische Investitionsrechenverfahren gehen von den geplanten Ein- und Auszahlungen im Zusammenhang mit einer Investition aus. Die Ein- und Auszahlungen werden mit Zinseszinsen verzinst.
dynamic capital budgeting	*The dynamic capital budgeting method is based on the planned inflows and outflows associated with an investment. The inflows and outflows are discounted using the principle of compound interest.*
Kapitalwert	Der Kapitalwert ergibt sich aus der Differenz zwischen dem Barwert der Einzahlungen und dem Barwert der Auszahlungen. Bei einem positiven Kapitalwert kann eine Investition empfohlen werden. Werden mehrere Investitionsalternativen bewertet, ist die Investition mit dem höchsten Kapitalwert zu bevorzugen.
net present value	*The net present value is the difference between the present value of the inflows and the present value of the outflows. If the net present value is positive then the investment can be recommended. If several investment alternatives are being evaluated, then the investment with the highest net present value should be preferred.*
Herausforderungen bei der dynamischen Investitionsrechnung	Die größten Herausforderungen bei der dynamischen Investitionsrechnung sind drei Einflussfaktoren: ● gute Schätzung der Ein- und Auszahlungen ● Festlegung der Betrachtungsdauer ● Wahl des Zinssatzes
challenges in dynamic capital budgeting	*The greatest challenges in dynamic capital budgeting are three factors:* ● *making good estimates of the inflows and outflows* ● *deciding on the useful life to be used* ● *choosing the discount rate (interest rate)*

SbX ID: 3023 — **Im SbX finden Sie eine Audio-Wiederholung der englischen Beiträge sowie eine Bildschirmpräsentation mit den Grafiken dieser Lerneinheit.**

Lerneinheit 2: Tools für das Investitionsmanagement

W 3.06: Scoringmethode B

Sind die folgenden Aussagen zur Scoringmethode richtig oder falsch? Falsche Aussagen stellen Sie bitte richtig.

a) Bei der Scoringmethode müssen zunächst Alternativen, die bestimmte Mindestanforderungen nicht erfüllen, ausgeschieden werden.

☐ Richtig   ☐ Falsch, richtig ist:

b) Bei der Scoringmethode haben alle Merkmale für die Entscheidung die gleiche Bedeutung.

☐ Richtig   ☐ Falsch, richtig ist:

c) Bei der Scoringmethode muss für jedes Merkmal eine eigene Bewertungsskala entwickelt werden.

☐ Richtig   ☐ Falsch, richtig ist:

W 3.07: Kostenvergleich A

Für welche Entscheidungen kann der Kostenvergleich eingesetzt werden?

W 3.08: Statische Investitionsrechnung A

Welche Kosten werden bei den statischen Rechenverfahren herangezogen?

W 3.09: Statische Investitionsrechnungsverfahren, Überblick A

Geben Sie einen Überblick, bei welchen Merkmalen der Investitionsobjekte die einzelnen statischen Rechenverfahren jeweils geeignet sind.

W 3.10: Kostenvergleich bei unbekannter Auslastung A

Unter welchen Voraussetzungen kann ein Kostenvergleich bei unbekannter Auslastung durchgeführt werden?

W 3.11: Statischer Rentabilitätsvergleich versus Amortisationsrechnung A

Wann ist eine Investition laut Rentabilitätsvergleich bzw. laut statischer Amortisationsrechnung vorteilhaft?

W 3.12: Rentabilitätsvergleich ohne Gewinnzuordnung A

Wie kann beim Rentabilitätsvergleich bzw. bei der statischen Amortisationsrechnung vorgegangen werden, wenn keine Zuordnung von Gewinnen zu den Investitionsalternativen möglich ist?

W 3.13: Statische Amortisationsrechnung, Vorteil, Kritik A

Welchen Vorteil bietet die statische Amortisationsrechnung? In welchem Fall bringt sie kein verlässliches Ergebnis?

W 3.14: Statische Investitionsrechenverfahren, Kritik A

Welche Schwäche haben alle statischen Investitionsrechenverfahren?

W 3.15: Investitionsrechnung, Zinssatz B

Ein Unternehmen will bei der Wahl des Kalkulationszinssatzes für die Investitionsrechnung von der Verzinsung festverzinslicher Wertpapiere ausgehen. Welche Zu- und Abschläge sollte man vornehmen?

W 3.16: Investitionsrechnung, Zinssatzwahl B

Welche zwei Alternativen für die Wahl des Kalkulationszinssatzes für die Investitionsrechnung neben der in Aufgabe W 3.15 genannten Möglichkeit sind Ihnen bekannt?

Lernen Üben Sichern Wissen

W 3.17: Kapitalwertmethode C

Ein Gebrauchtwagenhändler kann einen Bauplatz für 5 Jahre mieten. Eine Verlängerung der Miete ist ausgeschlossen, da das Grundstück nach 5 Jahren verbaut werden soll.
Die Erstinvestition für Asphaltierung, Kanalisierung, Bürogebäude beträgt € 400.000,–.
Die jährlichen Einnahmenüberschüsse werden wie folgt geschätzt:
1. Jahr: € 50.000,–; 2. bis 4. Jahr: € 130.000,–; 5. Jahr (abzüglich Abbruchkosten): € 40.000,–.
Berechnen Sie den Kapitalwert der Investition
a) bei einem Kalkulationszinssatz von 5 %,
b) bei einem Kalkulationszinssatz von 9 %.

SbX — Tests ID: 3024

Tests mit automatischer Aufgabenkontrolle

Überprüfen Sie mit diesen Tests, ob Sie Ihr Wissen erfolgreich anwenden können!

Test: Statische Verfahren der Investitionsrechnung B
Test: Investitionsmanagement B

MUSTERUNTERNEHMEN

Bearbeiten Sie das Fallbeispiel zur H2Ö GmbH im SbX.

H2Ö-Aufgabe: Investitionsentscheidung – Anschaffung einer Entsafteranlage C

Die Ausgangssituation

Die H2Ö GmbH in Aflenz handelt mit österreichischem Quellwasser höchster Qualität, Fruchtsirupen aus biologischer Landwirtschaft und Erzeugnissen aus österreichischen Glasmanufakturen.

Ihre Aufgabe im Unternehmen

Sie arbeiten in den Sommerferien als Praktikantin/Praktikant der H2Ö GmbH. Für den Ausbau der Produktionskapazitäten im Bereich Bio-Fruchtsirup ist die Anschaffung einer neuen Entsafteranlage geplant. Es wurden bereits zahlreiche Angebote eingeholt. Zwei stehen in der engeren Auswahl. Auf Ihrem Schreibtisch finden Sie eine Gegenüberstellung der beiden Angebote und eine Notiz Ihres Vorgesetzten. Sie sollen verschiedene Berechnungen durchführen und stichwortartig die Anwendungsmöglichkeiten der verwendeten Berechnungsverfahren aufzeigen.

SbX — H2Ö-Aufgabe ID: 3024

Die erforderlichen Unterlagen für die Bearbeitung dieser Aufgabe finden Sie im SbX.

English questions

E 3.04: Joseph Morris wants to buy a new kitchen for one of his fish & chip shops.

He has looked at five different kitchens. They are all different and have advantages and disadvantages. He has decided to use the scoring method to help him make his decision. He knows what the steps in the process are but unfortunately he has forgotten what he has to do first. Help him put them in the right order:

☐ decide on a scale for the individual criteria and evaluate them
☐ decide what criteria the solution should fulfil
☐ multiply the points by the weighting factor and calculate the total points for each alternative
☐ discard solutions which do not meet the minimum requirements
☐ weight the criteria

E 3.05: Wanda Games GmbH has bought a new machine to produce dice for games.

The cost comparison method was suitable in this case to help decide between three machines. What is important to consider regarding these machines when using the cost comparison method?

E 3.06: There are other methods used to help make decisions when making investments.

a) Name two other methods.
b) Say in each case what information they give.
c) When is it best to use each one?

Kompetenz-Check

Ein kurzer Kompetenz-Check, bevor's weitergeht!

	☺	😐	☹
Ich kann die Scoringmethode zur Bewertung von Investitionsalternativen einsetzen.			
Ich kann folgende Verfahren der statischen Investitionsrechnung durchführen: ● die Kostenvergleichsrechnung bei bekannter Auslastung und bei unbekannter Auslastung ● die Rentabilitätsvergleichsrechnung ● die Amortisationsrechnung			
Ich kann die Vor- und Nachteile der einzelnen statischen Verfahren beschreiben.			
Ich kann die Problematik statischer Investitionsrechnungsverfahren erklären.			
Ich kenne die finanzmathematischen Grundlagen der dynamischen Investitionsrechnung.			
Ich kann Investitionsentscheidungen mithilfe der Kapitalwertmethode treffen.			
Ich kann die Möglichkeiten zur Zinssatzwahl beschreiben.			

4 GELD- UND KAPITALANLAGE

Worum geht's in diesem Kapitel?

Viele Österreicher/innen sparen – z. B. für den kommenden Urlaub, für ein Auto oder für unvorhergesehene Ausgaben. Manche sparen auch, damit sie in der Pension mehr Geld zur Verfügung haben. Insgesamt werden etwa 7,8 % des Einkommens gespart („veranlagt"), das sind im Schnitt € 150,– pro Person und Monat. Das gesamte Geldvermögen der Österreicher/innen beträgt derzeit ca. 610 Milliarden Euro, etwa ein Drittel davon entfällt auf Spareinlagen. Bemerkenswert dabei ist, dass die reichsten 5 % der Österreicher/innen ca. 50 % des gesamten Vermögens (Geld- und Sachvermögen) besitzen, die ärmsten 50 % hingegen insgesamt nur 2,2 % (Stand 2017).

Für die Kapitalanlage stehen verschiedene Möglichkeiten offen, die alle mit unterschiedlichen Vor- und Nachteilen behaftet sind: Manche Anleger wollen möglichst schnell hohe Wertsteigerungen erzielen und wählen risikoreiche Varianten. Anderen geht die Sicherheit vor und sie verzichten daher auf hohe Erträge. Vor allem Kleinanleger streben nach Sicherheit und wollen kurzfristig über ihre Mittel verfügen können.

Wenn Sie dieses Kapitel bearbeiten, erwerben Sie die folgenden in der Bildungs- und Lehraufgabe des Lehrplans angeführten Kompetenzen:

Sie können
- einen Überblick über die verschiedenen Anlageformen geben,
- Überlegungen anstellen, welche Anlageformen zu welcher Anlagestrategie passen,
- Trends in der Geldanlage beschreiben und diese kritisch hinterfragen,
- Anlageformen hinsichtlich Ethik und Nachhaltigkeit analysieren,
- die grundlegende Funktionsweise von Börsen beschreiben.

In diesem Kapitel finden Sie Übungsaufgaben, praxisbezogene Fallbeispiele und Aufgaben zur Lernkontrolle zur Überprüfung Ihrer Kompetenzen auf den Handlungsebenen **A Wiedergeben**, **B Verstehen**, **C Anwenden** und **D Analysieren & Interpretieren**.

Dieses Kapitel umfasst folgende Lerneinheiten:

1 Welche Wertpapiere gibt es?
2 Kapitalanlageentscheidungen
3 Börse

▶ Lernen ⏸ Üben ⏺ Sichern ⟳ Wissen

Lerneinheit 1
Welche Wertpapiere gibt es?

SbX
Alle SbX-Inhalte zu dieser Lerneinheit finden Sie unter der ID: 4010.

Die Industrieanlagen AG muss für die Errichtung einer neuen Produktionsstätte 600 Millionen Euro aufbringen. Eine so hohe Summe nur durch einen einzigen Kapitalgeber (Kreditinstitut, Gesellschafter) aufzubringen, ist schwierig, daher wird das gesamte Finanzierungsvolumen in Teilbeträge zu je € 1.000,– zerlegt („Stückelung").

Insgesamt haben somit bis zu 600 000 Wertpapierkäufer die Möglichkeit, ihr Geld zu veranlagen. Das Unternehmen muss entscheiden, ob die Mittel durch Kreditfinanzierung (Gläubigerpapiere, d. h. Anleihen) oder durch Beteiligungsfinanzierung (Anteilspapiere, z. B. Aktien) aufgebracht werden sollen.

▶ Lernen

SbX ID: 4011

1 Was sind Wertpapiere und welche gibt es? [What are securities (or financial instruments) and what different types are there?]

Wertpapiere

> **Wertpapiere** verbriefen Forderungs- oder Anteilsrechte. Sie dienen einerseits der **Mittelbeschaffung für Investitionen** („Finanzierung") von Unternehmen und der öffentlichen Hand. Andererseits bieten sie privaten und institutionellen Anlegern die Möglichkeit, **überschüssige Mittel** zu **veranlagen**.

Die folgende Grafik gibt einen Überblick über die verschiedenen Arten von Wertpapieren:

**Grafik
Arten von Wertpapieren**

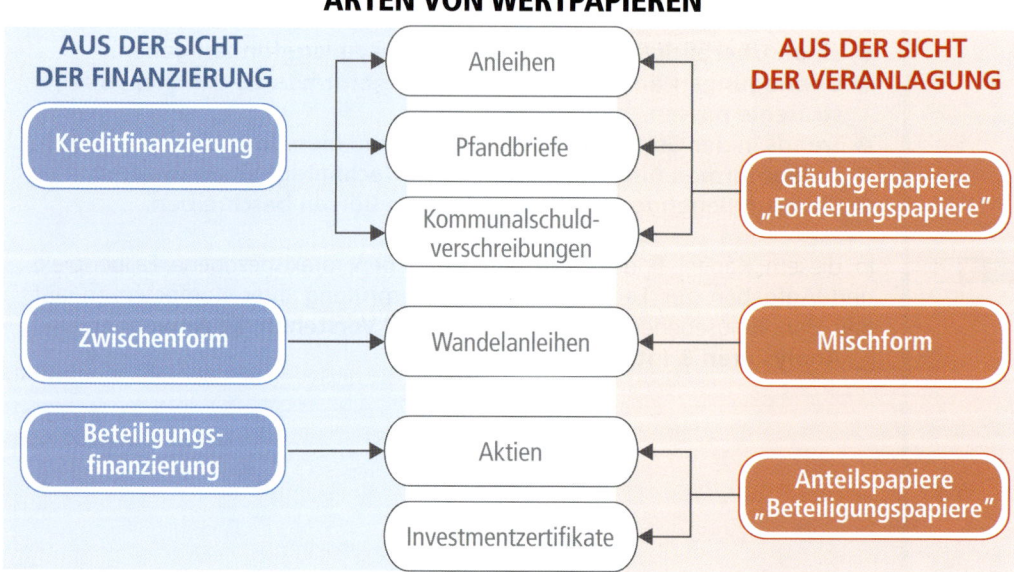

Auch Scheck, Wechsel und Sparbrief sind aus rechtlicher Sicht Wertpapiere. Sie sind jedoch in der Praxis nicht gemeint, wenn vom Wertpapiergeschäft gesprochen wird.

Wie die Übersicht zeigt, dienen **Investmentzertifikate** nicht als Finanzierungsinstrument für Unternehmen, sondern ausschließlich der Veranlagung (siehe Seite 141).

2 Grundbegriffe des Wertpapiergeschäfts
[Basic terms in securities trading]

Grafik
Die 9 Fragen zum Wertpapiergeschäft

1. Welche Rechte sind mit dem Wertpapier verbunden?
2. Wie wird das Wertpapier ausgegeben?
3. Wer gibt das Wertpapier aus?
4. Hat das Wertpapier einen Nennwert?
5. Wie viel von seinem Kapital erhält der Anleger zurück?
6. Kann das Wertpapier übertragen werden?
7. Wie wird der Preis („Kurs") für das Wertpapier dargestellt?
8. Welchen Ertrag erzielt das Wertpapier?
9. Kann das Wertpapier als Kreditsicherheit verwendet werden?

(1) Welche Rechte sind mit dem Wertpapier verbunden?

Wertpapiere gewähren dem Inhaber grundsätzlich entweder

- das Recht auf **Rückzahlung** des eingesetzten Kapitals **(Forderungspapiere)** oder
- den **Anteil** an einem Unternehmen **(Beteiligungspapiere)**.

Auch Mischformen sind möglich.

(2) Emission: Wie wird das Wertpapier ausgegeben?

Unter Emission versteht man die **erstmalige Ausgabe** eines Wertpapiers. Man sagt auch, ein Wertpapier wird „auf dem Primärmarkt platziert".

Nach ihrer Emission werden die Wertpapiere auf dem **„Sekundärmarkt"** (z. B. an der Börse) gehandelt.

Bei Forderungspapieren (z. B. Anleihen) unterscheidet man auf dem Primärmarkt zwischen Einmalemission und Daueremission.

- Bei der **Einmalemission** wird die Anleihe nur in einem bestimmten Zeitraum (während der sogenannten **„Zeichnungsfrist"**) zu den vereinbarten Emissionsbedingungen (z. B. zu einem festgelegten Emissionspreis) in den Banken zum Kauf angeboten.
- Bei einer **Daueremission** wird die Anleihe am Primärmarkt **ohne Frist,** also für einen längeren Zeitraum zu gleichbleibenden Emissionsbedingungen, angeboten. Die meisten Anleiheemissionen in Österreich sind heute Daueremissionen.

(3) Emittent: Wer gibt das Wertpapier aus?

Ein **Emittent gibt Wertpapiere aus** und **haftet** für das eingesetzte Kapital der Anleger.

(4) Nominale: Hat das Wertpapier einen Nennwert?

Das Nominale ist der **Nennwert** eines Wertpapiers. Es zeigt, welchen Anteil das Wertpapier an der Gesamtemission hat.

Beispiel | Es werden 100 000 Stück Wertpapiere im Ausmaß von insgesamt € 100 Millionen ausgegeben. Der Nennwert pro Stück beträgt daher € 1.000,–.

Bei Gläubigerpapieren (z. B. Anleihen) werden die Zinsen vom Nennwert berechnet.

(5) Wie viel von seinem Kapital erhält der Anleger zurück?

Die **Rückzahlungs- oder Tilgungsbedingungen** geben darüber Auskunft, wann und in welcher Höhe der Anleger sein eingesetztes Kapital zurückerhält.

Anleihen haben zumeist eine begrenzte Laufzeit, Aktien und andere Anteilspapiere haben eine unbegrenzte Laufzeit.

(6) Kann das Wertpapier übertragen werden?

Die meisten Wertpapiere sind **Inhaberpapiere.** Sie können daher formlos – durch bloße Übergabe – übertragen werden. Eine Ausnahme stellen **Namensaktien** dar (siehe dazu nächste Seite).

(7) Kurs: Wie wird der Preis für das Wertpapier dargestellt?

Der **Kurs** ist der **Preis,** zu dem ein Wertpapier **auf dem Kapitalmarkt** gehandelt wird. Folgende Kursnotierungen sind üblich:

- **Prozentnotierung:** Anleihekurse werden in Prozent des Nominales angegeben. Ein Kurs von 103 bedeutet, dass für ein Anleihenominale von € 10.000,– 103 %, also € 10.300,–, zu bezahlen sind.
- **Stücknotierung:** Aktienkurse werden in einer Geldeinheit angegeben, in der Eurozone also in Euro pro Stück des kleinsten Aktien-Nominales der jeweiligen Aktie.

Besonders bei Aktien können Nennwert und Kurs weit auseinanderliegen.

(8) Rendite: Welchen Ertrag erzielt das Wertpapier?

Aus welchen Komponenten setzen sich der Ertrag und die Rendite zusammen und wovon sind sie abhängig?

- feste Verzinsung (z. B. Fixzinsanleihe, Pfandbrief, Kommunalschuldverschreibung)
- variable Erträge (z. B. Aktie, Partizipationsschein, Anteil an einem Investmentfonds, variabel verzinste Anleihe)
- Wertzuwachs (z. B. Aktie, Zertifikat, Anteil an einem Investmentfonds)

Im Zusammenhang mit Wertpapieren werden anstelle von „Rendite" oft auch die Begriffe „Rentabilität", „Effektivverzinsung" oder „Performance" verwendet. In allen Fällen geht es darum, den Ertrag aus dem Wertpapier ins Verhältnis zum eingesetzten Kapital zu setzen.

(9) Lombardfähigkeit: Kann das Wertpapier als Kreditsicherheit verwendet werden?

Einige Wertpapierarten können zur Besicherung von Darlehen herangezogen werden. Man bezeichnet sie dann als **lombardfähig.** Der Belehnungsrahmen orientiert sich am Risiko des Wertpapiers. So werden z. B. Aktien mit 30 bis 50 % ihres Kurswerts, Anleihen mit 70 bis 90 % ihres Kurswerts lombardiert.

3 Die Aktie [Shares]

Das Grundkapital einer Aktiengesellschaft ist in Aktien zerlegt. Es hat auf einen in Euro bestimmten Nennwert zu lauten und beträgt mindestens € 70.000,–. Die **Aktie** ist ein **Wertpapier,** das einen **Anteil am Grundkapital** einer Aktiengesellschaft verbrieft.

Man unterscheidet grundsätzlich zwischen **Nennwertaktien,** deren Mindestnennbetrag pro Aktie € 1,– betragen muss, und **Stück- oder Quotenaktien,** die einen Anteil am Grundkapital der AG verbriefen. Jede Quotenaktie verbrieft denselben Anteil.

Beispiel | Bei einem Grundkapital von € 20 Millionen und 200 000 Stück Aktien beträgt der Anteil pro Aktie 0,0005 % (Berechnung: 100 × 100/20.000.000).

Den gesamten Anteil eines Aktionärs kann man sehr leicht bestimmen, indem man die Anzahl der von ihm gehaltenen Aktien mit dem in der Quotenaktie verbrieften Anteil multipliziert.

Beispiel (Fortsetzung)

Besitzt eine Aktionärin 25 000 Aktien der oben dargestellten AG, so hält sie einen Anteil von 12,5 % (Berechnung: 25 000 × 0,0005 %).

Seit der Einführung des Euro sind Quotenaktien die übliche Form der Aktien.

Aktienarten und Mitbestimmung
[Types of shares and participation in decision-making]

Man unterscheidet nach der **Übertragbarkeit** und nach dem **Umfang der verbrieften Rechte**.

(1) Übertragbarkeit
- **Namensaktien:** Namensaktien **lauten auf den Namen** des Aktionärs. Die Gesellschaft führt ein Aktionärsbuch, in dem die Eigentümer der Aktien verzeichnet sind.
- **Inhaberaktien:** Inhaberaktien **lauten nicht auf den Namen** des Aktionärs. Jeder, der die Aktie besitzt, kann die damit verbundenen Rechte ausüben.

Österreichisches Aktienrecht
Ca. 10 % der österreichischen Aktiengesellschaften notieren an der Wiener Börse.

> Nach dem österreichischen Aktienrecht müssen Aktien grundsätzlich Namensaktien sein. Aktien können dann auf Inhaber lauten, wenn die Aktiengesellschaft börsennotiert ist oder zum Börsenhandel zugelassen wird.

(2) Umfang der verbrieften Rechte
- **Stammaktien:** Stammaktien bieten allen Aktionären die gleichen Rechte, und zwar:
  - **Auskunfts- und Stimmrecht** in der Hauptversammlung
  - **Dividende** – Anteil am ausgeschütteten Gewinn
  - **Bezugsrecht:** Das ist das Vorkaufsrecht der bestehenden Aktionäre auf die sogenannten „jungen" Aktien im Rahmen einer Kapitalerhöhung. Sobald die jungen Aktien in jeder Hinsicht den alten Aktien gleichgestellt sind (z. B. in Hinblick auf die Dividendenberechtigung), entfällt die Bezeichnung „jung".
  - Recht auf einen **Anteil am Liquidationserlös** bei Auflösung der Gesellschaft
- **Vorzugsaktien:** In Österreich haben Vorzugsaktionäre das Recht auf eine **höhere Dividende** als die Stammaktionäre, dafür haben sie **kein Stimmrecht**. Vorzugsaktien ohne Stimmrecht dürfen in Österreich nur bis zu einem Drittel des Grundkapitals ausgegeben werden. Wird die Vorzugsdividende bei der Verteilung des Gewinns in einem Jahr nicht oder nicht vollständig gezahlt und der Rückstand im darauffolgenden Jahr nicht neben dem vollen Dividendenbetrag des aktuellen Jahres nachgezahlt, so haben die Vorzugsaktionäre das Stimmrecht so lange, bis die Rückstände nachgezahlt sind („wiederauflebendes Stimmrecht").

  Vorzugsaktionäre sind hauptsächlich an einer **ertragreichen Investition** ohne Mitbestimmungs- und Kontrollrechte interessiert.

Die Mitarbeiter/innen sollen sich durch Belegschaftsaktien stärker mit ihrem Unternehmen identifizieren.

Werden Aktien mit allen üblichen Rechten an Mitarbeiter und Mitarbeiterinnen eines Unternehmens zu besonders günstigen Konditionen verkauft, spricht man von **„Belegschaftsaktien"**. Sie unterliegen zumeist einer Sperrfrist, bevor sie verkauft werden dürfen.

Ertrag und Rendite [Profit and return]

Der Aktionär erhält:

- **Dividende (laufender Gewinnanteil)**

  Die Dividende ist jener Teil des Gewinns, der an die Aktionäre ausgeschüttet wird. Sie hängt ab von:
  - der Höhe des erwirtschafteten Gewinns
  - der Ausschüttungspolitik (Dividendenpolitik), d. h. davon, ob ein Großteil der erzielten Gewinne an die Aktionäre ausgeschüttet oder der Rücklage zugeführt wird

An die Aktionäre wird meist nur ein Teil des Gewinns ausgeschüttet.

Beispiel

Grundkapital € 20 Millionen und 200 000 Stück Aktien, erzielter Gewinn: € 2,4 Millionen, davon wird die Hälfte (€ 1,2 Millionen) ausgeschüttet.

Dividende pro Aktie: $\dfrac{€\ 1.200.000,-}{200.000} = €\ 6,-$

Unter dem **Kurs** versteht man den **aktuellen Preis** einer Aktie. Siehe dazu Seite 134.

Die Rendite wird durch Steuern (KESt), Depotgebühren und An- und Verkaufsspesen verringert.

Beispiel (Fortsetzung)

- **Kursgewinne (-verluste)** zwischen Erwerb und Verkauf
- **Nebenerträge,** z. B. aus dem Verkauf von Bezugsrechten bei der Ausgabe von jungen Aktien im Zuge einer Kapitalerhöhung

Üblicherweise werden folgende Renditen im Zusammenhang mit Aktien berechnet:

- **Gewinnrendite:** Wie viel Gewinn wurde im Verhältnis zum eingesetzten Kapital erwirtschaftet?

Annahme: Die Aktie wurde um € 250,00 gekauft.
Gewinn: € 2,4 Mio für 200 000 Aktien = € 12 pro Aktie

$$\text{Gewinnrendite} = \frac{\text{Gewinn}}{\text{Kaufkurs}} \times 100 = \frac{12}{250} \times 100 = 4{,}8\,\%$$

- **Dividendenrendite:** Wie viel Dividende wurde im Verhältnis zum eingesetzten Kapital ausgeschüttet?

Beispiel (Fortsetzung)

$$\text{Dividendenrendite} = \frac{\text{Dividende}}{\text{Kaufkurs}} \times 100 = \frac{6}{250} \times 100 = 2{,}4\,\%$$

Emittent [Issuer]

Aktien können nur von Aktiengesellschaften begeben werden. Ist der Emittent ein größeres Unternehmen mit höherer Bonität und guten Wachstumsperspektiven (wie z. B. die OMV), dann werden die Aktien auch als **Blue Chips** bezeichnet.

Rückzahlung [Repayment]

Der Aktionär ist **Miteigentümer** an der Aktiengesellschaft, d. h., er stellt sein Kapital dem Unternehmen auf Dauer zur Verfügung. Eine **Rückzahlung** ist daher **nicht vorgesehen.** An der Börse gehandelte Aktien können jedoch jederzeit wieder verkauft werden.

Übungsbeispiele

Ü 4.01: Dividendenrendite C

Der Kurs einer Aktie beträgt € 30,–. Es wird eine Dividende von € 0,70 ausgeschüttet. Wie hoch ist die Dividendenrendite?

Ü 4.02: Dividende C

Der Gewinn der Solarenergie AG beträgt € 8.000.000,–, das Grundkapital beträgt € 160 Millionen. Bedeutet das, dass vermutlich pro Aktie im Nominale von € 100,– € 5,– ausgeschüttet werden?

4 Die Anleihe [Bonds]

Anleihen **(Schuldverschreibungen, Renten, Bonds)** sind **Kredite** von Großschuldnern, die in Teilschuldverschreibungen zerlegt werden. Anleihen sind **Verträge,** in denen genau geregelt ist, dass mehrere Anleger **(Zeichner)** dem Ausgeber **(Emittenten)** für eine vereinbarte Laufzeit und zu einer vereinbarten Verzinsung ein bestimmtes Kapital überlassen. Der Zeichner ist somit Gläubiger des Emittenten und hat ein Recht auf die Rückzahlung des eingesetzten Kapitals **(Gläubigerpapier).**

Um das gesamte Anleihevolumen aufbringen zu können, wird der Kreditbetrag in kleine Teilbeträge zerlegt **(Stückelung).** Die Stückelung gibt den Nennwert der einzelnen Teilschuldverschreibungen **(Anleihestücke)** an.

Ertrag und Rendite [Profit and return]

Der Eigentümer einer Anleihe erhält folgende **Erträge:**

- die Verzinsung und
- den Unterschiedsbetrag zwischen dem Emissions- und dem Tilgungskurs.

(1) Verzinsung

Der Eigentümer erhält während der Laufzeit der Anleihe regelmäßig Zinsen. Der Zinssatz kann fix oder variabel sein. Üblich sind Jahreskupons (d. h., die Zinsen werden jährlich im Nachhinein bezahlt), es gibt aber auch Anleihen mit Halb- oder Vierteljahreskupons.

Beispiel

Eine Anleihe ist mit 4 % p.a. verzinst, die Stückelung beträgt € 1.000,–.
Kupontermin: 1.3. Der Gläubiger erhält pro Anleihestück am 1.3. € 40,– (abzüglich 27,5 % KESt).
Kupontermine: 1.3. und 1.9. Der Gläubiger erhält pro Anleihestück jeweils am 1.3. und 1.9. € 20,– (abzüglich 27,5 % KESt).

Der in den Anleihebedingungen angegebene Zinssatz wird als Nominalzinssatz bezeichnet. Er gibt an, wie viel Prozent vom Nominale jährlich an Zinsen ausbezahlt werden. Er ist abhängig

Euribor:
Euro Interbank Offered Rate; der Euribor ist ein Referenzzinssatz für Termingelder zwischen Banken in Euro. Er wird als Basiszinssatz für Floater verwendet.

- vom **allgemeinen Zinsniveau** bei der Emission (z. B. vom Euribor).
- von der **Bonität des Emittenten:** Je höher die Bonität, desto niedriger ist das Risiko für die Gläubiger und desto niedriger ist die Verzinsung.
- vom **Zinsänderungsrisiko:** Je länger die Laufzeit der Anleihe ist, umso größer ist für den Emittenten das Risiko, dass der Marktzinssatz sinkt. Das bedeutet nämlich, dass er sein Kapital über den Kapitalmarkt günstiger beschaffen könnte. Die Höhe des Nominalzinssatzes hängt daher auch davon ab, wie der Emittent die Zinsentwicklung einschätzt.

(2) Unterschiedsbetrag zwischen Emissions- und Tilgungskurs

Der **Emissionskurs** ist jener Betrag, zu dem die Anleihe gezeichnet (d. h. erstmalig erworben) werden kann. Er wird in Prozent des Nominales angegeben.

Beispiel

Eine Anleihe kann begeben werden:
- genau zum Nennwert (100 %)
- über dem Nennwert (üblich)
- unter dem Nennwert

Emission über dem Nennwert
Nennwert € 1.000,–; Emissionskurs 103,5 %
Kaufpreis = 1.000 × 1,035 = € 1.035,–

Der **Tilgungskurs** ist jener Kurs, zu dem die Anleihestücke bei Fälligkeit getilgt werden. Er beträgt 100 % oder mehr.

Die **Rendite** der Anleihe hängt ab:

- vom Emissionskurs (je niedriger, desto besser)
- vom Tilgungskurs (je höher, desto besser)
- von der Gesamtlaufzeit
- von der Restlaufzeit (Das ist der Zeitraum vom Erwerb bis zur Tilgung.)
- von den Nebenkosten (Ankaufsprovision, Depotgebühren, Steuern)

Einfache Berechnung der Rendite

Die einfachste Methode zur Berechnung der Rendite ist die laufende Rendite. Dabei wird die (jährliche) Kuponzahlung ins Verhältnis zum aktuellen Preis (Kurs) der Anleihe gesetzt. Sie kann daher – je nach Kurs – von der Nominalverzinsung abweichen.

Übungsbeispiel

Ü 4.03: Anleiheverzinsung [C]

Ein Anleger hat eine Anleihe mit einer Nominalverzinsung von 3,5 % zu einem Kurs von 103 erworben. Nach 5 Jahren wird die Anleihe zu 100 getilgt.

a) Warum lag der Kurs beim Ankauf über 100?
b) Welche Effektivrendite erzielte der Anleger vor KESt und Spesen?
c) Wie verändert sich die Rendite, wenn Sie die KESt und eine jährliche Depotgebühr von 2 ‰ berücksichtigen?

Emittent und Haftung [Issuer and liability]

Emittenten (**Anleiheschuldner**) können sein:

- **der Bund** (Bundesanleihen, **Government Bonds**, sowie Bundesschatzscheine, **Austrian Treasury Bills**). Der Bund ist der bedeutendste Anleiheemittent in Österreich. Die Staatsverschuldung ist zum Großteil über Bundesanleihen finanziert.
- **Länder und Gemeinden** (Länderanleihen, Kommunalanleihen)
- **Großunternehmen** wie z. B. Banken (Bankanleihen, Banking Bonds), Industrie- und Energieunternehmen (Unternehmensanleihen, **Corporate Bonds**)

Jeder Anleiheemittent haftet mit seinem gesamten Vermögen:

- Für Bundesanleihen haftet die Republik Österreich mit ihrem gesamten Vermögen. Sie gelten daher als besonders sicher.
- Für fundierte (garantierte) Anleihen haftet zusätzlich zum Emittenten auch der Staat oder es wird ein spezieller Deckungsfonds (**Deckungsstock**) eingerichtet. Der Deckungsstock ist das Vermögen (z. B. Immobilien), das als Sicherheit für die Anleihe dient.

Rückzahlung [Repayment]

Am Markt gibt es einige Anleihen mit unbeschränkter Laufzeit (z. B. eine voestalpine-Anleihe). Diese werden als **Perpetual Bonds** (kurz: Perps) bezeichnet.

Anleihen haben eine bestimmte Gesamtlaufzeit bis zur Rückzahlung (Fälligkeit):

- Kurzfristige Anleihen (**Kurzläufer**) haben eine Laufzeit von bis zu 2 Jahren. Z. B. haben Bundesschatzscheine häufig eine Laufzeit zwischen 3 und 6 Monaten.
- **Mittelfristige Anleihen** haben eine Laufzeit von 3 bis 6 Jahren. Bankanleihen z. B. haben typischerweise Laufzeiten bis zu 5 Jahren.
- Langfristige Anleihen (**Langläufer**) haben Laufzeiten von mehr als 6 Jahren. Bundesanleihen haben z. B. üblicherweise eine Laufzeit von bis zu 10 Jahren, manchmal auch darüber.

Währung [Currency]

Anleihen können sowohl in Euro als auch in jeder beliebigen anderen Währung emittiert werden. Man spricht dann von **Fremdwährungsanleihen** (z. B. in CHF, JPY, USD).

Bewertung der Bonität des Emittenten – das Rating [Rating]

Emittenten, die sich auf den internationalen Kapitalmarkt begeben, unterziehen sich häufig einer **Bonitätsbeurteilung** durch eine der bekannten Ratingagenturen. Die **Bonität** bestimmt den **Zinssatz der Anleihe**. Je besser die Bonität, desto niedriger können die angebotenen Zinsen sein.

„Geratet" werden dabei das **Länderrisiko** und das **Einzelschuldnerrisiko**.

Die bekanntesten Ratingagenturen sind drei private amerikanische Unternehmungen:

- Moody's Investors Service, eine Tochtergesellschaft von Dun & Bradstreet
- Standard & Poor's vom Medienkonzern McGraw-Hill
- Fitch

Eine Übersichtstabelle mit den Bonitätskategorien von Moody's und S&P finden Sie im SbX unter der ID: 4011.

Die Ratingagenturen haben den Risiken eindeutig definierte Kategorien zugeteilt. Die einzelnen **Bonitätskategorien** werden **mit Buchstaben bezeichnet**. Bei Anleihen, die mit „A" bewertet sind, verfügt der Emittent über eine hohe Bonität. Bei der Bewertung „C" kann sich der Anleger nicht mehr sicher sein, sein eingesetztes Kapital zurückzubekommen. Jeder Anleger kann dadurch auf den ersten Blick feststellen, welches Risiko er eingeht, d. h., wie hoch die Wahrscheinlichkeit ist, dass der Emittent seinen Zinsverpflichtungen nachkommen und die Anleihe zum Fälligkeitstermin zurückzahlen kann.

Dem Rating unterziehen sich die Emittenten **freiwillig**, sie müssen dazu der Agentur einen **Auftrag erteilen**, der auch etwas kostet.

Ausgewählte Anleiheformen in der Praxis [Selected types of bonds in practice]

Hinsichtlich der Verzinsung unterscheidet man folgende Anleihen:
- **Fixzinsanleihe (Straight Bond):** Zinssatz, Zinszahlungstermine und Laufzeit sind fix und ändern sich über die gesamte Laufzeit nicht.
- **Floater (Floating Rate Note – FRN):** Der Zinssatz setzt sich aus dem Referenzzinssatz (z. B. Euribor) und einem Zinsaufschlag bzw. Zinsabschlag (Spread) zusammen. Der Zinssatz wird halbjährlich oder jährlich an den Referenzzinssatz angepasst. Die Zinsaufschläge sind häufig nach oben **(Cap)** und nach unten **(Floor)** gedeckelt.
- **variable Anleihe (Vario-Bond):** Die variable Anleihe funktioniert ähnlich wie der Floater, die Zinsanpassungstermine liegen allerdings weiter auseinander (über 1 Jahr).
- **Zerobond (Nullkuponanleihe, Prämienanleihe):** Während der Laufzeit erfolgen keine laufenden Zinszahlungen, dafür ist die Differenz zwischen dem Emissions- und dem Tilgungskurs groß.

Beispiel

Renditeberechnung für einen Zerobond:
Emission zu 100 %, Tilgung zu 142 %, Laufzeit: 8 Jahre

Renditeberechnung: $\sqrt[8]{\dfrac{142}{100}} = 1{,}045$ → Rendite = $(1{,}045 - 1) \times 100 = 4{,}5\,\%$

Beispiele für weitere Anleiheformen sind:
- **Wohnbauanleihe:** Mit dem Emissionserlös werden Wohnbauvorhaben finanziert; sie sind steuerlich begünstigt.
- **Stufenzinsanleihe (Step-up-Note):** Die Verzinsung der Anleihe steigt von Jahr zu Jahr an („Zinstreppe").

Spezielle Anleiheformen und Sonderformen
[Special types of bonds and other special types]

(1) Pfandbriefe und Kommunalschuldverschreibungen

In der Praxis bezeichnet man Kommunalschuldverschreibungen auch als Kommunalbriefe.

Pfandbriefe und Kommunalschuldverschreibungen sind festverzinsliche Schuldverschreibungen. **Emittenten** können **nur bestimmte Kreditinstitute** sein (z. B. Bank Austria, Erste Bank). Sie verwenden den Emissionserlös jedoch nicht selbst, sondern geben ihn an Darlehensnehmer weiter:
- Die Mittel aus Pfandbriefen werden ausschließlich für die Vergabe von Hypothekarkrediten meist an **Privatpersonen** verwendet.
- Die Mittel aus Kommunalschuldverschreibungen werden für Darlehen an Länder und Gemeinden **(Kommunen)** verwendet.

Für Pfandbriefe und Kommunalschuldverschreibungen besteht eine **mehrfache Haftung** durch:
- das Vermögen des Kreditinstituts
- besondere Kreditsicherheiten
  - bei Pfandbriefen die Hypothek auf die angeschaffte Liegenschaft
  - bei Kommunalschuldverschreibungen die zukünftigen Abgabeeinnahmen und das Vermögen des jeweiligen Lands bzw. der Gemeinde

Aufgrund der mehrfachen Haftung haben Pfandbriefe und Kommunalschuldverschreibungen meist eine etwas geringere Rendite als Anleihen.

(2) Aktienanleihe (Cash-or-Share-Anleihe)

Eine Aktienanleihe ist ein **festverzinsliches Wertpapier,** das eine relativ hohe Verzinsung hat und dessen Rückzahlung vom Börsenkurs einer zugrunde liegenden Aktie abhängig ist:
- Ist der Börsenkurs der Aktie unter einen bestimmten Wert gefallen, dann tilgt der Emittent die Anleihe am Ende der Laufzeit mit einer vorher festgelegten Anzahl von Aktien.
- Ist der Börsenkurs der Aktie gestiegen, dann erfolgt die Tilgung in bar.

Die Verzinsung der Aktienanleihe ist relativ hoch, da der Anleger hinsichtlich der Tilgung ein hohes Verlustrisiko übernimmt, aber nur begrenzte Gewinnchancen hat. Der Kauf lohnt sich nur, wenn sich der Kurs der zugrunde liegenden Aktie weder stark aufwärts noch stark abwärts entwickelt:
- Bei einem stark steigenden Aktienkurs wäre der Kauf der Aktie selbst besser.
- Bei einem stark sinkenden Aktienkurs wäre eine festverzinsliche Anleihe besser.

(3) Wandelanleihe

*Die internationale Bezeichnung für Wandelanleihen lautet **Convertible Bond**.*

Wandelanleihen (Wandelschuldverschreibungen) sind Anleihen, die ein Umtauschrecht in Aktien verbriefen. Der Inhaber kann die Anleihe umtauschen (wandeln)

- innerhalb einer bestimmten Frist (Wandlungsfrist),
- in einem vorher fixierten Umtauschverhältnis (Wandlungspreis),
- entweder in Aktien des Emittenten oder in Aktien eines dritten, vom Emittenten verschiedenen Unternehmens (wird dann als Umtauschanleihe, **Exchangeable Bond,** bezeichnet).

Der Anleger kann daher entscheiden, ob er die Anleihe behalten will – und damit am Ende der Laufzeit sein Kapital zurückerhält –, oder ob er sie gegen Aktien tauschen möchte. Vor dem Umtausch hat er Anspruch auf feste, im Voraus festgelegte Zinsen, nach dem Umtausch auf die jährliche Dividende.

Nach der Wandlung wird die Wandelanleihe eingezogen, der Anleihegläubiger wird zum Aktionär. Wandelanleihen haben eine niedrigere Nominalverzinsung als gewöhnliche Anleihen, da der Inhaber auf einen Kursanstieg der Aktien hofft.

Übungsbeispiel

Derzeit (Stand Mitte 2016) liegt die Nominalverzinsung von Wohnbauanleihen nur zwischen 0,4 % und 1,4 %.

Ü 4.04: Anleihe C

Beispiel für den Werbeprospekt einer Anleihe:

2,00 % Wohnbauanleihe 2014–2024/5 (Wandelschuldverschreibung)

ISIN:	AT000B074497
Emittentin:	Bank Austria Wohnbaubank AG
Kauf:	ab 24. September 2014
Laufzeit:	10 Jahre
Kupon:	2,00 % p. a. (KESt-frei)
Kuponzahlungen:	24. September jeden Jahres, erstmals am 24. September 2015
Kaufkurs:	Den aktuellen Kurs erfahren Sie von Ihrer Betreuerin bzw. Ihrem Betreuer.
Tilgung:	24. September 2024 zum Nennwert
Kündigung:	ausgeschlossen
Stückelung:	€ 100,– (Mindestveranlagung € 1.000,–)
Spesen und Gebühren:	Depotgebühr 0,235 % p. a. plus 20 % USt vom Kurswert (Minimum pro Wertpapierposition € 3,92 p. a. plus 20 % USt); Verkaufsspesen 0,7 % vom Verkaufswert (Minimum € 23,50).
Wandlungsrecht:	Nennwert von € 1.000,– in Genussscheinen der Bank Austria Wohnbaubank AG mit Nennwert € 100,– (Wandelverhältnis 10 : 1)
Wandlungstermine:	1. Jänner jeden Jahres, erstmals am 1. Jänner 2015

Analysieren Sie den Text aus dem Werbeprospekt und beantworten Sie folgende Fragen:

a) Welche Anleihebedingungen sind aus dem Prospekt ersichtlich?

Gesamtlaufzeit:

Emittentin:

Nominalverzinsung:

Kuponzahlungen:

Tilgung:

Stückelung:

Depotgebühren:

Verkaufsspesen:

Wandelverhältnis:

b) Wie würde sich ein Emissionskurs von 101,80 % auf die Effektivverzinsung (Rendite) dieser Anleihe auswirken?

c) Kann die Anleihe von der Bank Austria Wohnbaubank AG gekündigt werden?

5 Das Investmentzertifikat [Investment fund certificates]

Investmentzertifikate sind Wertpapiere, die Anteile an einem Investmentfonds verbriefen. In einem Investmentfonds wird das Geld von vielen Anlegern gesammelt.

Jeder Anleger kauft Investmentzertifikate und ist dadurch **Miteigentümer** (Anteilseigner) am Gesamtvermögen des Fonds. Im Unterschied zu Aktien hat das Investmentzertifikat keinen Nennwert, sondern es lautet auf einen (oder mehrere) Anteil(e) am Fonds. Investmentfonds werden von Kapitalanlagegesellschaften verwaltet. Das Vermögen des Fonds wird von professionellen Fondsmanagern (das sind Wertpapierspezialisten) nach dem Prinzip der Risikostreuung in verschiedenen Wertpapieren veranlagt.

Kapitalanlagegesellschaften sind meist Tochterunternehmen von Banken oder Versicherungsgesellschaften.

Grafik Aufbau von Investmentfonds

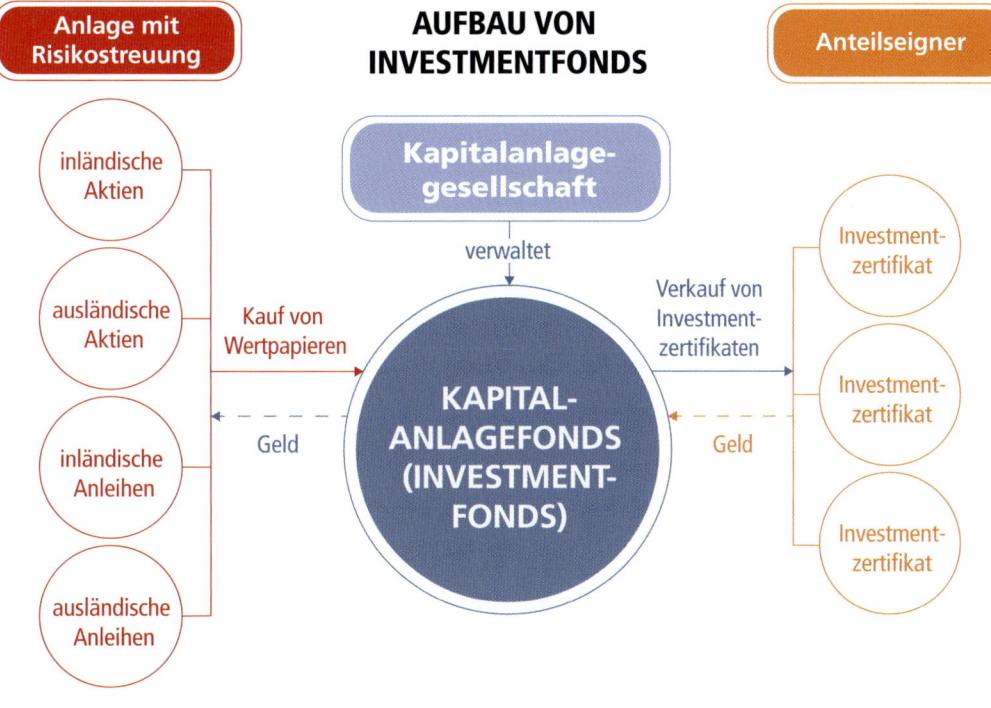

Aktienfonds verwalten oft über hundert verschiedene Einzelwerte.

Für den Anleger ergeben sich aus einem Investmentfonds folgende Vorteile:

- Er erzielt auch bei kleineren Beträgen die Risikostreuung wie ein Großanleger. Außerdem muss er sich nicht selbst um die Veranlagung und Streuung kümmern.
- Er kann auch bei kleineren Beträgen das Fachwissen qualifizierter Wertpapierfachleute im Fondsmanagement nutzen.

Investmentfonds in der Praxis [Investment funds in practice]

Investmentfonds werden unterschieden

(1) nach der Ausgabemöglichkeit:

- **offene Fonds**
  Die Zahl der Anteile ist nicht beschränkt, d. h., es können jederzeit neue Anteile ausgegeben werden.

In Österreich sind alle zugelassenen Fonds offene Fonds.

- **geschlossene Fonds**

  Die Höhe des Fondsvermögens und die Zahl der Anteile ist beschränkt. Sind alle Anteile verkauft, können sie nur mehr erworben werden, wenn andere Anleger Anteile verkaufen.

(2) nach der Art der enthaltenen Wertpapiere:

- **Aktienfonds**

  Aktienfonds veranlagen ausschließlich in Aktien. Sie können unterschiedliche Schwerpunkte haben, z. B.:
  - **Globalfonds** (beinhalten Aktien aus aller Welt)
  - **Regionenfonds** (konzentrieren sich auf Aktien aus bestimmten Regionen, wie z. B. Europa, Amerika, Asien)
  - **Länderfonds** (umfassen ausschließlich Aktien eines bestimmten Lands, z. B. Österreich-Fonds)
  - **Branchenfonds** (umfassen Aktien von Unternehmen einer bestimmten Branche, z. B. Chemieaktien, IT-Aktien, Bankaktien)

- **Rentenfonds**

  Rentenfonds veranlagen ausschließlich in Anleihen.

- **gemischte Fonds (Mischfonds)**

  Mischfonds veranlagen meist in Aktien und Anleihen. Die Fondsmanager können je nach Marktlage zwischen Aktien und Anleihen wechseln. Steigen die Kurse am Aktienmarkt, kann mehr in Aktien investiert werden und weniger in Anleihen bzw. umgekehrt.

- **Immobilienfonds**

  Immobilienfonds veranlagen in Immobilien.

- **Spezialitätenfonds**

  Spezialitätenfonds veranlagen in Wertpapiere in speziellen Branchen (wie z. B. Technologiefonds, Pharmafonds) oder in bestimmten Märkten mit einem hohen Zukunftspotenzial **(Emerging Markets)**.

- **Hedgefonds**

  Hedgefonds veranlagen in Derivaten.

Zu den Derivaten siehe Lerneinheit 2 in diesem Kapitel.

Außerdem gibt es z. B.:

- **ethische Fonds:** Ethische Fonds investieren nur in Unternehmen, die z. B. garantiert keine Kinderarbeit einsetzen, Umweltstandards einhalten oder keine Waffen produzieren.
- **Umbrella-Fonds:** Umbrella-Fonds sind übergeordnete Fonds, die mehrere Unterfonds enthalten. Die Anleger können zwischen den Unterfonds wechseln.
- **Dachfonds:** Dachfonds investieren nicht in einzelne Wertpapiere, sondern in Anteile an anderen Fonds.
- **thesaurierende Fonds (Wachstumsfonds):** Die erzielten Gewinne werden nicht ausgeschüttet, sondern automatisch wiederveranlagt. Das Gegenteil dazu sind Ausschüttungsfonds, die alle anfallenden Erträge sofort ausschütten.

Unter **www.gruenesgeld.at** finden Sie ethisch-ökologische Anlageformen.

Rendite und Risiko [Risk and return]

Der Eigentümer eines Investmentzertifikats erhält folgende Erträge:

(1) Differenz zwischen dem Ausgabe- und dem Rücknahmepreis

- Der Ausgabepreis berechnet sich aus dem rechnerischen Wert pro Anteil zuzüglich eines Aufschlags für die Ausgabekosten. Dieser Ausgabeaufschlag ist je nach Fondsart unterschiedlich hoch (zwischen 0,75 und 5 %).
- Der Rücknahmepreis berechnet sich aus dem rechnerischen Wert abzüglich einer Verwaltungsgebühr.

Der rechnerische Wert pro Anteil wird **täglich ermittelt.** Er ergibt sich aus dem aktuellen Wert des Fonds, der sich aus den Kursen aller im Fonds enthaltenen Wertpapiere berechnet.

Lerneinheit 1: Welche Wertpapiere gibt es?

Beispiel

Kurswert aller Wertpapiere im Fondsbesitz	€	46.517.400,00
+ sonstige Aktiva (Bargeld etc.)	€	1.843.200,00
Gesamtwert (Gesamtvermögen) des Fonds	€	48.360.600,00
: Zahl der ausgegebenen Anteile		512 000
= rechnerischer Wert pro Anteil	€	94,45

Die Höhe der Erträge hängt von der allgemeinen Marktentwicklung und vom Geschick der Fondsmanager ab. Rentenfonds bringen in der Regel niedrigere Erträge (bei gleichzeitig geringerem Risiko), Aktien- und Spezialitätenfonds die höchsten Erträge (allerdings bei gleichzeitig höherem Risiko).

(2) laufende Erträge (Die Ausschüttung erfolgt meist einmal pro Jahr.)

Die laufenden Erträge der Investmentfonds ergeben sich aus

- Zins- und Dividendenerträgen der Wertpapiere im Fondsvermögen,
- Kursgewinnen (abzüglich Kursverlusten) beim Verkauf von Wertpapieren,
- Erlösen aus Bezugsrechtsverkäufen (wenn bei Kapitalerhöhungen das Recht zum Bezug der jungen Aktien nicht ausgeübt wird).

Der **Ertrag pro Anteil** ergibt sich dann aus dem Gesamtertrag des Fonds, dividiert durch die Zahl der Anteile.

Beispiel (Fortsetzung)

Dividenden und Zinsen	€	784.200,00
+ Kursgewinne	€	1.345.700,00
= Gesamtertrag des Fonds	€	2.129.900,00

In Wirtschaftsmagazinen (z. B. Trend, Gewinn) finden Sie häufig Renditevergleiche verschiedener Fonds. Diese Vergleiche berücksichtigen auch den Wertzuwachs bzw. Wertverlust.

$$\text{Ertrag pro Anteil} = \frac{\text{Gesamtertrag}}{\text{Zahl der Anteile}} = \frac{2.129.900,-}{512\,000} = €\ 4{,}16$$

Die laufende **Rendite** kann aus dem Ertrag und dem Wert pro Anteil errechnet werden:

Beispiel (Fortsetzung)

$$\text{Rendite} = \frac{\text{Ertrag pro Anteil}}{\text{Wert pro Anteil}} \times 100 = \frac{4{,}16}{94{,}45} \times 100 = 4{,}4\,\%$$

Rückzahlung [Repayment]

Die Laufzeit von Investmentfonds ist grundsätzlich unbegrenzt. Die Kapitalanlagegesellschaft ist verpflichtet, die ausgegebenen Anteile zu jedem Zeitpunkt zum Rücknahmepreis zurückzukaufen.

Üben – Anwenden

Ü 4.05: Wertpapiere in der Bilanz C

Die voestalpine AG hatte am 29. 4. 2015 ihr Aktienkapital von ca. 172,5 Mio € um 2,5 Mio € auf 175 Mio € erhöht. Im Jahr davor hatte die voestalpine AG eine Anleihe mit einem Zinssatz von 2,25 % und einer Laufzeit von 7 Jahren begeben.

a) Auf welche Seite der Bilanz der voestalpine AG hat dies jeweils Auswirkungen?
b) Welche Bilanzpositionen sind konkret betroffen? Begründen Sie Ihre Antwort!

Ü 4.06: Rendite einer Anleihe C

Berechnen Sie die Rendite einer Anleihe, die eine Nominalverzinsung von 2,25 % und einen Kurs von 106 aufweist.

Ü 4.07: Dividendenrendite C

Berechnen Sie die Dividendenrendite der folgenden Aktie: Kurs € 36,-, Dividende pro Aktie € 0,80.

Ü 4.08: Alternativen beim Wertpapierkauf B

Vergleichen Sie aus Anlegersicht:
a) Investmentzertifikate und Aktien
b) Investmentzertifikate und Anleihen

Betriebswirtschaft und Projektmanagement HLW IV

Ü 4.09: Analyse einer Anleihe [C]

Eine Anleihe hat folgende Emissionsbedingungen:

Erste Group Herbstfloater 2015–2022

Eckdaten:	
Emittent:	Erste Group Bank AG
Beginn öffentliches Angebot:	29.09.2015
Beginn Zeichnung:	05.10.2015
Begebungstag:	28.10.2015
Laufzeit:	7 Jahre
Verzinsung:	3-Monats-EURIBOR p. a.; mindestens jedoch 0,80 % p. a. und maximal 3,00 % p. a. Festlegung des Zinssatzes 2 Geschäftstage vor Beginn der Kuponperiode. Nähere Informationen zum EURIBOR finden Sie unter: http://www.emmi-benchmarks.eu .
Zahlungstage:	vierteljährlich jeweils am 28.01., 28.04., 28.07., und 28.10. eines jeden Jahres, erstmals am 28.01.2016
Rückzahlung:	erfolgt am 28.10.2022 zu 100 % des Nennbetrags
Erstemissionskurs:	100,00 %, laufende Anpassung an den Markt. Die Vertriebspartnerin erhält für die Vermittlung der Wertpapiere eine einmalige Vertriebsvergütung in Höhe von maximal 1,50 % des Kaufpreises.
ISIN:	AT0000A1GMG7
Stückelung/Nennbetrag:	1.000 Euro
Mindestvolumen:	3.000 Euro
Börsenotierung:	Geregelter Freiverkehr an der Börse Wien (fortlaufender Handel)

Quelle: produkte.erstegroup.com/Retail/de/Products/Bonds/Factsheets/Bond_General/index.phtml?q=&ISIN=AT0000A1-GMG7&ID_NOTATION=, letzter Zugriff: 12.08.2017.

Bearbeiten Sie folgende Aufgaben:

a) Nennen Sie die Anleiheform. Begründen Sie Ihre Antwort.

b) Analysieren Sie die Anleihebedingungen.

SbX
Ü 4.10–Ü 4.11 mit automatischer Aufgabenkontrolle ID: 4012

Ü 4.10: Pfandbriefe [C]

Ein Sparer zeichnet Pfandbriefe der Salzburger Landes-Hypothekenbank.

Kreuzen Sie an, wer für die Rückzahlung dieser Pfandbriefe haftet (Mehrfachlösungen möglich!):

a) ☐ die Salzburger Landes-Hypothekenbank mit ihrem gesamten Vermögen

b) ☐ das Bundesland Salzburg

c) ☐ der Bund

d) ☐ die Pfandrechte an den Grundstücken (Hypotheken) jener Eigentümer, die aus dem Erlös für die Pfandbriefe Darlehen erhalten haben

Ü 4.11: Wandelanleihe [C]

Kreuzen Sie an, welche Feststellungen auf Wandelanleihen zutreffen:

Verglichen mit der üblichen Verzinsung von Anleihen ist die Nominalverzinsung von Wandelanleihen in der Regel

a) ☐ niedriger, b) ☐ etwa gleich hoch, c) ☐ höher.

Bei der Wandelanleihe hat der Eigentümer folgende Möglichkeiten:

a) ☐ Er muss die Wandelanleihe nach Aufforderung durch die AG in einem bestimmten Verhältnis in Aktien umtauschen.

b) ☐ Er kann (muss jedoch nicht) die Wandelanleihe ab einem festgesetzten Termin in einem bestimmten Verhältnis in Aktien umtauschen.

c) ☐ Er kann ab einem bestimmten Termin junge Aktien zusätzlich zur Wandelanleihe beziehen.

Ü 4.12: Zerobond

Nehmen Sie an, ein Zerobond wird zu 100 begeben und nach 10 Jahren zu 150 getilgt.

Berechnen Sie die Effektivverzinsung dieser Kondition.

Ü 4.13: Investmentzertifikat

Bei einem Investmentzertifikat beträgt der Ertrag pro Anteil € 3,–, der Wert pro Anteil € 60,–.

a) Berechnen Sie die laufende Rendite.
b) Nennen Sie Einflussgrößen, von denen die Effektivrendite zusätzlich abhängt.

Sichern

Wertpapiere

Wertpapiere sind Urkunden, die Vermögensrechte verbriefen. Die meisten Wertpapiere können formlos übertragen werden.

securities (financial instruments)

Securities are deeds that document rights to assets. Most securities can be informally transferred to a new holder.

Merkmale von Wertpapieren aus Anlegersicht

Die wesentlichen Merkmale von Wertpapieren aus Anlegersicht sind:
- verbriefte Rechte: bei Forderungspapieren Rückzahlung des eingesetzten Kapitals, bei Beteiligungspapieren ein Anteil am Unternehmen
- Emission: wie das Wertpapier ausgegeben wird (Einmal- oder Daueremission)
- Emittent: wer das Wertpapier ausgibt (öffentliche Hand, Banken und Versicherungen, sonstige Unternehmen)
- Nominale: Nennwert des Wertpapiers (Es gibt auch Wertpapiere ohne Nominale.)
- Tilgung: wann und zu welchen Bedingungen das eingesetzte Kapital zurückgezahlt wird
- Übertragbarkeit: Die meisten Wertpapiere sind Inhaberpapiere und können formlos übertragen werden.
- Kurs: Prozentnotierung für Anleihen, Stücknotierung für Aktien
- Rendite: welchen Ertrag das Wertpapier im Verhältnis zum eingesetzten Kapital erzielt
- Lombardfähigkeit: ob das Wertpapier zur Besicherung eines Kredits verwendet werden kann

characteristics of securities from the investor's point of view

The most important characteristics of securities from the investor's point of view are:
- documented rights: in the case of debt securities, the repayment (redemption) of the invested capital; in the case of equity securities, the share in the business
- issue: how the security is made available (single issue or continuous issue)
- issuer: who makes the security available (the federal or state government, banks and insurance companies, other businesses)
- nominal value: the stated value of the security (There are also securities with no nominal value.)

- redemption: when and on what conditions the invested capital is repaid
- negotiability: Most securities are bearer securities and can be transferred formlessly.
- price: stated as a percentage for bonds, and as a price per unit for shares
- return: the profit achieved by the security in relation to the invested capital
- acceptability as collateral: whether the security can be used to secure a loan

Aktien
Aktien verbriefen einen Anteil an einer Aktiengesellschaft.

shares
Shares document shared ownership of a public limited company.

Arten von Aktien
Es gibt folgende Arten von Aktien:
- hinsichtlich der Art der Übertragbarkeit: Inhaberaktien und Namensaktien
- hinsichtlich des Umfangs der verbrieften Rechte: Stammaktien und Vorzugsaktien
- Belegschaftsaktien zur Beteiligung der Mitarbeiter am Unternehmen

types of shares
The following types of shares are:
- based on the way they are transferred: bearer shares und registered shares
- based on the extent of the rights they document: ordinary shares and preference shares
- employee shares allowing employees to become part-owners of the business

Rendite der Aktie
Für die Rendite der Aktie sind zu berücksichtigen:
- Dividende (ausgeschütteter Gewinnanteil; wird pro Aktie oder in Prozent des Grundkapitals ausgedrückt)
- Kursgewinn oder -verlust zwischen Erwerb und Verkauf

return on a share
To calculate the return on a share the following must be considered:
- dividends (the part of the profit distributed to shareholders; is expressed per share or as a percentage of the share capital)
- price increases or decreases between the time of purchase and the time of sale

Anleihe
Anleihen sind Darlehen von Großschuldnern, die in Teilschuldverschreibungen zerlegt werden. Der Eigentümer der Anleihe hat einen Anspruch auf Verzinsung (fix = Straight Bond – oder veränderlich = Floater) und auf Rückzahlung. In Ausnahmefällen werden auch Anleihen ohne fixen Rückzahlungstermin emittiert.

bond
Bonds are loans taken out by large debtors that are divided into individual or partial bonds. The holder of the bond has a right to interest payment(s) (fixed = straight bond – or variable = floater) and to redemption (repayment). In exceptional cases, bonds are also issued without a fixed redemption date.

Rendite der Anleihe
Für die Rendite der Anleihe sind zu berücksichtigen:
- Verzinsung: Die Verzinsung wird in Prozent des Nominale angegeben (Nominalverzinsung). Sie erfolgt entweder durch (meist) jährliche Auszahlung oder gemeinsam mit der Tilgung am Ende der Laufzeit (Zerobond). Die Verzinsung hängt vor allem vom Marktzinssatz und von der Bonität des Schuldners ab.
- Kursgewinn bzw. Kursverlust

return on a bond
To calculate the return on a bond the following must be considered:
- the interest rate: the interest rate is given as a percentage of the nominal value. Interest is paid either annually (most common) or together with the redemption amount at the end of the term of the bond (zero bond). The rate of interest depends mainly on market interest rates and on the creditworthiness of the debtor.
- increases or decreases in the price of the bond

Anleiheschuldner
Anleiheschuldner sind der Bund, die Länder und Gemeinden sowie Großunternehmen (einschließlich der Kreditinstitute und Versicherungsgesellschaften).

bond debtors (issuers)
Bond debtors are the federal government, the federal states and regional authorities, as well as large companies (including financial institutions and insurance companies).

Lerneinheit 1: Welche Wertpapiere gibt es?

Haftung	Jeder Anleiheemittent haftet mit seinem gesamten Vermögen (Bundesanleihen sind daher besonders sicher).
liability	*Each bond issuer is liable with all its assets (federal government bonds are therefore particularly secure).*
Rating	Ein Rating ist die Bonitätsbeurteilung des Anleiheschuldners durch eine Ratingagentur. Beurteilt werden das Länderrisiko und das Risiko des Emittenten. Das Ergebnis des Ratings bestimmt die Höhe des Nominalzinssatzes: Je schlechter das Ergebnis ist, umso höher ist der Nominalzinssatz.
rating	*A rating is the assessment of the issuer's creditworthiness by a rating agency. The rating considers the country risk and the issuer's risk. The result of the rating determines the level of the nominal interest rate: the worse the rating, the higher the nominal interest rate.*
spezielle Anleiheformen	Spezielle Anleiheformen und Sonderformen sind die Pfand- und Kommunalschuldverschreibungen, Aktienanleihen und Wandelanleihen.
special forms of bonds	*Special forms of bonds and other special forms are covered (or mortgage) bonds, municipal bonds, reverse convertible bonds and convertible bonds.*
Pfandbriefe und Kommunalschuldverschreibungen	Pfandbriefe und Kommunalschuldverschreibungen werden von dazu ermächtigten Kreditinstituten ausgegeben. Die Mittel aus Pfandbriefen dürfen nur für Hypothekarkredite, die Mittel aus Kommunalschuldverschreibungen nur für Kredite an Länder und Gemeinden verwendet werden.
covered (or mortgage) bonds and municipal bonds	*Covered (or mortgage) bonds and municipal bonds are issued by financial institutions with specific permission to do so. The funds raised by issuing covered bonds must be used for mortgage loans, and the funds from municipal bonds for loans to federal states and regional authorities.*
Aktienanleihen	Bei der Aktienanleihe ist die Form der Rückzahlung (Aktien oder Barbetrag) vom Börsekurs der zugrunde liegenden Aktie abhängig.
reverse convertible bonds	*Issuing a reverse convertible bond means that the form of repayment or redemption (in shares or cash) depends on the market price of the underlying share.*
Wandelanleihen	Der Eigentümer hat das Recht, die Wandelanleihe zu einem bestimmten Zeitpunkt in einem bestimmten Verhältnis in Aktien umzutauschen.
convertible bonds	*The holder has the right to exchange the convertible bond on a specified date for shares in a specified proportion to the value of the bond.*
Wohnbauanleihen	Wohnbauanleihen werden von Wohnbaubanken ausgegeben. Die Verzinsung ist fix oder variabel. Die Zinserträge sind bis 4 % vom Nennbetrag von der KESt befreit.
mortgage bonds	*Mortgage bonds for the financing of residential housing are issued by banks specialising in housing loans. The interest rate is fixed or variable. The interest or capital gain is exempt from capital gains tax up to the amount of 4% of the nominal value.*
Investmentzertifikate	Investmentzertifikate verbriefen den Anteil an einem Investmentfonds. Investmentfonds sind Kapitalanlagegesellschaften, die die aufgebrachten Mittel nach dem Prinzip der Risikostreuung anlegen. Investmentzertifikate haben keinen Nennwert, sondern lauten auf einen (oder auf mehrere) Anteil(e) am Fondsvermögen.
investment fund certificates	*Investment fund certificates document a share in an investment fund. Investment funds are capital investment companies that invest the funds raised with a view to spreading risk. Investment fund certificates have no nominal value, but represent one (or several) shares in the assets of the fund.*
Arten von Investmentfonds	Man unterscheidet folgende Arten von Investmentfonds: • hinsichtlich der Ausgabemöglichkeit: offene und geschlossene Fonds • hinsichtlich der Art der enthaltenen Wertpapiere: Aktienfonds, Rentenfonds, Mischfonds, Immobilienfonds, Spezialitätenfonds und Hedgefonds
types of investment funds	*It is possible to differentiate between the following types of investment funds:* • *based on how certificates can be issued: open and closed-end funds* • *based on the types of investment made: share funds, fixed-interest security (bond) funds, mixed funds, real estate (property) funds, speciality funds and hedge funds*

Rendite bei Investmentzertifikaten

Für die Rendite von Investmentzertifikaten sind zu berücksichtigen:
- Differenz zwischen Ausgabepreis (rechnerischer Wert zuzüglich Ausgabeaufschlag) und Rücknahmepreis (rechnerischer Wert abzüglich Verwaltungsgebühr); der Fonds ist zur Rücknahme der Investmentzertifikate verpflichtet.
- laufende Erträge (aus Dividenden, Zinsen, Kursgewinnen beim Verkauf von Wertpapieren)

return on investment fund certificates

To calculate the return on an investment fund certificate, the following should be considered:
- The difference between the issue price (book value plus issuing surcharge) and redemption price (book value minus administrative charges); the fund is obliged to redeem investment fund certificates.
- current gains (from dividends, interest payments, price increases when selling securities)

SbX ID: 4013

Im SbX finden Sie eine Audio-Wiederholung der englischen Beiträge sowie eine Bildschirmpräsentation mit den Grafiken dieser Lerneinheit.

SbX ID: 4014

W 4.01: Anleihe

Ein Erzeuger von Windenergie hat im Jahr 2015 folgende Anleihe begeben:

3,25% Windkraft Simonsfeld AG Anleihe 2015-2022

Die Teilschuldverschreibungen der „3,25% Windkraft Simonsfeld AG Anleihe 2015-2022" konnten vom 19. bis 26. Jänner 2015 gezeichnet werden. Das öffentliche Angebot von Anleihen der Windkraft Simonsfeld AG wurde nach Erreichen des Emissionsvolumens von 7 Millionen EUR vorzeitig beendet.

Emittentin	**Windkraft Simonsfeld AG**
Emissionsvolumen	**EUR 4.000.000,- (aufgestockt auf 7.000.000.-)**
Stückelung	**EUR 1.000,-**
Verzinsung	**3,25 % pro Jahr vom ausstehenden Nennwert**
Emissionskurs	**101% (EUR 1.010,-)**
Laufzeit	**7 Jahre (11.02.2015 bis 10.02.2022)**
Ratentilgung	**Tilgung zu vier gleichen Teilen zu je EUR 250.- voraussichtlich am 11.02.2019, 11.02.2020, 11.02.2021 und am 11.02.2022**
Zeichnungsfrist	**19.01.2015 bis 26.01.2015**
Ausgabetag	**voraussichtlich 11.02.2015**
Zahlstelle	**Österreichische Volksbanken Aktiengesellschaft**
ISIN	**AT0000A1B230**

Das Angebot der Windkraft Simonsfeld AG Anleihe in Österreich erfolgte ausschließlich durch und auf Grundlage des von der Finanzmarktaufsicht am 12. Jänner 2015 gebilligten und veröffentlichten Basisprospekts samt allfälliger Nachträge und der endgültigen Bedingungen der Anleihe.

Quelle: www.wksimonsfeld.at/deutsch/investieren/anleihe/325-anleihe-2015-2022.html; letzter Zugriff: 07.07.2017.

Analysieren Sie den Text zur Anleihe der Windkraft Simonsfeld AG und beantworten Sie folgende Fragen:

a) Welche Anleihebedingungen sind aus dem Prospekt ersichtlich?

Gesamtlaufzeit:

Nominalverzinsung:

Art der Tilgung:

vorzeitige Kündigung:

Emissionskurs:

Tilgungskurs:

Emittent:

Haftung:

Stückelung:

Kupontermin:

b) Wie wirkt sich der Emissionskurs auf die Rendite dieser Anleihe aus?

c) Nehmen Sie an, die Windkraft Simonsfeld-Anleihe notiert mit 103,5.
   Wie hoch ist die laufende Rendite nach KESt?

d) Analysieren Sie, warum es zum vorzeitigen Zeichnungsschluss kam.

e) Beschreiben Sie, welche anderen Finanzierungsmöglichkeiten für die Windkraft Simonsfeld AG noch möglich gewesen wären.

W 4.02: Merkmale von Wertpapieren B

Welche Merkmale sind für den Anleger bei der Wertpapierauswahl von Bedeutung?

W 4.03: Mitbestimmung von Aktionären B

Welche Arten von Aktien werden hinsichtlich der Möglichkeit des Aktionärs zur Mitbestimmung unterschieden?

W 4.04: Aktienertrag A

Woraus setzt sich der Ertrag des Aktionärs zusammen?

W 4.05: Aktienkurs, Dividende B

SbX
W 4.05 mit automatischer Aufgabenkontrolle
ID: 4014

Stellen Sie fest, ob die folgenden Aussagen über Aktien richtig oder falsch sind, und stellen Sie die falschen Aussagen richtig.

a) Die Aktionäre erhalten jährlich eine fixe Dividende.

☐ Richtig   ☐ Falsch, richtig ist:

b) Die Dividendenrendite ist eine geeignete Kennzahl, um die Rendite der Anlage in einer bestimmten Aktie einzuschätzen.

☐ Richtig   ☐ Falsch, richtig ist:

W 4.06: Aktien und Anleihen B

Was ist der Unterschied zwischen Aktien und Anleihen?

W 4.07: Anleihenertrag A

Woraus setzt sich der Ertrag des Eigentümers einer Anleihe zusammen?

W 4.08: Haftung für Anleihen, Pfandbriefe und Kommunalschuldverschreibungen B

Wer haftet für Anleihen, wer für Pfandbriefe und wer für Kommunalschuldverschreibungen?

W 4.09: Anleihenverzinsung B

Welche Anleiheformen werden hinsichtlich der Zinsstruktur unterschieden? Charakterisieren Sie diese.

▶ Lernen ◉ Üben ◉ Sichern ◖ Wissen

W 4.10: Investmentfonds Ⓐ

Beschreiben Sie den Aufbau und die Tätigkeit von Investmentfonds.

W 4.11: Offene und geschlossene Investmentfonds Ⓑ

Erklären Sie den Unterschied zwischen einem offenen und einem geschlossenen Fonds.

SbX
W 4.12
mit automatischer Aufgabenkontrolle
ID: 4014

W 4.12: Investmentfonds, Merkmale Ⓑ

Stellen Sie fest, ob die folgenden Aussagen über Investmentzertifikate richtig oder falsch sind, und stellen Sie die falschen Aussagen richtig.

a) Investmentgesellschaften investieren nur in Anteilspapiere.
   ☐ Richtig   ☐ Falsch, richtig ist:

b) Investmentgesellschaften schütten die erzielten Gewinne immer vollständig aus.
   ☐ Richtig   ☐ Falsch, richtig ist:

c) Investmentgesellschaften, die nur in Aktien investieren, versuchen nicht immer jene Gesellschaften auszuwählen, die den höchsten laufenden Gewinn versprechen.
   ☐ Richtig   ☐ Falsch, richtig ist:

W 4.13: Bewertung von Investmentfonds Ⓐ

Wie werden Anteile an Investmentfonds bewertet?

SbX
W 4.14
mit automatischer Aufgabenkontrolle
ID: 4014

Weitere Aufgaben zur Lernkontrolle im SbX

W 4.14: Gläubigerpapiere: Kreuzworträtsel Ⓑ

Lösen Sie ein Kreuzworträtsel zum Thema Gläubigerpapiere!

SbX
Test
ID: 4014

Test mit automatischer Aufgabenkontrolle

Test: Anlage in Wertpapieren
Überprüfen Sie mit diesem Test, ob Sie Ihr Wissen erfolgreich anwenden können!

English questions

E 4.01: Fill in the chart below by writing the correct characteristics for each type of investment (copy the chart into your copybook leaving plenty of space for your answers):

Characteristics: ↓ / Products: →	shares	bonds	investment funds
issuer:			
goal of issue:			
investor's goal:			
liability:			
return on investment:			

E 4.02: Name and describe two different types each of:

a) shares   b) bonds   c) investment funds

Ein kurzer Kompetenz-Check, bevor's weitergeht!

Kompetenz-Check

	☺	😐	☹
Ich kann Wertpapiere nach Kriterien analysieren.			
Ich kann verschiedene Wertpapierarten erläutern.			
Ich kann die Unterschiede zwischen Aktien, Anleihen und Investmentzertifikaten aus Anleger- und Emittentensicht charakterisieren.			
Ich kann die Effektivverzinsung (Rendite) unterschiedlicher Wertpapierarten berechnen.			

Lerneinheit 2: Kapitalanlageentscheidungen

Lerneinheit 2
Kapitalanlageentscheidungen

SbX
Alle SbX-Inhalte zu dieser Lerneinheit finden Sie unter der ID: 4020.

Sebastian hat 200.000 Euro geerbt, die er sicher anlegen will. Er will aber auch einen Ertrag erzielen – das Kapital soll sich vermehren. Und die Anlage soll, wenn nötig, rasch wieder zu Bargeld gemacht werden können. Schnell stellt Sebastian fest, dass es keine Anlageform gibt, die alles kann: Ein hoher Ertrag bedeutet in der Regel ein hohes Risiko. Sicherheit bedeutet zusätzlich oft, dass die Anlage schwer zu liquidieren ist. Darüber hinaus möchte Sebastian nicht in irgendein Unternehmen investieren, sondern es sind ihm auch ethische und nachhaltige Aspekte für die Auswahl der Veranlagung wichtig.

In der Anlagepolitik spricht man daher von einem Magischen Vieleck, in dem die verschiedenen Anlageziele dargestellt werden. Keine Anlageform kann alle Ziele optimal erreichen. Die Entscheidung, in welche Anlageformen wie viel und wie lange investiert wird, sollte daher gut überlegt werden.

Lernen

SbX ID: 4021

1 Anlagekriterien und Anlageentscheidung
[The investment decision]

Jede Anlageform kann anhand der folgenden fünf Kriterien beurteilt werden. Man spricht vom **Magischen Vieleck** der Kapitalanlage:

Grafik Magisches Vieleck der Kapitalanlage

Betriebswirtschaft und Projektmanagement HLW IV

(1) Rentabilität (Performance)

Unter Rentabilität versteht man den **Ertrag einer Kapitalanlage** bezogen auf das eingesetzte Kapital. Die Rentabilität ist in der Praxis oft schwer zu ermitteln, da sie von folgenden Größen – je nach Anlageform unterschiedlich – beeinflusst wird:

- **laufende Erträge** (Zinsen, Dividenden, Mieterträge usw.) abzüglich der **laufenden Kosten** (Depotgebühren, Erhaltungsaufwand, Steuern, Versicherung)
- **Wertzuwachs** zwischen Investition und Veräußerung/Ende der Bindungsdauer abzüglich der **Kosten** für den Erwerb bzw. die Veräußerung (Bankspesen, Notariatsspesen, Steuern auf den Wertzuwachs usw.)
- **Veränderung des Geldwerts:** Sachwerte sind in der Regel gut gegen die Inflation abgesichert. Nominelle Anlagen (z. B. Spareinlagen, Anleihen) verlieren hingegen bei Inflation real an Wert.

(2) Sicherheit

Auch Staatsanleihen können im Wert stark schwanken (das zeigte z. B. die Finanzkrise in Griechenland und Irland 2010).

Die Sicherheit (die Erhaltung des Vermögenswerts) hängt von den Risiken der jeweiligen Anlageform ab:

- Anleihen und Zertifikate sind relativ sicher. Zu beachten sind:
  - die Bonität des Schuldners: Diese ist vor allem bei Bundesanleihen hoch.
  - das Geldwertrisiko (Inflation)
  - das Währungsrisiko (bei Fremdwährungsanleihen)
- Aktien und Derivate versprechen höhere Gewinne bei jedoch gleichzeitig höherem Risiko.
- Anteile an Investmentfonds gewähren mehr Sicherheit, weil sie das Risiko nach verschiedenen Gesichtspunkten streuen. Zu beachten sind jedoch der Ausgabeaufschlag und die Managementgebühr.
- Sachwerte (Immobilien, Gold, Diamanten) sind in der Regel sicher, haben aber eine geringere Liquidität.

Ein Sonderproblem ist die politische Sicherheit. Veränderungen in einem Teil der Welt können sich über die multinationalen Unternehmen auf ganze Branchen oder sogar auf die gesamte Weltwirtschaft auswirken (z. B. Ölpreis).

(3) Liquidität

Wertpapiere sind beliebig teilbar und daher liquider als Immobilien.

Die Liquidität beschreibt die Möglichkeit für den Anleger, seine Kapitalanlagen jederzeit zu marktgerechten Preisen wieder verkaufen zu können. Sie ist dann gegeben, wenn die Kapitalanlage beliebig teilbar ist und leicht in Bargeld zurückverwandelt werden kann.

(4) Ethische Verantwortbarkeit

Für viele Anleger ist es wichtig, ihr Geld so zu veranlagen, dass auch ökologische und soziale Aspekte berücksichtigt werden. Sie nutzen daher Veranlagungsangebote von Unternehmen, die

- nachhaltige Zukunftstechnologien entwickeln,
- sozialen und/oder ökologischen Nutzen erzeugen.

(5) Mobilität

Die leichte Transportierbarkeit ist vor allem in politisch unsicheren Zeiten und Regionen ein wesentlicher Gesichtspunkt bei Anlageentscheidungen. Diamanten, Gold und Platin sind unter diesem Aspekt die optimalen Anlageobjekte.

Veranlagungspyramide und Risikostreuung
[Investment pyramid and spreading risk]

Keine Anlageform erfüllt alle Anlagekriterien optimal. Um das Risiko zu streuen, sollte man bei der Kapitalanlage stufenweise vorgehen:

Grafik Veranlagungspyramide und Risikostreuung

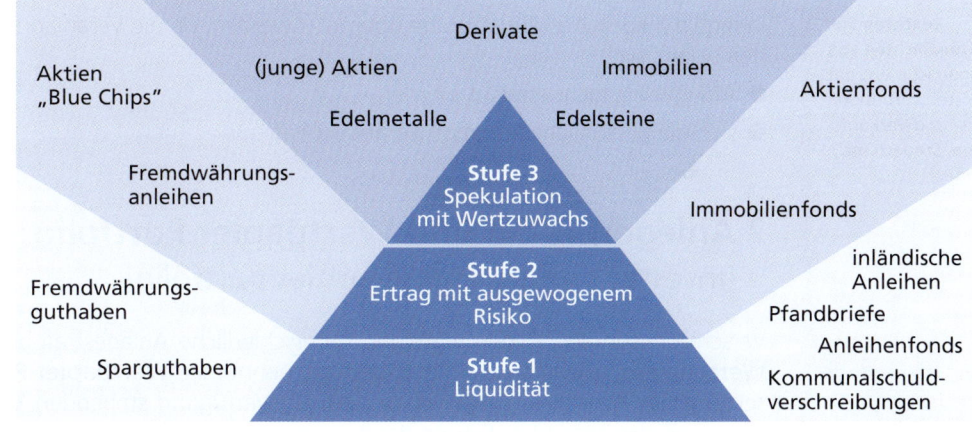

Stufe 1: Liquidität

Den Grundstock bilden Anlagen mit **hoher Liquidität** und **geringem Risiko**. Der Anleger kann dadurch seine kurz- und mittelfristigen Liquiditätserfordernisse sicherstellen.

Geeignet sind vor allem Sparguthaben, Fremdwährungen, Pfandbriefe und Kommunalschuldverschreibungen, inländische Anleihen oder Anleihefonds.

Ein Teil des Kapitals sollte immer unter dem Gesichtspunkt der Stufe 1 veranlagt werden.

Stufe 2: Ertrag mit ausgewogenem Risiko

Darüber hinaus sollte in Anlageformen mit ausgewogenem Risiko und mit höheren Ertragsaussichten investiert werden.

Geeignet sind vor allem Fremdwährungsanleihen, Aktien, Aktienfonds oder Immobilienfonds.

Stufe 3: Spekulation mit Wertzuwachs

Das verbleibende Kapital kann in Anlagen mit höherem Risiko und/oder geringerer Liquidität bei gleichzeitig höheren Ertragschancen investiert werden.

Geeignet sind vor allem (junge) Aktien, Derivate, Edelmetalle, Edelsteine oder Immobilien (siehe Seite 158).

Asset-Allocation [Asset allocation]

Asset bedeutet Vermögen, eine Allocation ist eine Aufteilung.

Der Anleger sollte sein Kapital entsprechend seinen persönlichen Verhältnissen aufteilen. Die individuelle **Kapitalaufteilung** des Anlegers auf die **verschiedenen Anlageformen** wird als Asset-Allocation bezeichnet. Sie erfolgt in den folgenden 3 Schritten:

Schritt 1: Festlegung der individuellen Rahmenbedingungen

- **Anlagebetrag:** Wie viel Kapital steht zur Verfügung?
- **Anlagerhythmus:** Soll ein vorhandener Betrag auf einmal veranlagt werden oder sollen Einkommensüberschüsse regelmäßig veranlagt werden?
- **Anlagedauer:** Werden laufende Erträge benötigt oder ist das Hauptziel der Wertzuwachs in einer längeren Periode? Wie lange darf die Bindungsdauer sein?
- **Risikoeinstellung:** Welches Risiko will der Anleger eingehen? Geht Sicherheit vor Rendite oder Rendite vor Sicherheit?
- **steuerliche Situation:** Kann der Anleger steuerliche Begünstigungen ausnützen?
- **ethische Verantwortbarkeit:** In welche Branchen soll bzw. soll keinesfalls investiert werden? Welchen sozialen und/oder ökologischen Beitrag leistet das Unternehmen, in das investiert werden soll?

Schritt 2: Auswahl der bestmöglichen Anlagealternativen
- Wie viel Kapital soll in die einzelnen Anlageformen investiert werden?
- Wo soll gekauft werden, wo wird verwahrt?

Schritt 3: Erfolgskontrolle

In regelmäßigen Abständen sollte überprüft werden, ob die Veranlagungen umgeschichtet werden sollen, weil

- Anlageziele nicht erreicht wurden,
- sich die persönliche Situation verändert hat.

Beachten Sie: Das Umschichten von Anlagen ist meist mit Kosten verbunden (Ankaufs- und Verkaufsspesen, Steuern etc.).

2 Anlegerprofile und Wertpapier-Portfolio
[Investor profiles and securities portfolio]

Verschiedene Anlegertypen verfolgen unterschiedliche Anlagestrategien. Die **Gesamtheit der Wertpapiere**, über die ein Anleger verfügt, nennt man **Wertpapier-Portfolio.** Die Zusammensetzung des Portfolios hängt neben dem zur Verfügung stehenden **Veranlagungsbetrag** vor allem von der geplanten **Dauer der Veranlagung** und von der **Risikobereitschaft** des Anlegers ab. Hieraus leitet sich die Anlagestrategie ab.

Die Anlagestrategie wird daher von folgenden Faktoren bestimmt:

- Wie lange möchte der Anleger das Wertpapierportfolio behalten?

    Investoren halten ihr Portfolio lange, Daytrader kaufen und verkaufen innerhalb eines Tags.

- Welche Einstellung zum Risiko hat der Anleger?

    Risikofreudige Anleger veranlagen in risikoreichere Wertpapiere als sogenannte „Sicherheitstypen". Sicherheitstypen versuchen, das Risiko durch eine breite Streuung so gering wie möglich zu halten.

Der Wertpapierkauf [Buying securities]

Beim Kauf eines Wertpapiers ist folgendermaßen vorzugehen:

Grafik Der Wertpapierkauf

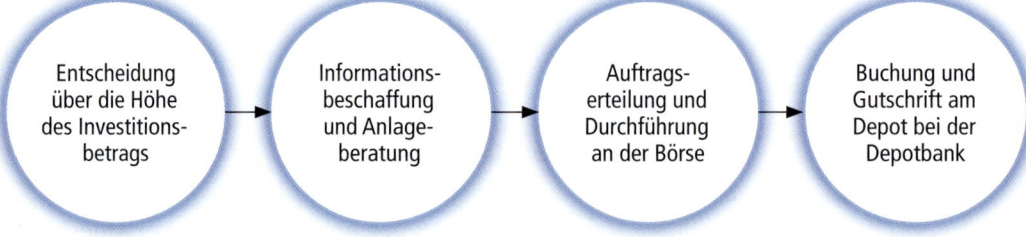

(1) Entscheidung über die Höhe des Investitionsbetrags

Wertpapiere werden erst rentabel, nachdem die beim Kauf zu bezahlenden Gebühren und Provisionen verdient wurden. Eine Veranlagung in Aktien wird von Fachleuten daher erst ab einer Investitionssumme von ca. € 2.000,– empfohlen. Hat man weniger Kapital zur Verfügung, kann man z. B. ab ca. € 30,– monatlich Anteile an einem Investmentfonds erwerben.

(2) Informationsbeschaffung und Anlageberatung

Derzeit kaufen Privatanleger ihre Wertpapiere meist über den Wertpapierberater bei ihrer Hausbank, bei einem selbständigen Finanzberater oder online.

(3) Auftragserteilung und Durchführung an der Börse

Da der Anleger nicht selbst direkt an der Börse kaufen oder verkaufen kann, muss er einen dazu berechtigten Vermittler beauftragen.

Für Privatanleger sind dies:
- der Wertpapierberater in der Bankfiliale
- unabhängige Anlageberater
- Online-/Discount-Broker

Der Kauf- bzw. Verkaufsantrag enthält:
- ISIN (International Securities Identification Number)
- Stückzahl
- Börse, an die der Auftrag übermittelt werden soll

(4) Buchung und Gutschrift am Depot bei der Depotbank

Der Kauf bzw. Verkauf wird abschließend am Wertpapier-Depotkonto (Depot) des Anlegers bei der Depotbank verbucht. Dabei fallen verschiedene Transaktionskosten an (z. B. Bankspesen und Maklerprovision).

Die Transaktionskosten betragen bei inländischen Aktien derzeit bis zu 1,5 % des Kurswerts. Bei Anleihen sind die Spesen etwas geringer.

Kleinanleger müssen auch besonders auf die Mindestgebühren achten.

Das Wertpapierdepot [Investment portfolio account]

Das Wertpapierdepot ist mit einem Girokonto vergleichbar, über das der Anleger frei verfügen kann.

Die Wertpapiere werden von der depotführenden Bank (Depotbank) am Wertpapierkonto verrechnet. Die Depotbank übernimmt auch die Abwicklung der Dividenden, Zins- und Tilgungszahlungen. Über den aktuellen Wert aller im Depot befindlichen Wertpapiere (Depotstand) gibt der Depotauszug Auskunft.

Für die Verwahrung und Verwaltung der Wertpapiere verrechnen die Banken eine Depotgebühr – bei inländischen Wertpapieren z. B. 2 ‰ des Kurswerts plus 20 % USt. Großanleger können über die Depotgebühren verhandeln.

Wertpapier-Kapitalanlage und Steuer
[Investment in securities and its taxation]

Die Renditen von privaten Kapitalanlagen hängen entscheidend von der Besteuerung ab. Zu beachten sind vor allem die **Bestimmungen des Einkommensteuergesetzes.**

Beachten Sie: Die KESt für Spar- und Geldeinlagen beträgt weiterhin 25 %.

Sowohl die Zinsen, Dividenden und ausgeschütteten Gewinnanteile von Gesellschaften mit beschränkter Haftung als auch realisierte Wertsteigerungen unterliegen der Kapitalertragsteuer (KESt) von 27,5 %. Realisierte Wertsteigerungen ergeben sich dann, wenn Wertpapiere zu höheren Kursen verkauft werden, als sie angekauft wurden.

Die Kapitalertragsteuer wird von den inländischen Banken, bei denen das Depot geführt wird, sofort einbehalten und an das Finanzamt abgeführt.

Wurden die Wertpapiere vor dem 1. 10. 2011 angeschafft, gelten besondere Regelungen.

Wird das Depot bei ausländischen Banken geführt, müssen diese **ausländischen Kapitalerträge** in der Einkommensteuererklärung angegeben werden. Sie werden jedoch nur mit einem **besonderen Steuersatz** von 27,5 % belastet, d. h., sie sind den inländischen Kapitalerträgen gleichgestellt.

Wertpapierkurs und Kursblatt [Price of securities and quotations list]

Der Kurs zeigt den aktuellen Preis des Wertpapiers.

(1) Kursnotierung

Die Wertpapierkurse werden entweder **in Prozent** (Prozentkurs) oder **pro Stück** (Stückkurs) angegeben:

- **Prozentkurs**

  Die Kurse für festverzinsliche Wertpapiere werden an der Wiener Börse in Prozent des Nominale angegeben.

Beispiel: 4,15 % Bundesanleihe 12–34 notiert 101,85 heißt, dass ein Anleihestück im Nominale von € 100,– € 101,85 kostet.

- **Stückkurs**
  - Aktien notieren an der Wiener Börse in Euro pro Stück für das kleinste Nominale.
  - Zertifikate, Fondsanteile, Optionsscheine und Partizipationsscheine notieren in Euro pro Stück.

(2) Der Wertpapierkurs

Der Aktienkurs

Der Aktienkurs ist der **aktuelle Preis** einer **börsegehandelten Aktie.** Er ergibt sich aus dem Verhältnis von Angebot und Nachfrage an der Börse. Steigt die Nachfrage, werden die potenziellen Käufer auch bereit sein, einen höheren Preis zu bezahlen, und der Kurs steigt. Sinkt hingegen die Nachfrage, dann sind die Käufer nur bereit, einen geringeren Preis zu bezahlen, und der Kurs fällt.

Die Nachfrage und damit der Kurs einer Aktie ergeben sich aus den Einschätzungen der Anleger, welche Gewinne das Unternehmen in Zukunft erzielen wird. Der Kurs repräsentiert daher nicht den Ist-Zustand, sondern die **Erwartungen der Anleger für die Zukunft.** Diese Erwartungen sind von mehreren Faktoren abhängig:

Während der weltweiten Finanzkrise 2008/2009 kam es zu Kurssprüngen von bis zu 30 % pro Tag. Die Kursprognosen renommierter Finanzdienstleister unterschieden sich bis zum Dreifachen.

- **objektive (rationale) Faktoren**
  - zukünftige Unternehmensergebnisse („Gewinnerwartungen")
  - gesamtwirtschaftliche Lage, z.B. Inflation, Konjunktur, Arbeitslosigkeit, Entwicklung der Zinsen
  - politische Ereignisse, z.B. Steuerpolitik, innenpolitische Ereignisse
- **subjektive (irrationale) Faktoren**

  Oft ist es schwierig bis sogar unmöglich nachzuvollziehen, weshalb der Kurs einer Aktie steigt oder fällt. Die Gründe dafür sind Hoffnungen, Meinungen, Vermutungen, Stimmungen, Wünsche, Überzeugungen und Befürchtungen der Marktteilnehmer.

Der Anleihekurs

Der Kurs einer Anleihe ist von der **Veränderung des Marktzinsniveaus** nach ihrer Begebung abhängig. Bei einer Erhöhung des Marktzinsniveaus sinkt in der Regel der Kurs der Anleihe, bis ihre Rendite in etwa dem Marktzinssatz entspricht. Bei sinkendem Marktzinsniveau steigt umgekehrt der Kurs.

Die Darstellung des Kurses

Die Kursentwicklung wird in Form von Charts dargestellt. Auf der x-Achse wird die Zeit, auf der y-Achse der jeweilige Kurs eingetragen.

Beispiel

Linienchart: Entwicklung des ATX von Juni 2016 bis Juni 2017

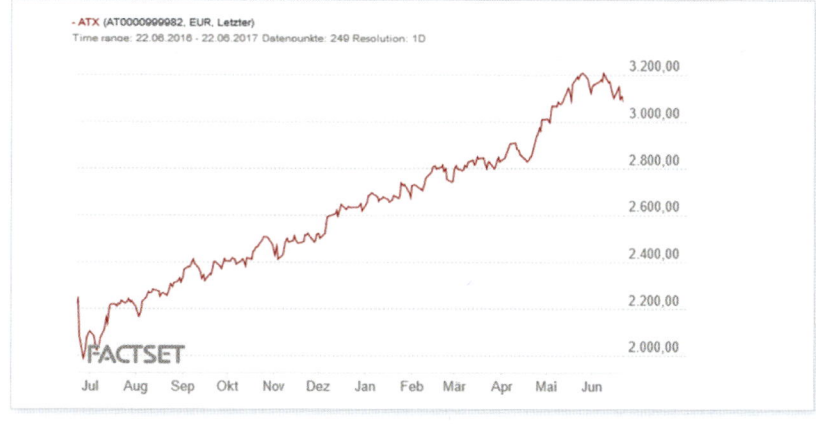

Quelle: Wiener Börse AG & Interactive Data; letzter Zugriff: 22.06.2017.

(3) Das Kursblatt

Beachten Sie: Die Kursblätter sind unterschiedlich gestaltet.

Das Kursblatt ist eine Liste mit den **Kursinformationen** vom **aktuellen** und vom **vorangegangenen Börsentag**. Es ist eine wichtige Informationsquelle für Anleger, da es neben den aktuellen Daten auch zeigt, wie sich die Ergebnisse verändert haben. Das Kursblatt wird z. B. auf der Website der Wiener Börse sowie in Tageszeitungen veröffentlicht.

Übungsbeispiel

Ü 4.14: Kursblatt interpretieren C

Kursblatt auf www.wienerborse.at:

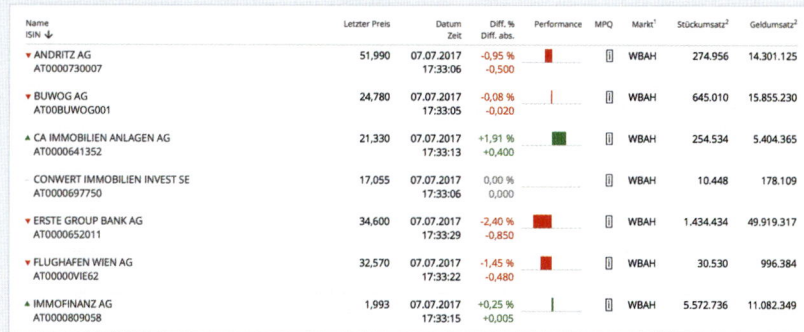

Quelle: https://www.wienerborse.at/indizes/aktuelle-indexwerte/preise-mitglieder/; letzter Zugriff: 10.07.2017.

Analysieren Sie das Kursblatt und finden Sie Antworten zu den folgenden Fragen:
a) In welchem Marktsegment werden die Wertpapiere gehandelt?
b) Welche ISIN (International Securities Identification Number) hat die Aktie der BUWOG AG?
c) Zu welchem Kurs notieren die Aktien der Erste Group Bank AG?
d) Welche Aktien sind im Kurs gestiegen, welche gefallen?
e) Welche Aktie verzeichnete die größte Kursschwankung?
f) Wie viel Stück der Andritz-AG-Aktien wurden gehandelt? Welcher Umsatz wurde dabei erzielt?

3 Anlage in Sachwerten [Investing in intrinsic values]

Neben dem Sparen und der Anlage in Wertpapieren bevorzugen manche Anleger auch sogenannte Sachwerte:

Grafik Anlage in Sachwerten

Nur Edelmetalle haben einen Börsepreis, der täglich weltweit festgestellt werden kann. Bei allen anderen Sachwerten ist hohe Sachkenntnis oder ein absolut vertrauenswürdiger Berater erforderlich. Dies gilt sowohl für Diamanten als auch für Antiquitäten und Gemälde.

Üben – Anwenden

Ü 4.15: Kriterien der Kapitalanlage C

Analysieren Sie den Anleiheprospekt der Fa. Windkraft Simonsfeld AG (siehe Seite 148) in Hinblick auf die 5 Kriterien der Kapitalanlage.

Zeigen Sie auf, welcher der Hauptaspekt für den Kauf dieser Anleihe sein könnte.

Ü 4.16: Veranlagungspyramide C

Ein Verwandter hat € 250.000 geerbt.

Zeigen Sie auf, wie er seine Veranlagung streuen sollte, wenn er im Sinne der Veranlagungspyramide veranlagen möchte.

Ü 4.17: Anlagetendenzen in Österreich D

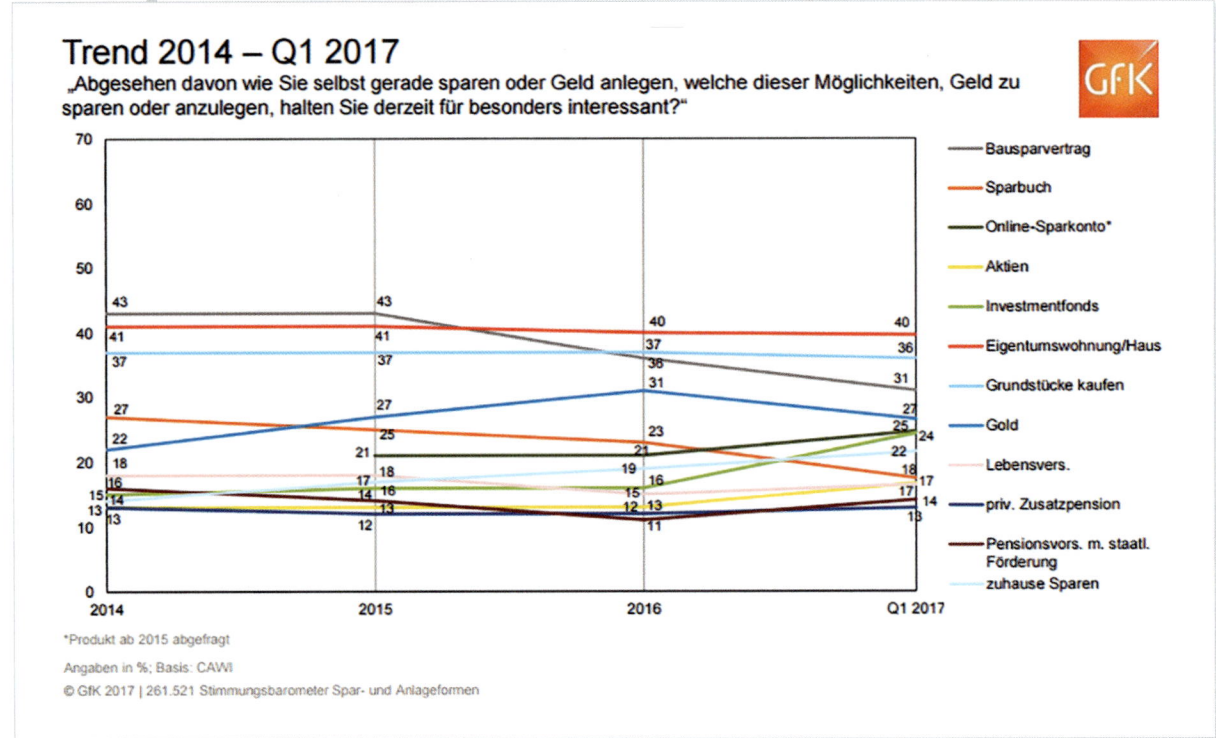

Quelle: http://www.marktmeinungmensch.at/studien/spar-und-anlageformen-in-oesterreich-trends-2006-3/

a) Zeigen Sie auf, welche Anlagetendenzen aus den Umfrageergebnissen ersichtlich sind.
b) Analysieren Sie, welche Kriterien der Veranlagung offensichtlich vorrangig sind.
c) Analysieren Sie, welche Verzerrungen im Ergebnis enthalten sein können.

Ü 4.18: Kursentwicklungen D

In der folgenden Tabelle finden Sie die Kurse wichtiger österreichischer Aktien per 28. Juni 2017.

Recherchieren Sie auf **www.wienerborse.at,** wie sich die Kurse entwickelt haben.

Erste Group:	32,750	OMV:	46,200	Raiffeisen:	22,355
Telekom:	6,749	voestalpine:	40,095	Wienerberger:	19,880

Sichern

SbX ID: 4023

Kriterien der Kapitalanlage (Magisches Vieleck)	Bei der Kapitalanlage ist immer zwischen Rentabilität, Sicherheit, Liquidität, ethischer Verantwortbarkeit und Mobilität abzuwägen.
investment criteria (magic triangle)	When investing it is important to assess return, security, liquidity, ethical accountability and mobility.
Rentabilität	Unter der Rentabilität versteht man den Ertrag pro Jahr in Prozent des investierten Kapitals.
return	Return is the profit per year as a percentage of the capital invested.
Sicherheit	Je sicherer eine Anlage ist, desto geringer ist in der Regel die Rentabilität. Anleihen, Anteile an Investmentfonds und Sachwerte sind relativ sicher, Aktien, Zertifikate und vor allem auch Derivate sind risikoreicher.
security	As a rule, the safer an investment is, the lower the return will be. Bonds, investment fund certificates and tangible assets are relatively safe. Shares, structured products, and above all derivatives are much riskier.
Liquidität	Eine Anlage ist umso liquider, je leichter sie wieder in Bargeld verwandelt werden kann.
liquidity	An investment is liquid if it can be easily converted back into cash.
ethische Verantwortbarkeit	Bei der Veranlagung werden soziale und ökologische Aspekte berücksichtigt.
ethical accountability	When investing, social and ecological factors are considered.
Mobilität	Die Veranlagung wird unter dem Gesichtspunkt der leichten Transportierbarkeit ausgewählt.
mobility	The investment is made taking account of how easy the investment will be to transport.
Veranlagungspyramide und Risikostreuung	Da keine Anlageform alle Anlagekriterien optimal erfüllt, empfiehlt sich eine stufenweise Streuung des Risikos.
investment pyramid and risk spreading	As there is no form of investment that fulfils all investment criteria optimally, it is advisable to combine different levels of risk in a portfolio.
Asset-Allocation	Unter der Asset-Allocation versteht man die individuelle Aufteilung des Kapitals. Ausgehend von den festgelegten persönlichen Rahmenbedingungen muss der Anleger die bestmöglichen Anlagealternativen auswählen. In regelmäßigen Abständen sollte der Anlageerfolg überprüft werden.
asset allocation	Asset allocation means the individual distribution of capital between different investments. Based on the investor's individual circumstances, the best possible investment alternatives should be selected. The investment success should be monitored at regular intervals.

 Lernen Üben Sichern Wissen

Wertpapier-Portfolio	Das Wertpapier-Portfolio bezeichnet die Gesamtheit der Wertpapiere eines Anlegers.
securities portfolio	The securities portfolio is the investor's total investment in securities.
Anlegertypen und Veranlagungsstrategien	Anleger können eine unterschiedliche Einstellung zum Risiko und zur gewünschten Dauer der Veranlagung haben. Daraus ergeben sich unterschiedliche Veranlagungsstrategien.
investor profiles and investment strategies	Investors can have different attitudes to risk and the desired duration of the investment. This means that there are also different investment strategies.
Besteuerung von Wertpapiererträgen	Für die Besteuerung von Wertpapiererträgen ist vor allem das Einkommensteuergesetz zu beachten:
	Laufende Erträge (Zinsen, Dividenden usw.) und Kursgewinne aus in- und ausländischen Wertpapieren unterliegen dem besonderen Steuersatz von 27,5 % (KESt mit Endbesteuerung bei inländischen Kapitaleinkünften, d.h., wenn die Erträge von einem inländischen Kreditinstitut ausbezahlt werden; bei ausländischen Kapitaleinkünften hingegen keine KESt mit Endbesteuerung).
taxation of gains on securities	Taxation of gains on securities is regulated mainly by the Income Tax Act:
	Current gains (interest payments, dividends, etc.) and price increases on foreign and domestic securities are subject to a special tax rate of 27.5 % (capital gains tax as final taxation withheld on domestic capital gains, i.e. if the gains are paid out by a domestic financial institution; on foreign capital gains there is no capital gains tax as final taxation).
Kursangaben	Kurse werden angegeben als: ● Prozentkurs (in Prozent der Nominale), z.B. bei Anleihen ● Stückkurs, z.B. bei Aktien, Anteilen an Investmentfonds
prices	Prices are quoted as: ● a percentage price (percentage of the nominal value), e.g. for bonds ● unit price, e.g. for shares, investment fund shares (or units)
Aktienkurs	Der Kurs einer Aktie ergibt sich aus dem Verhältnis von Angebot und Nachfrage. Diese werden von rationalen und irrationalen Faktoren beeinflusst.
shares	The price of a share is determined by supply and demand. Supply and demand are influenced by rational and irrational factors.
Kursblatt	Das Kursblatt enthält die Kursinformationen vom aktuellen und vom vorangegangenen Börsentag.
quotation list	The quotation list contains the price information of the current and previous day.
SbX ID: 4023	**Im SbX finden Sie eine Audio-Wiederholung der englischen Beiträge sowie eine Bildschirmpräsentation mit den Grafiken dieser Lerneinheit.**

Lerneinheit 2: Kapitalanlageentscheidungen

 **Wissen**

W 4.15: Kriterien der Kapitalanlage A

Nach welchen Kriterien können Kapitalanlagen beurteilt werden?

W 4.16: Optimale Anlageform B

Gibt es „die" optimale Anlageform? Begründen Sie Ihre Antwort.

W 4.17: Streuung der Kapitalanlage A

Welche Vorgehensweise empfiehlt sich für die Streuung des Vermögens?

W 4.18: Asset-Allocation A

Was versteht man unter der Asset-Allocation? Wie ist dabei vorzugehen?

W 4.19: Anlageentscheidung C

Welches der Kriterien der Kapitalanlage ist einem österreichischen Anleger vermutlich am wichtigsten, wenn er folgende Anlagemöglichkeiten wählt?

a) Sparbuch mit 3-monatiger Bindungsdauer bei einer österreichischen Großbank

b) Put-Option auf den Dollar, die berechtigt, US-Dollar innerhalb eines Jahres um einen Kurs von 1,25 zu verkaufen

c) Kommunalanleihe der Vorarlberger Landesbank mit einer Laufzeit von 12 Jahren und einer Verzinsung von 2,5 %

d) Aktien des koreanischen Autoherstellers KIA

W 4.20: Wertpapierportfolio, Zusammensetzung A

Was versteht man unter dem Wertpapierportfolio? Von welchen Faktoren ist seine konkrete Zusammensetzung abhängig?

W 4.21: Kursangabe an der Wiener Börse B

In welchen Formen werden die Kurse an der Wiener Börse angegeben? Nennen Sie jeweils auch Beispiele für Wertpapiere, die mit diesen Kursangaben notieren.

W 4.22: Aktienkurs A

Von welchen Faktoren wird der Kurs einer Aktie beeinflusst?

Weitere Aufgaben zur Lernkontrolle im SbX

W 4.23: Geld- und Kapitalanlage B

Stellen Sie sich einem Quiz zum Thema Geld- und Kapitalanlage!

W 4.24: Geld- und Kapitalanlage: Kreuzworträtsel 1 B

Lösen Sie ein Kreuzworträtsel zum Thema Geld- und Kapitalanlage!

W 4.25: Geld- und Kapitalanlage: Kreuzworträtsel 2 B

Lösen Sie ein Kreuzworträtsel zum Thema Geld- und Kapitalanlage!

Test mit automatischer Aufgabenkontrolle

Test: Die Anlageentscheidung B

Überprüfen Sie mit diesem Test, ob Sie Ihr Wissen erfolgreich anwenden können!

English questions

E 4.03: **You own a company called DoorWin GmbH which builds doors and windows with wooden frames. The company made a profit of € 80,000.00 last year and you have been asked to invest it in financial products.**

a) Name the five main areas used to create a profile for an investment product.

b) Explain how you would decide which product would be included in your portfolio.

E 4.04: **DoorWin GmbH has decided to invest € 15,000.00 in shares. Show what tools and analyses are available to help decide which shares to buy.**

Ein kurzer Kompetenz-Check, bevor's weitergeht!

Kompetenz-Check

	☺	😐	☹
Ich kann eine Veranlagungsstrategie in Abhängigkeit vom Veranlagungsprofil eines Anlegers entwickeln.			
Ich kann das Veranlagungsprofil eines Anlegers nach verschiedenen Kriterien bestimmen.			
Ich kann verschiedene Instrumente der Vermögensveranlagung nach Kriterien klassifizieren.			
Ich kann Aktien fundamental und technisch analysieren.			
Ich kann ethische Gesichtspunkte in eine Veranlagungsstrategie integrieren.			

Lerneinheit 3
Börse

Alle SbX-Inhalte zu dieser Lerneinheit finden Sie unter der ID: 4030.

Die Wiener Börse wurde im Jahr 1771 als eine der ersten Börsen der Welt von Kaiserin Maria Theresia gegründet.

Börsen, die Drehscheiben des Kapitalmarkts, gibt es seit dem 15. Jahrhundert. Damals fanden sich Kaufleute aus aller Welt am Marktplatz „ter burse" (benannt nach dem dort ansässigen Bankier „van der Beurse") im belgischen Brügge zusammen, um Handel zu treiben. Diese regelmäßigen Handelstreffen wurden bald als „Börse" bezeichnet.

Ein funktionierender Kapitalmarkt – und damit auch eine gut funktionierende Börse – ist für die gesamte Wirtschaft wichtig. Studien bestätigen den unmittelbaren Zusammenhang zwischen einer gesunden Wirtschaft und einem gut funktionierenden Kapitalmarkt.

Er trägt vor allem bei

- zur Finanzierung von Investitionen im In- und Ausland,
- zur Finanzierung von Innovationen, Forschung und Entwicklung,
- zu Unternehmensgründungen und -expansionen,
- zum Erhalt der bestehenden und zur Schaffung neuer Arbeitsplätze,
- zur Verbesserung der Eigenkapitalbasis der Unternehmen,
- zum Ausbau der privaten Altersvorsorge und
- zur Stärkung der gesamten Volkswirtschaft.

Lernen

SbX ID: 4031

1 Wertpapierbörsen [Securities markets]

Auch am Kapitalmarkt begegnen einander Angebot und Nachfrage.

Die Teilnehmer am Kapitalmarkt sind:

- **Kapitalnachfrager:** Unternehmen bzw. die öffentliche Hand, die Investitionsvorhaben finanzieren möchten und dazu Wertpapiere emittieren („begeben")
- **Kapitalanbieter:** Anleger, die ihr Geld gewinnbringend anlegen wollen und daher diese Wertpapiere erwerben („zeichnen")
- **Finanzintermediäre,** die als Vermittler, Händler, Berater und Abwickler tätig sind und das Zusammentreffen der Kapitalanbieter und -nachfrager erleichtern

Die **Börse** organisiert den Markt unter gesetzlicher Aufsicht.

Grafik
Die Akteure am Kapitalmarkt

Am Kapitalmarkt nehmen teil:

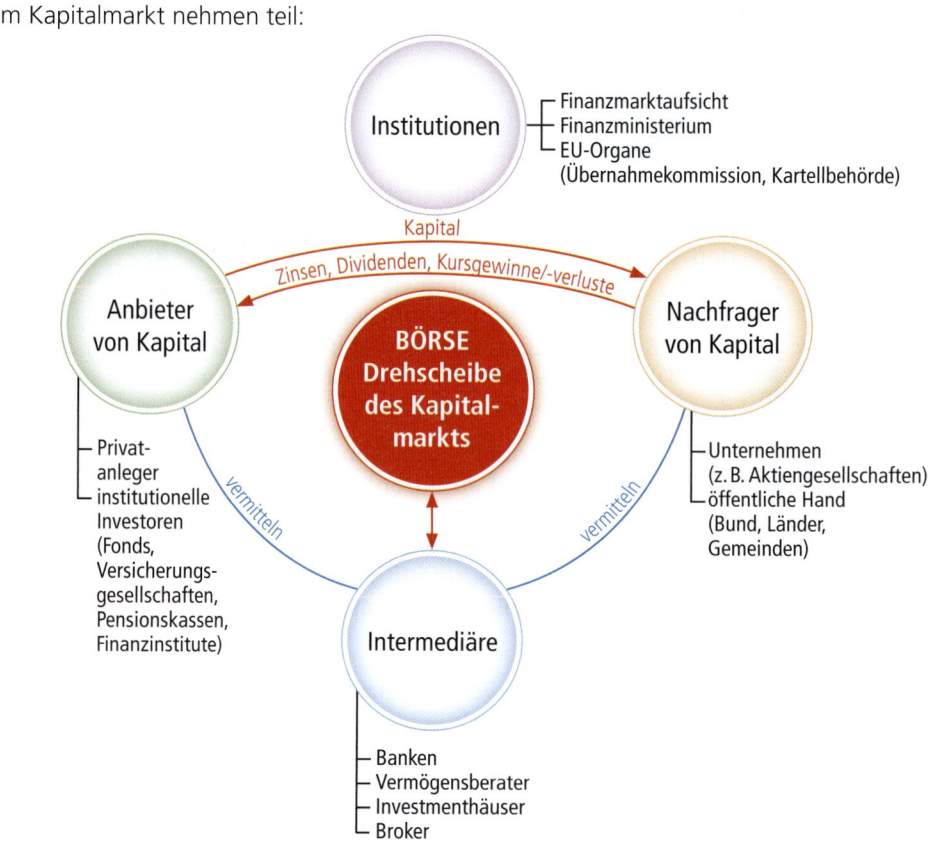

Die Börse ist die Drehscheibe des Kapitalmarkts
[The stock exchange is the hub of the capital market]

Der Begriff Börse bezeichnet sowohl den **Markt,** auf dem gehandelt wird, als auch die **Institution,** welche die rechtlichen und organisatorischen Rahmenbedingungen für den Handel schafft.

Die Börse ist eine Einrichtung, an der Wertpapiere gehandelt werden. Ihre vorrangige Aufgabe ist es, Kapitalgeber und Kapitalnehmer zusammenzuführen. Darüber hinaus erfüllt sie noch weitere Aufgaben, z. B.:

- Bereitstellung einer Handelsplattform
- Sicherstellung der Transparenz über Preise und Umsätze
- Zulassung von Neuemissionen am heimischen Kapitalmarkt
- Berechnung von Indizes: Diese werden als **Stimmungsbarometer** der Börse und zugleich auch der gesamten Wirtschaft angesehen.

Der Handel läuft nach **strengen Regeln** ab und unterliegt einer **ständigen behördlichen Kontrolle.** Man spricht daher auch von einem **organisierten Markt.** Die Börse stellt diese Spielregeln für den Wertpapierhandel auf. Sie regelt, wer zum Handel zugelassen wird und nach welchen Prinzipien Kauf- und Verkaufsaufträge ausgeführt werden.

Wiener Börse – Die Wertpapierbörse in Österreich
[The Vienna Stock exchange – The securities market in Austria]

Die einzige Wertpapierbörse Österreichs befindet sich in Wien.

(1) Arten von Börsen

Börsen können nach verschiedenen Gesichtspunkten unterschieden werden:

- nach der **Art** der gehandelten Produkte

  Man unterscheidet Wertpapierbörsen, Devisenbörsen, Warenbörsen und sonstige Börsen (z. B. Frachten- und Versicherungsbörsen).

Warenbörsen sind einige Jahrhunderte älter als Wertpapierbörsen. Ihre Bedeutung für die Preisbildung bei zahlreichen Rohstoffen ist ungebrochen. An der Wiener Börse spielt die Warenbörse allerdings nur eine geringe Rolle.

Die bekanntesten Börsen der Welt sind **Wertpapierbörsen,** z. B. die New York Stock Exchange (NYSE).

An den **Devisenbörsen** werden Forderungen auf fremde Währungen gehandelt und die Wechselkurse gebildet.

An **Warenbörsen** werden vertretbare (fungible) Güter (Commodities), wie z. B. Agrarprodukte, Energie und Rohstoffe, gehandelt.

- nach dem **Erfüllungszeitpunkt** der an der Börse geschlossenen Geschäfte

  Es wird zwischen **Kassabörsen** und **Terminbörsen** unterschieden. An der Wiener Börse werden sowohl Kassa- als auch Termingeschäfte abgeschlossen.

- nach der **Organisation des Handels** in Präsenzbörsen und Computerbörsen

  Die Wiener Börse ist eine reine Computerbörse (siehe Seite Seite 168).

(2) Rechtliche Grundlagen der Wiener Börse

Die Wiener Börse ist die einzige Wertpapierbörse und zugleich die einzige allgemeine Warenbörse Österreichs. Sie ist ein privatwirtschaftlich geführtes Finanzdienstleistungsunternehmen in der Rechtsform einer Aktiengesellschaft. Sie notiert jedoch nicht selbst an der Börse. Die Wiener Börse ist je zur Hälfte im Besitz österreichischer Banken sowie börsennotierter Unternehmen.

Die Tätigkeit der Wiener Börse wird durch nationale Gesetze (z. B. das Börsegesetz, das Finanzmarktaufsichtsgesetz) und durch EU-Richtlinien bestimmt.

(3) Börsenaufsicht

Näheres zur Finanzmarktaufsicht (FMA) siehe unter www.fma.gv.at.

Die Tätigkeit der Wiener Börse wird von der Finanzmarktaufsicht (FMA) überwacht. Zu ihren Aufgaben gehören z. B.:

- die Überwachung der Publizitätspflichten der Emittenten (z. B. Ad-hoc-Mitteilungen)
- die Überwachung der Rechtmäßigkeit des Börsenhandels (hinsichtlich Insiderhandel)
- die Untersuchung von Anlegerbeschwerden

Insider nennt man Personen, die über kursrelevante Informationen verfügen, bevor diese veröffentlicht werden. Gibt der Insider diese Informationen an andere weiter, die aus diesem Informationsvorsprung Nutzen ziehen, indem sie Wertpapiere kaufen oder verkaufen, nennt man das Insiderhandel. Auch der Insider selbst kann natürlich einen entsprechenden Handel treiben.

(4) Wer darf an der Wiener Börse handeln?

Die Börse ist ein **geschlossener Markt.** Zugang haben nur die zu den Börsengeschäften berechtigten Börsenmitglieder.

Derzeit (August 2017) sind 78 Mitglieder (österreichische und ausländische Banken sowie Investmenthäuser) zum Handel zugelassen. Man unterscheidet dabei zwischen zwei verschiedenen Kategorien von Wertpapierhändlern (diese werden auch als **Broker** oder **Trader** bezeichnet):

- **Eigenhändler:** Sie schließen die Börsengeschäfte für sich selbst **(auf eigene Rechnung)** ab.
- **Kundenhändler:** Sie schließen die Börsengeschäfte nicht für sich selbst, sondern im Auftrag eines Kunden **(auf fremde Rechnung)** ab.

Internationale Wertpapierbörsen und die Wiener Börse im Vergleich
[A comparison of international securities markets and the Vienna Stock Exchange]

(1) Wie groß ist die Wiener Börse?

Die Größe und Bedeutung einer Börse wird gemessen:

- an der **Marktkapitalisierung** (Börsekapitalisierung)

  Die Marktkapitalisierung stellt den Börsewert eines Unternehmens dar. Sie ergibt sich aus der Zahl der Aktien multipliziert mit dem aktuellen Börsekurs. Die Marktkapitalisierung der Börse ergibt sich dann aus der Summe der Marktkapitalisierungen aller notierten Unternehmen (bzw. aus der Summe aller notierten Aktien multipliziert mit ihrem Börsekurs).

- an der Höhe der **Marktkapitalisierung im Verhältnis zum Bruttoinlandsprodukt** (unter dem BIP versteht man die Wirtschaftsleistung einer Volkswirtschaft)

Kapitalisierung in % des BIP (2015):

Großbritannien	150 %
USA	149 %
Japan	119 %
China	62 %
Deutschland	57 %
Österreich	26 %

Die Wiener Börse ist im internationalen Vergleich klein. Sie ist jedoch eine 100 %ige Tochter der CEE (Central Eastern Europe) Stock Exchange Group (CEESEG), welche neben der Wiener Börse auch die Börsen Budapest, Laibach und Prag umfasst und die größte Börsengruppe in Zentral- und Osteuropa ist.

Die NYSE und die NASDAQ gelten als **Leitbörsen** für alle anderen Börsen der Welt.

Internetadressen weiterer Wertpapierbörsen:
- Tokyo: www.jpx.co.jp
- Zürich: www.six-swiss-exchange.com
- Mailand: www.borsaitaliana.it
- Moskau: http://moex.com
- Hongkong: www.hkex.com.hk

(2) Wichtige internationale Börsen

Die Stadt, in der eine Börse ansässig ist, wird als Börseplatz bezeichnet. Die wichtigsten Börseplätze der Welt sind:

- NYSE – New York Stock Exchange (auch: Wallstreet; **www.nyse.com**). Sie ist die bedeutendste Wertpapierbörse der Welt.
- NASDAQ – National Association of Securities Dealers Automated Quotation System (New York, **www.nasdaq.com**). Sie ist die zweitgrößte Wertpapierbörse der Welt. Gehandelt werden Technologie- und Wachstumswerte.
- London Stock Exchange (**www.londonstockexchange.com**)
- Deutsche Börse (**www.deutsche-boerse.com**)

Der Börsenindex als Stimmungsbarometer
[The stock market index as an indicator of public opinion]

An jeder Börse gibt es zumindest einen besonders wichtigen Index. Dieser wird als **Leitindex** bezeichnet.

(1) Einführung

Mit den Börsenindizes kann man die Entwicklung der Börsen der Welt auf einen Blick erfassen. Sie dienen als Indikator für das aktuelle Börsenklima (**Stimmungsbarometer**). Ist die Stimmung an der Börse allgemein gut, dann steigt der Börsenindex und umgekehrt.

Alle wichtigen Börsenindizes sind Aktienindizes. Ein Aktienindex gibt an, wie sich der Wert der ihm zugrunde liegenden Gruppe von Aktien im Vergleich zu einem früheren Zeitpunkt verändert hat. Man unterscheidet:

- **Preisindizes** (Kursindizes): Sie zeigen ausschließlich die Kursentwicklung, d. h., in die Berechnung fließen ausschließlich die Kursveränderungen ein. Die meisten bekannten Börsenindizes sind Preisindizes.
- **Performanceindizes:** Sie zeigen die vollständige Wertentwicklung, d. h., neben den Kursveränderungen werden auch die weiteren Erträge (z. B. Dividendenzahlungen, Erlöse aus dem Verkauf von Bezugsrechten) berücksichtigt. Sie sind daher in der Regel höher als vergleichbare Preisindizes.

Performancevergleich verschiedener Leitindizes (links ATX Wien und DAX Frankfurt, rechts ATX Wien und Dow Jones New York)

Quelle: http://www.boerse.de/chartsignale/ATX/AT0000999982, letzter Zugriff: 28.06.2017.

(2) ATX & Co. – die Indizes der Wiener Börse

An der Wiener Börse werden sowohl Indizes für den Gesamtmarkt als auch für einzelne Branchen berechnet und auf der Website veröffentlicht, z. B.:

- **ATX – Austrian Traded Index**

  Der ATX ist der Leitindex der Wiener Börse. Er ist ein Preisindex, der die Kursentwicklung der 20 größten und umsatzstärksten österreichischen Aktien im **Prime Market (Blue-Chip-Segment)** zeigt.

- **WBI – Wiener Börse Index**

  Der WBI ist ein Preisindex, der sich aus allen Aktien im amtlichen Handel und im geregelten Freiverkehr zusammensetzt. Er ist der Gesamtmarkt-Index der Wiener Börse, d. h., er zeigt die Entwicklung des gesamten heimischen Aktienmarkts.

Aufnahmekriterien in den ATX sind
- *die Kapitalisierung (d.h. der börsenmäßige Wert des Unternehmens),*
- *der Aktienumsatz (Liquidität) und*
- *das Ausmaß des Streubesitzes.*

Über den Weiterverbleib einer Aktie im ATX wird halbjährlich entschieden.

Darüber hinaus werden an der Wiener Börse u. a. noch berechnet:

ATX Prime	Preisindex, der sich aus allen Aktien des Prime Market zusammensetzt. Er dient vor allem als Benchmark für institutionelle Investoren.
ATX five	Preisindex, der die 5 wichtigsten (höchstgewichteten) österreichischen Aktien des ATX enthält
IATX Immobilien ATX	Performanceindex, der die Aktien der wichtigsten österreichischen Immobiliengesellschaften enthält
CEE-Indizes Central and Eastern European Indizes	Diese umfassen mittel- und osteuropäische Blue Chips. Beispiele: CTX (Czech Traded Index), HTX (Hungarian Traded Index), PTX (Polish Traded Index), ROTX (Romanian Traded Index), SETX (South-East Europe Traded Index)

(3) Wichtige internationale Aktienindizes

Zu unterscheiden sind:

- **Einzelindizes**

  Einzelindizes zeigen die Entwicklung an einzelnen Börseplätzen (Gesamtmarkt, Blue-Chip-Segment oder für bestimmte Branchen).

Beispiele

DJI Dow Jones Industrial	New York Stock Exchange enthält die 30 bedeutendsten US-Aktien (z. B. Coca Cola, Microsoft, Boeing, McDonald's) Er ist der weltweit bedeutendste (und auch älteste) Aktienindex.
S&P 500 Standard & Poor's 500	enthält 500 Aktien bedeutender US-amerikanischer Unternehmen
NASDAQ Composite	enthält alle an der NASDAQ gehandelten Werte
FTSE 100 London Financial Times Stock Exchange; auch genannt: „Footsie"	London Stock Exchange enthält die 100 größten britischen Unternehmen (z. B. British Airways, Unilever, Vodafone)
DAX Deutscher Aktienindex	Deutsche Börse Er enthält die 30 wichtigsten deutschen Aktien (z. B. Adidas, Siemens, VW). Er ist ein Performanceindex.
CAC 40 Compagnie des Agents de Change	Paris Burse enthält die 40 wichtigsten Werte an der Börse in Paris (z. B. Airbus, AXA, Renault)
Nikkei 225	Tokyo Stock Exchange enthält 225 japanische Industriewerte (z. B. Sony, Mitsubishi, Nissan)
Hang Seng Index	Hong Kong Stock Exchange enthält die Aktien der 45 wichtigsten Unternehmen an der Börse in Hongkong

- **Indexfamilien**

  Näheres siehe unter www.stoxx.com/indices.

  Indexfamilien versuchen, Entwicklungen in bestimmten Regionen oder auch weltweit abzubilden. Sie gewinnen zunehmend an Bedeutung. Beispiele sind:

  ○ **Stoxx**
  Die Stoxx-Familie umfasst etwa 300 Einzelindizes. Sie werden in Euro und in US-Dollar berechnet.

  Beispiele: EURO STOXX 50 – enthält die 50 wichtigsten Aktien aus dem Euroraum (z. B. BASF, SAP, L´Oréal)
  STOXX Europe 600 – enthält die 600 wichtigsten europäischen Aktien

  ○ **MSCI-Indizes**

  Näheres siehe unter www.mscibarra.com/products/indices.

  MSCI-Indizes werden als Länderindizes, Branchenindizes, Größenindizes usw. berechnet.

  Beispiel: MSCI-World – umfasst weltweit ca. 1500 Aktien

2 Der Handel mit Wertpapieren [Trading securities]

Während seit Beginn des Börsenhandels im 15. Jahrhundert bis weit in das 20. Jahrhundert Waren und Wertpapiere an sogenannten „Präsenzbörsen" – also mit Anwesenheit der Händler – direkt gehandelt wurden, findet ein Großteil des Börsenhandels heute vollelektronisch über vernetzte Börsensysteme statt.

Wie können Wertpapiere gehandelt werden? [How can securities be traded?]

Die Emission von Wertpapieren erfolgt am **Primärmarkt**. Der Handel mit den im Umlauf befindlichen Wertpapieren wird dann als **Sekundärmarkt** bezeichnet.

Der Handel am Sekundärmarkt kann auf zwei Arten erfolgen:
- **über die Börse**
  An der Börse werden ausschließlich standardisierte Produkte (Wertpapiere und Derivate) gehandelt.
- **außerbörslich** „über den Ladentisch" (Over-the-Counter – OTC)
  Der Wertpapierhandel findet direkt zwischen den Handelspartnern (meist sind dies Banken) ohne Zwischenschaltung der Börse statt. Gehandelt werden z. B. größere Pakete von Aktien aus Beteiligungsgründen.

Handelssysteme an der Börse [Trading systems at the stock exchange]

Präsenzbörse	Computerbörse
An Präsenzbörsen (Anwesenheitsbörsen) treffen sich die Wertpapierhändler während der Handelszeiten direkt vor Ort im Börsegebäude („am Börseparkett"; Parkett deshalb, weil die Börsesäle früher mit einem Parkettboden ausgelegt waren), sammeln ihre Kauf- und Verkaufsaufträge und setzen auf dieser Grundlage die Kurse fest.	An der Computerbörse treffen sich die Wertpapierhändler nicht mehr am Börseparkett, sondern der Handel findet vollelektronisch über ein vernetztes Computersystem (Handelssystem) statt. Jeder Händler gibt seine Aufträge in seinen Computer ein, von wo sie dann an den Zentralrechner weitergeleitet werden, der die Aufträge zusammenführt und daraus die Kurse bildet.

Die erste reine Computerbörse war die US-Technologiebörse NASDAQ. Immer mehr Börsen steigen auf den elektronischen Handel um.

Viele Börsen sind Mischformen, d. h., in einigen Marktsegmenten sind sie als Präsenzbörse organisiert, in anderen als Computerbörse.

Die Wiener Börse ist eine reine Computerbörse.

Aktien, Anleihen und Zertifikate werden an der Wiener Börse über das Handelssystem **Xetra®** (Exchange Electronic Trading) gehandelt.

Futures, Optionen und Optionsscheine werden über das Handelssystem **OMex®** gehandelt.

Handelsformen (Handelsverfahren) und Kursbildung
[Forms of trading and setting prices]

Für manche Wertpapiere wird der Kurs fortlaufend ermittelt, für andere nur einmal pro Tag.

(1) Wie werden die Kurse ermittelt?

Es gibt zwei Handelsformen und dadurch auch zwei Möglichkeiten zur Kursbildung:

*Fortlaufend gehandelt werden z. B. alle Werte im **Prime Market**.*

- **fortlaufender Handel (Fließhandel)**

    Wertpapiere mit höheren Umsätzen werden im fortlaufenden Handel gehandelt. Dabei können die Wertpapiergeschäfte während der gesamten Börsezeit laufend abgeschlossen werden. Für jedes Geschäft gilt dann ein eigener Kurs.

    Der laufende Handel wird dabei um eine Eröffnungs- und eine Schlussauktion ergänzt und bei manchen Wertpapieren zusätzlich auch durch eine untertägige Auktion unterbrochen.

Bei einer Auktion werden täglich z. B. alle Werte im bond market.at gehandelt.

- **einmalige Auktion**

    Bei Wertpapieren mit geringen Umsätzen werden die Kurse nur einmal täglich im Rahmen einer Auktion ermittelt. Der Kurs wird dabei so festgelegt, dass der höchstmögliche Umsatz zustande kommt. Zu diesem Kurs werden dann alle Geschäfte ausgeführt.

(2) Ordertypen

Eine Order (Auftrag) ist die Willenserklärung eines Anlegers, Wertpapiere zu kaufen oder zu verkaufen. Der Anleger kann durch die Angabe verschiedener Ordertypen sichergehen, dass er zu einem bestimmten Kurs kaufen (Preisobergrenze) bzw. verkaufen (Preisuntergrenze) kann.

An der Wiener Börse können Orders z. B. in folgenden Formen platziert werden:

- **Market Order:** Das sind unlimitierte Kauf-/Verkaufsaufträge **(Bestens-Aufträge)**, die zum nächsten ermittelten Preis ausgeführt werden.
- **Limit Order:** Das sind limitierte Kauf-/Verkaufsaufträge, die zum angegebenen Limit oder besser ausgeführt werden.
- **Stop Order:** Sobald das vorgesehene Stop-Limit erreicht wird, wird die Order automatisch als Market Order oder Limit Order platziert.

Beispiel — Kursbildung in einer Auktion mit Limit Orders

Kauf	Volumen	Kumuliertes Volumen	Überhang	Limit	Überhang	Kumuliertes Volumen	Volumen	Kauf
Limit	200	200		202	500	700		
Limit	200	400		201	300	700		
Limit	300	700		200		700	100	Limit
		700	100	198		600	200	Limit
		700	300	197		400	400	Limit

Der Auktionspreis wird entsprechend den Limits beim größten kumulierten Volumen, das ist 700, mit € 200,– festgesetzt.

Orders können **weiter beschränkt** werden, z. B.:

- **hinsichtlich ihrer zeitlichen Gültigkeit** (Good-for-day: nur für den aktuellen Handelstag gültig; Good-till-date: nur für einen bestimmten Zeitraum gültig; Good-till-cancelled: nur bis auf Widerruf gültig)
- **hinsichtlich ihrer Ausführung** (Fill-or-Kill: Ausführung sofort vollständig oder gar nicht; Immediate-or-Cancel: Ausführung sofort vollständig bzw. so weit wie möglich oder gar nicht)

(3) Das Orderbuch

Das Herzstück von Xetra® ist das elektronisch geführte Orderbuch. In dieses geben alle Händler ihre Orders ein. Die eingegangenen Orders werden nach Preis und Zeitpunkt der Eingabe gereiht. Sobald sich Kauf- und Verkaufsorders ausführbar gegenüberstehen, werden diese automatisch zusammengeführt (sie werden **gematcht**).

Auszug aus dem Orderbuch:

Quelle: Auszug aus dem Orderbuch, Wiener Börse AG.

(4) Handelsunterbrechung, Handelsaussetzung und Marktmanipulation

Handelsunterbrechung

Der Handel wird unterbrochen, wenn der durch eine Order zustande gekommene Kurs eines Wertpapiers stark vom letzten Kurs abweichen würde. Das Handelssystem Xetra® schützt sich vor derart großen Preissprüngen durch die sogenannte Volatilitätsunterbrechung (**Vola-Break**). Während der Zeit der Volatilitätsunterbrechung können die Händler ihre in das Orderbuch eingegebenen Aufträge ändern oder stornieren.

*Man sagt auch, der Handel wird unterbrochen, damit er **abkühlen** kann.*

Handelsaussetzung

Von der Handelsunterbrechung ist die Handelsaussetzung zu unterscheiden. Dabei wird die Aktie gänzlich vom Handel ausgesetzt, d. h., sie wird vorübergehend überhaupt nicht mehr gehandelt. Zu einer Handelsaussetzung kommt es nur in Ausnahmefällen, z. B. bei entscheidenden Unternehmensmeldungen oder Übernahmeangeboten.

Marktmanipulation

Der Kurs eines Wertpapiers kann auch absichtlich manipuliert werden. Dies könnte z. B. auf folgende Arten geschehen:

- **Insiderhandel (Insider-Trading)**

    Unter Insider-Informationen versteht man vertrauliche Informationen über ein Wertpapier oder einen Emittenten, die bei Bekanntwerden in der Öffentlichkeit den Kurs des Wertpapiers erheblich beeinflussen könnten. Werden solche Informationen (z. B. von Mitgliedern des Vorstands oder des Aufsichtsrats) zum eigenen Vorteil für den Kauf oder Verkauf von Aktien genutzt, dann spricht man von Insiderhandel.

Der Insiderhandel ist verboten und wird mit einer Geldstrafe oder einer Freiheitsstrafe von bis zu 5 Jahren bestraft.

- **Front-Running (Vorlaufen)**

    ○ Händler könnten ihre Kenntnisse über (vor allem große) Kundenaufträge, bevor diese an der Börse platziert sind, zu ihrem eigenen Vorteil nutzen. Sie nehmen die Kundenaufträge entgegen, übermitteln sie aber erst an die Börse, nachdem sie vorher für sich selbst die entsprechenden Aktien ge- bzw. verkauft haben. Aufgrund ihrer Größe verändern die Aufträge den Kurs wesentlich. Nun kann der Händler seine eigenen Aktien mit Gewinn zum höheren Kurs wieder verkaufen bzw. zum geringeren Kurs wieder zurückkaufen.

    ○ Auch Analysten, Redakteure von Börsemagazinen, Fondsmanager, Banken usw. könnten Aktien auf eigene Rechnung kaufen und sie anschließend offiziell zum Kauf empfehlen. Ihr Ziel ist es dabei, möglichst viele Anleger dazu zu verleiten, ihrem Ratschlag zu folgen und zu kaufen. Aufgrund der steigenden Nachfrage steigt der Kurs der Aktien und sie können ihre vorab gekauften Aktien dann mit Gewinnen wieder abstoßen.

Vor allem im Internet tauchen immer wieder Empfehlungen angeblicher „Experten" auf, die in Wirklichkeit aber Falschmeldungen sind.

(5) Marktbetreuung an der Wiener Börse

Liquiditätsanbieter sind meist Banken oder Wertpapierhandelshäuser.

Wesentliches Kennzeichen des Handels an der Börse ist die Marktbetreuung durch institutionelle Liquiditätsanbieter. Ein Liquiditätsanbieter hat die Aufgabe, für bestimmte Wertpapiere regelmäßig verbindliche An- und Verkaufsgebote **(Quotes)** in das Orderbuch zu stellen. Dadurch wird die Liquidität im Markt erhöht und die Anleger haben eine höhere Chance, dass ihre eigenen Orders ausgeführt werden können.

Im Gegenzug dafür müssen die Liquiditätsanbieter geringere bzw. gar keine Börsegebühren bezahlen und zum Teil sind sie auch an den Umsätzen des betreffenden Wertpapiers beteiligt.

An der Wiener Börse gibt es zwei Arten von Liquiditätsanbietern:

- **Market Maker**

    Market Maker stellen während der gesamten Handelszeit Kauf- und Verkaufsangebote **(Quotes)** in das Orderbuch. Der Abstand **(Spread)** zwischen dem niedrigeren Ankaufskurs **(Geldkurs** bzw. **Geld)** und dem höheren Verkaufskurs **(Briefkurs** bzw. **Brief)** muss dabei innerhalb einer bestimmten von der Börse vorgegebenen Bandbreite liegen.

Einen **Specialist** gibt es z. B. für alle Aktien im **Prime Market.**

- Specialist

    Der Specialist ist eine Art **Super Market Maker** und stellt ebenso wie der Market Maker Quotes in das Orderbuch, allerdings mit einem geringeren Spread und mit größeren Volumina. Darüber hinaus sorgt er auch für eine intensivere Betreuung und Vermarktung der betreffenden Wertpapiere. Pro Wertpapier kann es nur einen Specialist geben.

Die Abwicklung der Börsengeschäfte [The execution of stock market deals]

Die Abwicklung der Börsengeschäfte kann auf zwei Arten erfolgen:

- **Kassageschäfte (Kassamarkt)**

    Kassageschäfte werden sofort erfüllt, d. h., zwischen dem Geschäftsabschluss und der Erfüllung liegen maximal 3 Tage. Der Kassamarkt wird an der Wiener Börse über Xetra® abgewickelt, gehandelt werden z. B. Aktien und Anleihen.

- **Termingeschäft (Terminmarkt)**

    Bei Termingeschäften erfolgt die Erfüllung des Geschäfts erst zu einem späteren Zeitpunkt. Preis, Menge und Liefertermin werden von den Vertragsparteien aber bereits beim Geschäftsabschluss fix vereinbart. Am Terminmarkt wird an der Wiener Börse das Handelssystem OMex® eingesetzt, gehandelt werden Futures, Optionen und Optionsscheine.

Die Abrechnung der an einem Börsentag durchgeführten Geschäfte **(Clearing)** wird von der CCP.A (Central Counterparty Austria – Näheres unter **www.ccpa.at**) durchgeführt. Sie erfolgt in der Regel lediglich durch Umbuchung der Wertpapierbestände auf den Wertpapierkonten der Marktteilnehmer.

3 Die Emission von Wertpapieren an Börsen
[Issuing securities on stock exchanges]

Unter einer Emission versteht man die **Platzierung** eines Wertpapiers **auf dem Primärmarkt.** Der Emittent bietet die Wertpapiere dabei entweder der Öffentlichkeit oder nur einem bestimmten Anlegerkreis zur Zeichnung an.

Werden die Wertpapiere der **Allgemeinheit** angeboten, spricht man von einem **Public Placement**. Sie können dann (müssen aber nicht!) an der Börse eingeführt und gehandelt werden.

Werden die Wertpapiere hingegen nur einem **ausgewählten Anlegerkreis** (institutionellen Anlegern wie z. B. Versicherungsgesellschaften oder Investmentfonds) angeboten, spricht man von einem **Private Placement**. Die Wertpapiere werden dann üblicherweise nicht an der Börse gehandelt.

Der Börsegang (Emission) [Going public (Issue)]

Initial Public Offering (IPO) und Kapitalerhöhung

Der Börsegang kann in Form eines IPO oder einer Kapitalerhöhung erfolgen:

- Von einem **IPO** (Initial Public Offering, auch: Erst- bzw. Neuemission) spricht man, wenn der Emittent seine Aktien erstmals an der Börse einführt.

Beispiele

Die jüngsten IPOs an der Wiener Börse
Dr. Bock Industries AG (14.07.2016), CLEEN Energy AG (20.04.2017), The Just Loans Group Plc (23.06.2017)

- Von einer **Kapitalerhöhung** spricht man, wenn der Emittent bereits an der Börse notiert und zusätzlich zu den bereits notierten alten Aktien **neue, junge Aktien** ausgegeben werden.

Dabei sichert ein spezielles Bezugsrecht den Altaktionären zu, dass nach der Kapitalerhöhung ihr bisheriger Anteil am Grundkapital erhalten bleibt **(Verwässerungsschutz)**. Sie können innerhalb einer bestimmten **Bezugsfrist** entscheiden, ob sie sich an der Kapitalerhöhung beteiligen und junge Aktien erwerben wollen oder nicht. Das **Bezugsverhältnis** bringt dabei zum Ausdruck, wie viele alte Aktien benötigt werden, um eine junge Aktie zu beziehen. Ein Bezugsverhältnis von 10 : 1 bedeutet z.B., dass 10 alte Aktien zum Bezug einer jungen Aktie berechtigen.

Beispiele

Kapitalerhöhungen an der Wiener Börse im Jahr 2016/17
BKS Bank AG (gegen Bareinlage), conwert Immobilien Invest SE, BUWOG AG (durch Ausübung von Bezugs- oder Wandelrechten), Atrium European Real Estate Limited (aus Aktienoptionsprogrammen)

Börsegang in Österreich

Wie ein österreichisches Unternehmen seinen Börsegang an der Wiener Börse organisieren kann und was dabei beachtet werden muss, finden Sie unter https://www.wienerborse.at/emittenten/boersegang-ipo/ablauf/?print=-1%27%25253Fprint%25253D-1%27.

4 Warenbörsen [Commodity exchanges]

Im Unterschied zu den Wertpapierbörsen werden an Waren- oder Produktenbörsen **vertretbare (fungible) Sachgüter** wie z.B. Rohstoffe oder landwirtschaftliche Erzeugnisse gehandelt.

An Warenbörsen werden folgende Geschäfte abgewickelt:

- **Effektiv- oder Lokogeschäfte:** Die Geschäfte werden tatsächlich über real vorhandene Waren mit sofortiger Erfüllung durchgeführt.
- **Termingeschäfte:** Es werden mengen- und qualitätsmäßig standardisierte Einheiten (Kontrakte) über Naturprodukte wie Getreide oder Rohstoffe abgeschlossen, die nicht sofort, sondern zu einem bestimmten späteren Termin erfüllt werden müssen. Der Vertragspartner muss das Geschäft nicht effektiv erfüllen, er kann durch ein zum gleichen Termin abgeschlossenes Gegengeschäft das Geschäft „glattstellen". Warenterminbörsen dienen insbesondere der **Absicherung gegen Preisschwankungen** bei zukünftig zu liefernden Waren bzw. auch der reinen **Spekulation**. Die überwiegende Zahl der Warenbörsen sind Terminbörsen.

Beispiele

International bedeutende Warenbörsen:
- **CME Group,** bestehend aus dem Chicago Board of Trade (weltälteste Warenterminbörse, Termingeschäfte mit Metallen) und der Chicago Mercantile Exchange (Termingeschäfte mit z.B. Kupfer, Wolle, Schweinebäuchen, Rindern)
- **LME** – London Metal Exchange: Sie ist die bedeutendste Metallbörse der Welt.
- **NYMEX** – New York Mercantile Exchange: Sie ist die weltgrößte Warenterminbörse für den Handel mit z.B. Erdöl, Erdgas, Kaffee, Kakao, Zucker und Edelmetallen.

In **Wien** gibt es eine Warenbörse für landwirtschaftliche Produkte (Weizen und Futtermittel), die ausschließlich **Effektivgeschäfte** abwickelt. Sie kann auch in Streitfällen als Sachverständigenschiedsgericht herangezogen werden.

Lerneinheit 3: Börse

 Üben – Anwenden

Ü 4.19–Ü 4.20
mit automatischer
Aufgabenkontrolle
ID: 4032

Ü 4.19: Handelssysteme B

Ordnen Sie die Bezeichnungen Computerbörse und Präsenzbörse den folgenden Börsen richtig zu:

	Computerbörse	Präsenzbörse
Wiener Börse		
New York Stock Exchange		
NASDAQ		
Deutsche Börse		
London Stock Exchange		

Ü 4.20: Wertpapierhandel an der Wiener Börse B

Welche der folgenden Aussagen über die Wiener Börse sind richtig und welche falsch? Kreuzen Sie an und stellen Sie falsche Aussagen richtig.

a) Es werden Kassageschäfte und Termingeschäfte abgeschlossen.

☐ Richtig   ☐ Falsch, richtig ist:

b) Unter Auktion versteht man bei der Kursbildung die Versteigerung der unverkauft gebliebenen Wertpapiere zu Ende des Geschäftstags.

☐ Richtig   ☐ Falsch, richtig ist:

Lösen Sie Ü 4.21 bis Ü 4.27 mithilfe der Website der Wiener Börse (www.wienerborse.at)!

Ü 4.21: Neunotierungen C

a) Recherchieren Sie, welche Unternehmen im laufenden und im vergangenen Jahr im Equity Market neu notierten. Beginnen Sie die Reihung mit der jüngsten Neunotierung.

b) Recherchieren Sie, seit wann die Raiffeisen International Bank Holding AG und die Andritz AG notieren.

Ü 4.22: Markt- und Zulassungssegmente C

Recherchieren Sie, in welchen Markt- bzw. Zulassungssegmenten die folgenden Werte notieren:

a) Aktie der Flughafen Wien AG
b) 3,875% Andritz-Anleihe 1219
c) Aktie STRABAG SE
d) 4,15% Bundesanleihe 0737/1/144A

Ü 4.23: Unternehmenskalender C

Zeigen Sie auf, welche Aktivitäten die folgenden Unternehmen in ihrem Unternehmenskalender für die Zukunft ankündigen:

a) voestalpine AG
b) Telekom Austria AG
c) OMV AG

Ü 4.24: Facts & Figures C

a) Untersuchen Sie, welche fünf Unternehmen des Prime Market im vergangenen Jahr die höchste Marktkapitalisierung hatten und wie hoch ihre Marktkapitalisierung jeweils war.

b) Finden Sie heraus, welche fünf Unternehmen des Prime Market im vergangenen Jahr die umsatzstärksten Aktien hatten. Recherchieren Sie deren Jahresumsätze und gehandelte Stück.

c) Recherchieren Sie die drei Top Performer (bzw. die Unternehmen mit den geringsten Kursverlusten) an der Wiener Börse im vergangenen Jahr.

Ü 4.25: Eigentümer der Wiener Börse C

Recherchieren Sie die sechs größten Eigentümer der Wiener Börse.

Ü 4.26: Mitglieder der Wiener Börse C

Nennen Sie jeweils fünf in- und ausländische Mitglieder der Wiener Börse:

Inländische Mitglieder	Ausländische Mitglieder

Ü 4.27: ATX C

1. Recherchieren Sie, welche Aktien derzeit im ATX enthalten sind.
2. Zeigen Sie mithilfe eines Charts die Entwicklung des ATX
   a) im vergangenen Jahr.
   b) im letzten Monat.

Ü 4.28: Warenbörsen D

Recherchieren Sie, welche Waren an den Warenbörsen in Frankfurt, Stuttgart und Mannheim gehandelt werden.

Ü 4.29: Warenterminbörsen D

Recherchieren Sie die Kursentwicklungen der Futures für
a) Rinder (live cattle)
b) Zucker

an der CBOT und stellen Sie sie mithilfe eines Charts dar.

Sichern

SbX ID: 4033

Börsegang / *going public*

Als Börsegang bezeichnet man die Platzierung eines Wertpapiers am Primärmarkt. Der Emittent muss dafür eine Reihe von Voraussetzungen erfüllen.

Going public means placing a security on the primary market. The issuer has to fulfil a number of requirements.

IPO und Kapitalerhöhung / *IPO and increasing share capital*

Bei einem Initial Public Offering werden die Aktien erstmals an der Börse eingeführt. Bei einer Kapitalerhöhung hingegen werden zusätzliche Aktien ausgegeben.

In an Initial Public Offering the shares are offered at the stock exchange for the first time. Increasing share capital means that additional shares are issued.

Arten des Wertpapierhandels / *types of securities trading*

Die Wertpapiere können über die Börse oder außerbörslich (Over-the-Counter) gehandelt werden.

Securities can be traded at the stock exchange or over-the-counter (OTC) outside the main stock market.

Handelssysteme

Der Handel kann als Präsenzhandel oder als Computerhandel organisiert sein:
- Die Wiener Börse ist eine reine Computerbörse.
- Als vollelektronische Handelssysteme werden Xetra® und OMex® verwendet.

Lerneinheit 3: Börse

trading systems	Trading can be organised as floor trading or as computerised trading: ● The Vienna Stock Exchange in completely computerised. ● Xetra® und OMex® are used as fully electronic trading systems.
Handelsformen	Die Wertpapiere werden entweder fortlaufend (Fließhandel) oder in einer täglich einmaligen Auktion gehandelt.
forms of trading	Securities are either traded continuously or in a once-a-day auction system.
Ordertypen und Orderbuch	Die Orders können in verschiedenen Formen in das Orderbuch gestellt werden. Dieses zeigt alle aktuell gültigen Orders.
types of order and order book	Orders can be placed in the order book in various forms. The order book shows all the currently valid orders.
Handelsunterbrechung	Der Handel wird unterbrochen, wenn eine Order zu einem starken Kurssprung führt.
interruption in trading	Trading is interrupted when an order leads to a strong rise in price.
Handelsaussetzung	In Ausnahmefällen wird der Handel gänzlich ausgesetzt.
suspension of trading	In exceptional situations trading is completely suspended.
Marktmanipulation	Der Kurs eines Wertpapiers (und damit der Markt) kann durch Insiderhandel oder Front-Running absichtlich manipuliert werden.
market manipulation	The price of a security (and so also the market) can be intentionally manipulated by insider trading or front running.
Marktbetreuung	An der Wiener Börse verpflichten sich autorisierte Liquiditätsanbieter (Market Maker und Specialists), jederzeit bestimmte Wertpapiere in einem festgesetzten Kursband zu kaufen bzw. zu verkaufen.
market management	At the Vienna Stock Exchange authorised liquidity providers (market makers and specialists) agree to buy or sell specific securities within a specified price range at any time.
Abwicklung der Börsengeschäfte	Die Börsengeschäfte werden entweder am Kassamarkt sofort (Kassageschäfte) oder am Terminmarkt erst zu einem späteren Zeitpunkt (Termingeschäfte) erfüllt.
executing a stock market trade	Stock market deals are either settled immediately on the spot market (spot trades) or at a later date on the futures market (future contracts).
Warenbörsen	An Warenbörsen werden Geschäfte über vertretbare Sachgüter wie Rohstoffe oder landwirtschaftliche Produkte gehandelt.
commodity exchanges	Transactions involving fungible goods like raw materials or agricultural products are conducted at commodity exchanges.
Geschäfte an Warenbörsen	An Warenbörsen werden folgende Geschäfte abgewickelt: ● Effektivgeschäfte: Geschäfte über vorhandene Waren mit sofortiger Erfüllung ● Termingeschäfte: standardisierte Kontrakte mit Erfüllung zu einem späteren Termin zur Absicherung von Effektivgeschäften bzw. zur Spekulation
executing a commodity market trade	The following transactions take place at commodity exchanges: ● spot deals: deals involving goods already available which are settled immediately ● future contracts: standardised contracts settled at a later date to hedge spot deals or for speculation purposes

SbX
ID: 4033

Im SbX finden Sie eine Audio-Wiederholung der englischen Beiträge sowie eine Bildschirmpräsentation mit den Grafiken dieser Lerneinheit.

Wissen

W 4.26: Teilnehmer am Kapitalmarkt A
Wer sind die Teilnehmer am Kapitalmarkt?

W 4.27: Aufgaben der Börse A
Welche Aufgaben hat die Börse?

W 4.28: Arten von Börsen A
Welche Arten von Börsen werden unterschieden?

W 4.29: Aufgaben der Finanzmarktaufsicht A
Welche Aufgaben hat die Finanzmarktaufsicht?

W 4.30: Kauf und Verkauf an der Wiener Börse B
Können Sie persönlich an der Wiener Börse Wertpapiere kaufen bzw. verkaufen?

W 4.31: Größe und Bedeutung von Börsen A
Wie werden die Größe und Bedeutung einer Börse gemessen?

W 4.32: Leitbörsen A
Welche Börsen werden als weltweite Leitbörsen bezeichnet?

W 4.33: Börsenindizes A
Warum werden Börsenindizes errechnet?

W 4.34: Preisindex und Performanceindex B
Erklären Sie den Unterschied zwischen einem Preisindex und einem Performanceindex.

W 4.35: Aufnahme von Aktien in den ATX A
Nach welchen Kriterien wird entschieden, ob eine Aktie in den ATX aufgenommen wird?

W 4.36: Internationale Börsenindizes A
Nennen Sie fünf international bedeutende Einzelindizes.

W 4.37: Primär- und Sekundärmarkt B
Erklären Sie die Begriffe Primärmarkt und Sekundärmarkt.

W 4.38: Handelsformen an der Wiener Börse B
In welchen Handelsformen werden die Wertpapiere an der Wiener Börse gehandelt? Erklären Sie den Unterschied.

W 4.39: Fortlaufender Handel an der Wiener Börse A
Welche Wertpapiere werden an der Wiener Börse u. a. im fortlaufenden Handel gehandelt?

W 4.40: Kauf- und Verkaufaufträge an der Wiener Börse A
Auf welche Arten können an der Wiener Börse Kauf- und Verkaufaufträge u. a. gestellt werden? Beschreiben Sie diese.

W 4.41: Insiderhandel A
Was versteht man im Börsejargon unter dem Begriff Insiderhandel?

W 4.42: Handelsaussetzung und Handelsunterbrechung B
Was ist der Unterschied zwischen einer Handelsaussetzung und einer Handelsunterbrechung?

W 4.43: Marktbetreuer an der Wiener Börse [A]
Wozu gibt es an der Wiener Börse Marktbetreuer?

W 4.44: Geschäftsabwicklung an der Wiener Börse [A]
Auf welche Arten können die Geschäfte an der Wiener Börse abgewickelt werden?

W 4.45: Voraussetzungen für den Börsegang [A]
Welche Voraussetzungen muss ein Unternehmen für den Börsegang erfüllen?

W 4.46: IPO und Kapitalerhöhung, Unterschied [B]
Erklären Sie den Unterschied zwischen einem IPO und einer Kapitalerhöhung.

W 4.47: Bezugsrecht bei Kapitalerhöhung [B]
Warum sieht das Aktiengesetz vor, dass bei einer Kapitalerhöhung die Altaktionäre ein Bezugsrecht haben müssen?

W 4.48: Festlegung des Emissionspreises [A]
Beschreiben Sie die Vorgehensweise bei der Festlegung des Emissionspreises mit dem Bookbuilding-Verfahren.

W 4.49: Warenbörsen [B]
Beschreiben Sie die Geschäfte, die an Warenbörsen üblicherweise abgeschlossen werden.

W 4.50: Internationale Warenbörsen [C]
Nennen Sie drei internationale Warenbörsen und recherchieren Sie drei weitere europäische Warenbörsen. Finden Sie heraus, welche Geschäfte dort überwiegend durchgeführt werden und welche Waren bzw. Kontrakte gehandelt werden.

English questions

E 4.05: DoorWin GmbH wants to go public. Explain what this means using the correct terminology.

E 4.06: There are different forms of trading on the stock market.
a) Describe two different forms and include the names of the most important trading centres in each case.
b) State in which situations the stock market could stop trading.
c) Before a stock exchange will stop trading, it will try and get the situation under control. Explain how.
d) Explain how "Front-Running" works.

Ein kurzer Kompetenz-Check, bevor's weitergeht!

Kompetenz-Check

	☺	😐	☹
Ich kann das Börsengeschäft mit eigenen Worten erklären.			
Ich kann Arten der Börse unterscheiden.			
Ich kann unterschiedliche Geschäfte an Börsen charakterisieren.			

5 UNTERNEHMENSZUSAMMENSCHLÜSSE

Worum geht's in diesem Kapitel?

In der Marktwirtschaft müssen die Unternehmen dem Wettbewerb gewachsen sein. Die globalisierte Wirtschaft, dynamischere Märkte, kürzere Produktlebenszyklen und steigende Erwartungen der Unternehmenseigentümer verstärken den Wettbewerbsdruck.

Unternehmenszusammenschlüsse sind eine Möglichkeit, auf diese Herausforderungen zu reagieren. Sie erlauben es, schnell große Marktanteile zu gewinnen oder die Konkurrenz zu beschränken. Beides verbessert die Wettbewerbsfähigkeit.

Zusammenschlüsse von Unternehmen werden unterschiedlich beurteilt: Die Befürworter sehen darin den besten Weg, leistungsfähige Großunternehmen zu bilden. Die Gegner vermuten jedoch Konzentrationsvorgänge, die den Wettbewerb beschränken sollen.

Vor allem die Zusammenschlüsse großer Konzerne erregen internationale Aufmerksamkeit.

Eine besondere Herausforderung besteht darin, den Wert eines Unternehmens festzustellen.

Wenn Sie dieses Kapitel bearbeiten, erwerben Sie die folgenden in der Bildungs- und Lehraufgabe des Lehrplans angeführten Kompetenzen:

Sie können
- Chancen und Risiken von Unternehmenszusammenschlüssen erläutern.

In diesem Kapitel finden Sie Übungsaufgaben, praxisbezogene Fallbeispiele und Aufgaben zur Lernkontrolle zur Überprüfung Ihrer Kompetenzen auf den Handlungsebenen **A Wiedergeben**, **B Verstehen**, **C Anwenden** und **D Analysieren & Interpretieren**.

Dieses Kapitel umfasst folgende Lerneinheiten:

1 Unternehmen schließen sich zusammen

2 Unternehmen bewerten

> Lernen ○ Üben ○ Sichern ○ Wissen

Lerneinheit 1
Unternehmen schließen sich zusammen

SbX
Alle SbX-Inhalte zu dieser Lerneinheit finden Sie unter der ID: 5010.

Im Dezember 2016 verkündete das US-amerikanische Telekom-Unternehmen AT&T seine Absicht, den Unterhaltungskonzern Time Warner – zu dessen Portfolio u. a. CNN gehört – um 85 Mrd. $ zu übernehmen. AT&T versprach sich davon neue stabile Geldquellen und exklusive Inhalte für seine Netze, da die Erlöse im Kerngeschäft (Telekommunikation) derzeit stark unter Druck stehen. „Die Zukunft des Mobilgeschäfts ist Video, und die Zukunft von Video ist mobil", fasste AT&T-Chef Randall Stephenson die Gründe für den Übernahmeplan zusammen.

Es gab aber auch Gegenstimmen. Die Regulierungsbehörden mussten erst prüfen, ob durch diese Übernahme Konkurrenten vom Markt verdrängt werden bzw. ob durch diese Fusion Wettbewerbsbeschränkungen entstehen.

> Lernen

SbX ID: 5011

1 Perspektiven auf das Thema [Perspectives on the topic]

Unternehmenszusammenschlüsse können unter verschiedenen Gesichtspunkten betrachtet werden:

Grafik
Unternehmenszusammenschlüsse

ZUSAMMENSCHLÜSSE VON UNTERNEHMEN

ZIELE
— Verbesserung der Wettbewerbsfähigkeit
— Verringerung bzw. Ausschaltung der Konkurrenz

RICHTUNGEN
— horizontaler Zusammenschluss
— vertikaler Zusammenschluss
— diagonaler Zusammenschluss

GRUNDLAGEN

- **Vertrag**
  — Kooperation
- **Kapitalbeteiligung**
  — Konzern
  — Fusion („Mergers & Acquisitions")

durch Kartell- und Wettbewerbsrecht beschränkt

180   Betriebswirtschaft und Projektmanagement HLW IV

Ziele [Goals]

Bei Unternehmenszusammenschlüssen sollen vor allem die folgenden Ziele erreicht werden:

Übersicht Unternehmenszusammenschlüsse – Ziele

Ziele von Unternehmenszusammenschlüssen			
Verbesserung der Wettbewerbsfähigkeit			Verringerung oder Ausschaltung der Konkurrenz
Synergieeffekte	Risikoreduktion	Wachstumsstrategien	
z. B. • gemeinsame Forschungs- und Entwicklungsarbeit • gemeinsame Beschaffungs- und Absatzorganisationen • Vereinheitlichung des Erzeugungsprogramms	z. B. gemeinsamer Markteintritt in einen neuen Auslandsmarkt durch mehrere Partner	z. B. Verbesserung des Leistungsportfolios durch Zukauf eines Unternehmens	z. B. • Absprachen über Preise, Lieferbedingungen, Marktanteile • Aufkaufen von bzw. Zusammenschluss mit Konkurrenzbetrieben

Übungsbeispiel

Ü 5.01: Ziele der Übernahme von Time Warner durch AT&T C

Beurteilen Sie die Übernahmeabsicht von AT&T (siehe Einstiegstext zur Lerneinheit). Welche Ziele können damit erreicht werden? Recherchieren Sie dazu auch den aktuellen Stand der geplanten Übernahme.

Richtungen [Directions]

In welcher Richtung Zusammenschlüsse stattfinden, wird dadurch bestimmt, wie die Unternehmen zusammenhängen. Dabei gibt es 3 Möglichkeiten:

- **vertikal:** Gleichartige, aber verschiedenstufige Unternehmen schließen sich zusammen, z. B. Kakaoplantage, Kakaohersteller und Schokoladehersteller.
- **horizontal:** Gleichartige und gleichstufige Unternehmen schließen sich zusammen, z. B. mehrere Stahlwerke, mehrere Spinnereien oder mehrere Papierfabriken.
- **diagonal:** Verschiedenartige und/oder verschiedenstufige Unternehmen schließen sich zusammen, z. B. ein Unternehmen der Pharmaindustrie mit einem Lebensmittelproduzenten. Diagonale Zusammenschlüsse erfolgen vorwiegend aufgrund finanzieller Überlegungen.

Grundlagen [Principles]

Unternehmen können sich sehr eng aneinander binden, aber auch mehr oder weniger lose zusammenschließen. Je nach dem verfolgten Ziel gibt es eine große Bandbreite von der reinen Absprache über bestimmte Aspekte (Vertrag) bis hin zu einer völligen Unternehmensverschmelzung (kapitalmäßige Verflechtung).

2 Unternehmenszusammenschluss durch Vertrag
[Business combinations by contract]

Erfolgt ein Unternehmenszusammenschluss **auf vertraglicher Basis,** liegt eine **Unternehmenskooperation** vor. Unternehmenskooperationen dienen der Verbesserung der Wettbewerbsfähigkeit. Die Unternehmen bleiben rechtlich und wirtschaftlich selbständig.

Im weiteren Sinne sind Kooperationen auch ohne formellen Vertrag denkbar (z. B. durch regelmäßigen Erfahrungsaustausch in sogenannten ERFA-Gruppen – ERFA ist die Abkürzung für Erfahrung –, durch den Austausch von Marktberichten). In diesem Zusammenhang spricht man auch von Netzwerken.

Die Kooperation kann horizontal oder vertikal erfolgen. Kooperationen eignen sich besonders für Klein- und Mittelbetriebe, weil sie damit flexibel bleiben und gleichzeitig ihre betrieblichen Möglichkeiten erweitern können.

Die Kooperation kann alle Funktionsbereiche der betroffenen Unternehmen umfassen (gesamtfunktionelle Kooperation) oder sich nur auf Teilbereiche erstrecken (teilfunktionelle oder sektorale Kooperation).

Sektorale Kooperationen gibt es häufig
- im Bereich Forschung und Entwicklung,
- in der Beschaffung (um günstigere Preise und bessere Lieferkonditionen zu erzielen),
- in der Produktion (gleichstufige Unternehmen spezialisieren sich auf bestimmte Produkte oder Teile und werden dann gegenseitig als Zulieferer tätig),
- bei der Absatzorganisation, vor allem auf Exportmärkten.

Kooperationen können langfristig sein, sie können aber auch zeitlich auf ein bestimmtes Projekt beschränkt sein. Dies ist z. B. üblich in Arbeitsgemeinschaften der Bauindustrie.

Es gibt zahlreiche Formen der Unternehmenskooperation, die Sie z. T. bereits kennengelernt haben (z. B. Joint Venture oder Cluster). In den letzten Jahren sind vor allem folgende Formen wichtig geworden:

(1) Strategische Allianz
Bei der strategischen Allianz handelt es sich um eine längerfristige, partnerschaftliche Zusammenarbeit in einem genau abgegrenzten Geschäftsbereich. Ein Beispiel dafür ist die gemeinsame Beschaffungsplattform Covisint von Chrysler, Ford und General Motors, vgl. **www.covisint.com**.

(2) Wertschöpfungspartnerschaft
Eine Wertschöpfungspartnerschaft liegt vor, wenn mindestens zwei Unternehmen in aufeinanderfolgenden Produktionsstufen kooperieren. Zum Beispiel arbeitet die dm-Drogeriemarkt-Kette mit ihren Industriepartnern zusammen, um eine Abstimmung der Produktpolitik zu erreichen. Dadurch soll die Zufriedenheit der dm-Kunden erhöht und der Absatz der Zulieferer gesteigert werden.

*Den standardisierten Datenaustausch zwischen Handel und Industrie bezeichnet man auch als **Efficient Consumer Response – ECR**, vgl. auch www.ecr-austria.at.*

(3) Virtuelles Unternehmen
Bei einem virtuellen Unternehmen handelt es sich um eine Kooperation verschiedener Unternehmen, die **nach außen hin** als **ein** Unternehmen auftreten. Jedes der beteiligten Unternehmen bringt dabei seine besonderen Fähigkeiten, seine Kernkompetenzen, ein.

Beispiel: Hinter der Firma PUMA steht ein Netzwerk von Produzenten, Logistikunternehmen und Vertriebsorganisationen. PUMA selbst konzentriert sich ausschließlich auf seine drei Kernkompetenzen Entwicklung, Design und Marketing.

(4) Beherrschungsvertrag

Wird die Leitung eines Unternehmens komplett einem anderen Unternehmen unterstellt, sodass das Unternehmen seine Autonomie vollständig aufgibt, spricht man von einem Beherrschungsvertrag oder einem Vertragskonzern. Ein Beherrschungsvertrag ist ein **weitreichender Kooperationsvertrag**. Er bezieht sich nicht nur auf Teilbereiche eines Unternehmens, sondern erfasst ein gesamtes Unternehmen.

3 Unternehmenszusammenschluss durch Kapital
[Business combinations by buying shares]

Erfolgt ein Unternehmenszusammenschluss durch **Kapitalbeteiligung,** liegt eine **Unternehmenskonzentration** vor. Als Ergebnis eines Unternehmenszusammenschlusses durch Kapitalbeteiligung können entweder **Konzerne** gebildet werden oder **Fusionen** entstehen.

(1) Konzerne

Konzerne sind charakterisiert durch Kapitalverflechtung und eine einheitliche Leitung. Die Art des Konzerns hängt von der Zielsetzung des Zusammenschlusses ab.

Grafik Konzernarten

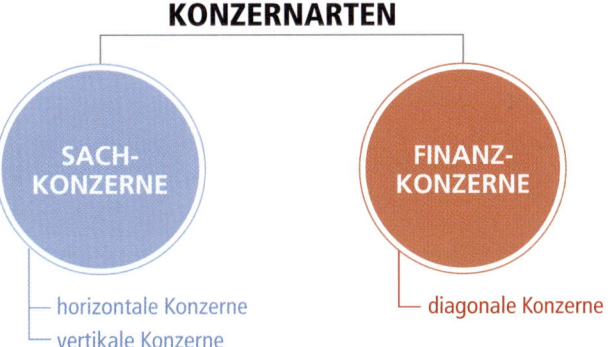

- **horizontale Konzerne**

    Gleichartige und gleichstufige Unternehmen schließen sich zusammen (z. B. Autokonzern, Bankenkonzern). Ziele können sein:
    - Rationalisierung durch Typung, Normung, einheitliche Organisation, einheitlicher Vertrieb
    - Marktbeherrschung durch Zusammenschluss mit Konkurrenzunternehmen

    Beim Zusammenschluss gleichartiger und gleichstufiger Unternehmen sind die Kartell- und Wettbewerbsvorschriften zu beachten.

- **vertikale Konzerne**

    Gleichartige, aber verschiedenstufige Unternehmen schließen sich zusammen (z. B. Bergwerk, Stahlwerk, Walzwerk, Automobilfabrik). Ziel ist vor allem die Sicherung der Vorleistungen und des Absatzes.

    Selbstverständlich rationalisieren auch vertikale Konzerne durch Vereinheitlichung der Organisation.

- **diagonale Konzerne**

    Zwischen den zusammengeschlossenen Betrieben besteht leistungsmäßig kein Zusammenhang (z. B. Chemieunternehmen, Stahlwerk, Bank). Ziel ist das Erwirtschaften maximaler Rentabilität durch
    - Risikostreuung über mehrere Branchen,
    - optimale Verwendung von liquiden Mitteln,
    - Verminderung der Besteuerung durch Gewinnverlagerung in Länder mit niedriger Besteuerung.

- **Holdinggesellschaften und Trusts**

Unter **Holdinggesellschaft** versteht man die **Dachgesellschaft** eines Konzerns, die die Mehrheit der Aktien hält und die Leitungsaufgaben übernimmt. Produktion und Vertrieb bleiben jedoch bei den verwalteten Unternehmen.

Trust ist ein mehrdeutiger Begriff aus den USA. Er bezeichnet das Ergebnis einer Konzernbildung unter Verwendung einer Holdinggesellschaft. Unter Trust wird aber auch das Resultat der Verschmelzung von Großunternehmen zu rechtlichen Einheiten verstanden, die die Marktbeherrschung anstreben (monopolistisch wirkender Konzern). Gegen diese Bestrebung zur Marktbeherrschung von Trusts gibt es eine eigene Gesetzgebung, die eine Marktbeherrschung verhindern soll. (Vergleichen Sie dazu den Abschnitt über Wettbewerbsrechtliche Grundlagen in dieser Lerneinheit.)

Beispiel HIRSCH Servo AG – Beispiel für einen österreichischen Konzern

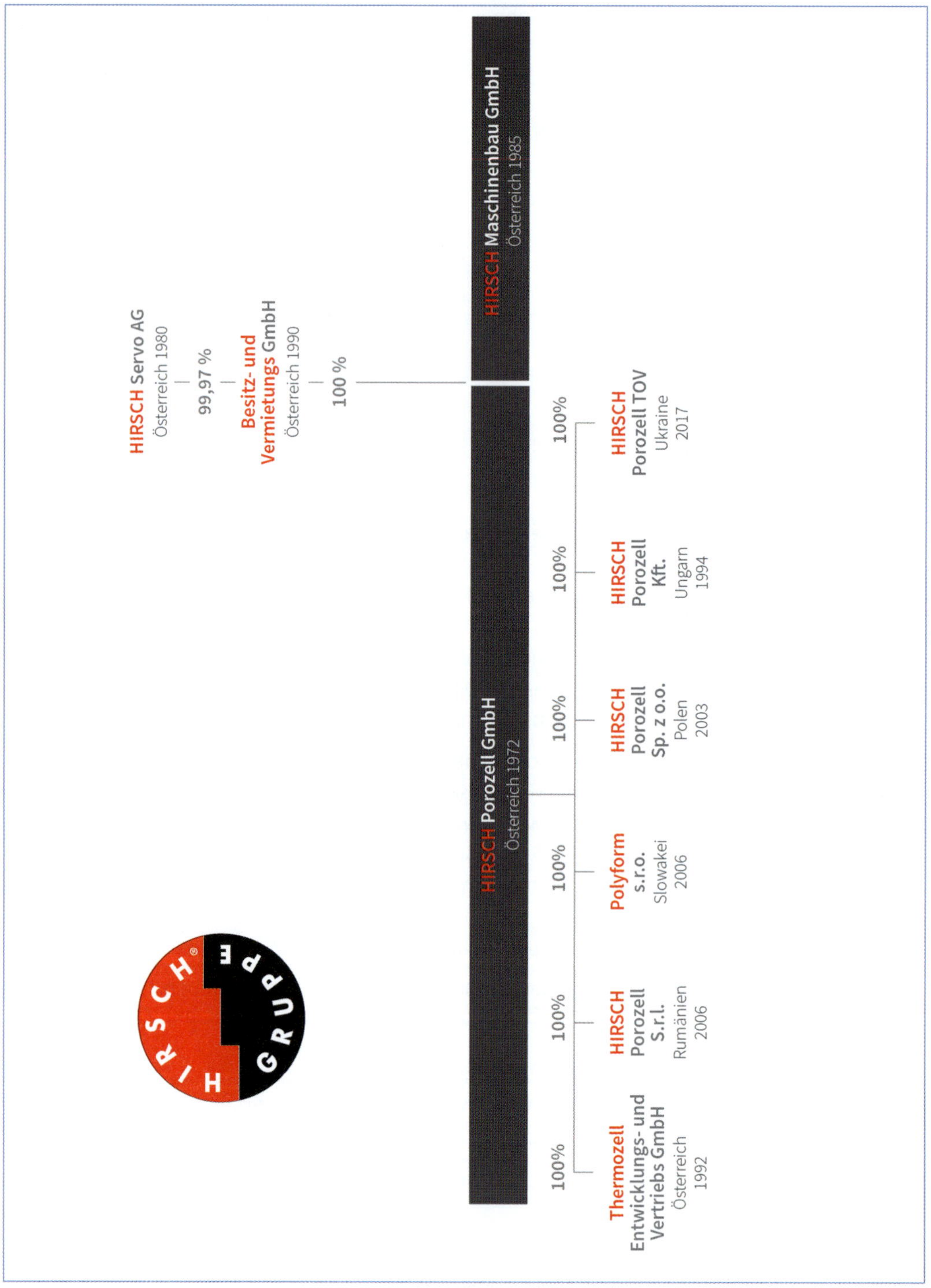

Quelle: www.hirsch-gruppe.com, letzter Zugriff: 30. 05. 2017.

Beispiel — Ottakringer Getränke AG – Beispiel für einen österreichischen Konzern

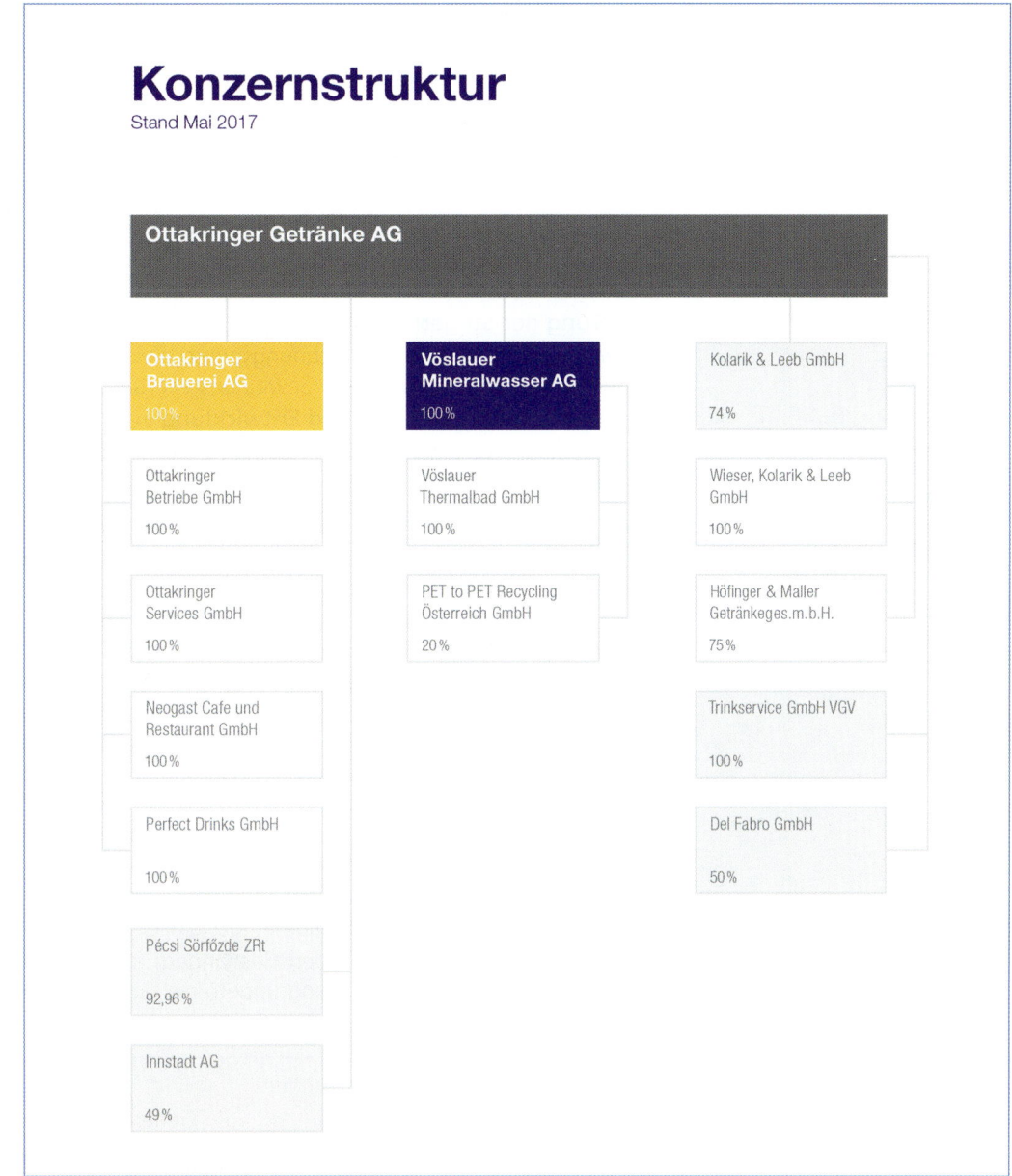

Quelle: Ottakringer Getränke AG, Organigramm, www.ottakringerkonzern.com, letzter Zugriff: 30.05.2017.

- **Die multinationalen Konzerne (Multis)**

  Multinationale Konzerne sind Unternehmenszusammenschlüsse, die **Produktionsstätten in vielen Ländern** haben. Die wichtigsten unternehmenspolitischen Entscheidungen erfolgen jedoch im Stammland. Dies sind in vielen Fällen die USA. Die meisten Multis sind sowohl vertikal als auch horizontal und diagonal verflochten.

  Wesentliche **Merkmale** der Multis sind:
  - Ausnützung des internationalen **Gefälles der Lohnkosten**
    Produziert wird soweit wie möglich in Ländern mit niedrigen Lohnkosten.
  - Optimale **Umgehung von Zoll- und Handelsschranken**
    Geliefert wird aus jenem Land, das die größten Zollvorteile und die geringsten Handelsbeschränkungen bietet.
  - **Minimierung der Steuerbelastung**
    Die Gewinne werden durch Verrechnungspreise zwischen den Konzerntöchtern soweit wie möglich in Länder mit niedriger Gewinnbesteuerung verlagert.
  - **Konzentration der Forschung und Entwicklung** in einigen wenigen Standorten
    Die Entscheidung für die Produktionsstandorte hängt auch von den jeweiligen Umweltschutzbestimmungen ab.

  An den Multis wird immer wieder Kritik geübt, und zwar mit folgenden Argumenten:
  - Die multinationalen Konzerne blockieren insbesondere in Entwicklungsländern das Entstehen einer leistungsfähigen heimischen Industrie.
  - Es werden zwar in Niedriglohnländern kurzfristig Arbeitsplätze geschaffen; die Betriebe werden jedoch sofort wieder aufgelassen, wenn es zu wirtschaftlichen Schwierigkeiten kommt oder wenn sich andere Länder mit noch niedrigerem Lohnniveau anbieten.
    Beispiele für kurzfristige Betriebsansiedlungen in immer neuen Billiglohnländern finden sich im Bereich der Textil- und Schuhindustrie. Sie verlagerte ihre Produktionsstandorte zunächst nach Bulgarien und Rumänien, dann nach Fernost – etwa nach China und von dort nach Vietnam oder Kambodscha. In den letzten Jahren sind afrikanische Länder wie Äthiopien interessante Standorte für die Textilindustrie geworden.
  - Zoll- und Steuervorschriften werden umgangen.
  - In Ländern mit unzureichenden Umweltschutzbestimmungen wird umweltschädigend produziert (Abgase, Abwässer, Abfallbeseitigung aller Art).
  - Neben wirtschaftlichen werden in den Gastländern auch politische Ziele verfolgt (Unterstützung von Parteien oder Personengruppen, die den Multis günstigere gesetzliche Bestimmungen garantieren).

Beispiele

Multis

Wal-Mart (Einzelhandel – USA)	General Motors (Autos – USA)
BP (Erdöl – Großbritannien)	General Electric (Mischkonzern – USA)
Shell (Erdöl – Niederlande)	AXA (Versicherungen – Frankreich)

(2) M&A – Mergers & Acquisitions

Von Mergers spricht man, wenn sich Unternehmen mehr oder weniger freiwillig zusammenschließen **(Fusion)**, von Acquisitions, wenn ein Unternehmen von einem anderen aufgekauft wird. Eine exakte Unterscheidung ist nicht möglich, daher werden die beiden Begriffe immer gemeinsam gebraucht.

M&A finden in allen Wirtschaftsbereichen statt. Die Wirtschaftsexperten sind sich darin einig, dass diese Entwicklung fortschreitet und durch die gesetzlichen Wettbewerbsregelungen nur teilweise gebremst werden kann.

M&A werden häufig durch einen so genannten „Squeeze Out" erleichtert, bei dem die Minderheitsaktionäre vom Mehrheitsaktionär (über 95 % Aktienbesitz) gezwungen werden können, ihre Aktienanteile gegen eine (Bar-)Abfindung aufzugeben.

Beispiele

Die Oetker-Gruppe verkauft die Reederei Hamburg Süd an den dänischen Reederei-Riesen A.P. Møller-Maersk. Mit dem Deal verliert Oetker rund die Hälfte seines Umsatzes von rund 12 Milliarden Euro. Der Verkauf soll bis Ende 2017 umgesetzt werden. Die Kartellbehörden müssen noch zustimmen. Der Verkaufserlös soll für das Stammgeschäft von Oetker verwendet werden, geplant ist der Zukauf von Unternehmen im Bereich Lebensmittel, der letzte Erwerb war 2015 die Konditorei „Coppenrath & Wiese".

Der größte Merger 2015 war der Zusammenschluss des US-amerikanischen Pharmariesen Pfizer mit seinem irischen Partner Allergan um 191 Mrd. US-Dollar.

Der belgische Brauer Anheuser-Busch InBev kaufte SAB Miller. Durch diese Übernahme kontrolliert der Konzern nun 1/3 des weltweiten Biermarkts.

Im September 2016 kaufte der deutsche Chemiekonzern Bayer den amerikanischen Saatguthersteller Monsanto um 66 Mrd. US-Dollar.

Im Herbst 2014 übernahm Facebook seinen Konkurrenten Whatsapp um 16 Mrd. US-Dollar.

Übungsbeispiel

Ü 5.02: Perspektiven auf Timer Warner und AT&T C

Analysieren Sie die mögliche Übernahme von Time Warner durch AT&T (siehe Einstiegstext zur Lerneinheit). Ordnen Sie diesem Vorhaben die Richtung des Zusammenschlusses sowie die Art der Bindung zu. Handelt es sich um einen „Merger" oder um einen Aufkauf („Acquisition")?

4 Konsequenzen von Unternehmenszusammenschlüssen
[Consequences of business combinations]

Je nachdem, wie ein Unternehmenszusammenschluss abgewickelt wird (insbesondere bei Übernahmen), unterscheidet man 2 Arten:

- **Friendly Takeover:** Freundliche Übernahmen kommen im Verhandlungswege zustande.
- **Hostile Takeover:** Feindliche Übernahmen können erfolgen durch
  ○ allmählichen Erwerb von Anteilen über die Börse,
  ○ öffentliche Übernahmeaufrufe (Tender Offer): Den Aktionären wird angeboten, die Aktien innerhalb eines bestimmten Zeitraums zu festen Bedingungen, die meist deutlich über den Börsenkursen liegen, zu kaufen.

Beispiele

In einer bereits legendären Übernahmeschlacht versuchte Porsche 2009, den VW-Konzern zu übernehmen. Die Übernahme scheiterte und schließlich wurde Porsche in den VW-Konzern eingegliedert.

Trotz großen Widerstands ist es dem spanischen Bankkonzern Grupo ACS gelungen, die deutsche Hochtief AG Mitte 2011 feindlich zu übernehmen.

Mit der Übernahme von Unternehmen sind verschiedene Probleme und Konsequenzen für die Unternehmen verbunden.

Die Bewertungsproblematik bei Unternehmenszusammenschlüssen ist Thema der LE 2.

(1) Bewertungsprobleme

Das Bestreben, die Marktmacht zu vergrößern, und die Furcht, ein Konkurrenzunternehmen könnte bei der beabsichtigten Übernahme zuvorkommen, führen oft zu **überhöhten Preisen** und zu nachfolgenden Schwierigkeiten beim übernehmenden Konzern.

Beispiele

Der Marktwert von Daimler-Chrysler ist einige Jahre nach der Fusion zwischen Daimler und Chrysler auf die Hälfte gesunken. Schließlich gab die Daimler AG Chrysler an einen Investmentfonds ab. Der Gesamtverlust aus dem Geschäft wird auf ca. 35 Milliarden Euro geschätzt.

Der Medienkonzern Time Warner spaltete knapp 6 Jahre nach der Fusion mit AOL die Internet-Sparte wegen zu hoher Verluste wieder ab. Derzeit ist die Übernahme von Time Warner durch AT&T geplant.

(2) Organisatorische Probleme

Das gesamte Planungs- und Organisationssystem einschließlich der Vertriebsstruktur muss **vereinheitlicht** werden. Da diese Systeme meist das Ergebnis einer langjährigen innerbetrieblichen Entwicklung sind, ergeben sich oft Schwierigkeiten. Zum Beispiel führt bei Banken die Vereinheitlichung des Datennetzes häufig zu organisatorischen Problemen.

(3) Veränderungen in der Unternehmenskultur

Unterschiedliche Unternehmen haben auch unterschiedliche Unternehmenskulturen. Die Vereinheitlichung wird zusätzlich durch die Notwendigkeit erschwert, Personal abzubauen. Meist ist das Personal der beteiligten Unternehmen in unterschiedlichem Ausmaß betroffen. Ebenso müssen die Entgeltsysteme angeglichen werden.

Besondere Probleme ergeben sich auch bei der Zusammenführung des Managements, da viele Positionen plötzlich doppelt besetzt sind.

(4) Schließung von Standorten

Mittel- und langfristig werden viele übernommene Standorte geschlossen.

Beispiele

Bankfilialen werden zusammengelegt (z. B. Filialen der Bank Austria und der Creditanstalt) oder geschlossen.

Produktionsstätten werden reduziert oder aufgelassen (z. B. die Zigarettenproduktion in Schwaz/Tirol und Fürstenfeld/Steiermark nach dem Ablauf der Arbeitsplatzgarantie, die die britische Gallaher Group beim Kauf der Austria Tabak AG abgab. Die Betriebsstätten des Reifenerzeugers Semperit wurden nach Übernahme durch Conti zunächst reduziert und dann nach Tschechien verlagert.).

Arbeitnehmerorganisationen protestieren mit zahlreichen Maßnahmen gegen die Schließung oder Verkleinerung von Produktions- oder Forschungsstandorten. Oft schließen sich die Medien diesen Protesten an und es kommt zu einem erheblichen **Imageverlust** des Konzerns. In Deutschland gab es z. B. große Demonstrationen gegen die Auflassung von Produktionsstätten von Opel.

(5) Abwehrstrategien

Wegen der Zunahme feindlicher Übernahmen haben Unternehmen eine Vielzahl von Strategien entwickelt, wie sie diese Übernahmeversuche abwehren können. Einige dieser Abwehrstrategien sind:

- **Festlegung von Höchststimmrechten**

  Das Stimmrecht einzelner Aktionäre wird auf 5 bis 10 % begrenzt (Umgehungsmöglichkeit: Aufteilung des Aktienbesitzes auf „Strohleute").

  In Europa gibt es enge rechtliche Grenzen für hohe qualifizierte Hauptversammlungsmehrheiten, z. B. dürfen höchstens 10 % des Aktienkapitals durch das Unternehmen selbst erworben werden.

- **Festlegung besonders hoher qualifizierter Hauptversammlungsmehrheiten**

  Super Majority Provision für Schlüsselentscheidungen, wie z. B. für die Bestellung und Abberufung von Aufsichtsratsmitgliedern oder den Abschluss von Fusionsverträgen. Durch diese hohen Mehrheiten kann die Handlungsfähigkeit des Unternehmens leiden.

- **Kapitalerhöhung unter Ausschluss des Bezugsrechts**

  Platzierung der jungen Aktien bei einem Kreis befreundeter Investoren

- **Erwerb eigener Aktien**

  Der Erwerb eigener Aktien führt einerseits zur Erhöhung des Börsenkurses (damit wird die Beteiligung unattraktiver), andererseits trägt er zu einer Veränderung der Stimmrechtsverhältnisse in der Hauptversammlung bei (unerwünschte Investoren müssten ein noch größeres Aktienpaket erwerben).

- **wechselseitige Beteiligungen**

  Dabei handelt es sich um Beteiligungen mit anderen befreundeten Unternehmen. Dies erschwert den Erwerb der Kapitalanteilsmehrheit bei den potenziellen Übernahmeinteressenten.

- **Pac-Man-Abwehr (USA)**

  Das zu übernehmende Unternehmen kauft die Aktien des feindlichen Interessenten auf. Das ist schwierig, weil erhebliche Finanzmittel erforderlich sind; außerdem ist es ungewiss, ob sich der feindliche Interessent auf ein Übernahmeangebot einlässt.

- **Golden Parachutes (USA)**

  Das Top-Management lässt sich kurz vor einer feindlichen Übernahme langjährige Verträge und hohe Pensionsabfertigungen zusichern – das senkt die Attraktivität des Zielunternehmens.

- **White Knight**

  Hier geht es um das Finden eines freundlicher gesinnten Kaufinteressenten statt des feindlichen Bieters (dieser andere Kaufinteressent wird im Kreis der befreundeten Unternehmen gesucht).

5 Wettbewerbsrechtliche Grundlagen
[Principles of competition law]

Um Wettbewerbsbeschränkungen durch Unternehmenszusammenschlüsse zu verhindern, wurde in der EU und daher auch in Österreich ein **umfassendes Wettbewerbsrecht** geschaffen. Die wichtigsten Bestimmungen sind im **Kartellgesetz 2005** geregelt.

Kooperationen von Unternehmen werden durch das generelle **Verbot von Kartellen** im österreichischen und im EU-Recht beschränkt.

Das österreichische Kartellgesetz 2005 bestimmt in der aktuellen Fassung in § 1: „Verboten sind alle Vereinbarungen zwischen Unternehmen, Beschlüsse von Unternehmensvereinigungen und aufeinander abgestimmte Verhaltensweisen, die eine Verhinderung, Einschränkung oder Verfälschung des Wettbewerbs bezwecken oder bewirken (Kartelle)."

Einen guten Überblick über aktuelle Entwicklungen im Kartellrecht gibt die Website: www.rechtsfreund.at/kartellrecht.htm

Unter das Verbot von Kartellen fallen z. B.:

- **Absprachen über verpflichtende Verkaufspreise mit Händlerorganisationen**

  In der Praxis finden Sie daher häufig nur den Hinweis auf „unverbindlich empfohlene Verkaufspreise (UVP)". Wird versucht, diese UVP durch wirtschaftlichen Druck, z. B. durch Androhung einer Belieferungssperre, durchzusetzen, handelt es sich bereits um eine verbotene Verhaltensweise (z. B. im Autohandel, Lebensmitteleinzelhandel).

- **Absprachen über einheitliche Konditionen**

  Darunter fallen z. B. Absprachen über Kreditkonditionen oder Konditionen für die Kontoführung zwischen Kreditinstituten. Einige österreichische Kreditinstitute wurden von der EU zu Strafzahlungen verurteilt, weil sie Kredit- und Einlagenkonditionen miteinander abgestimmt hatten.

- **Absprachen über Angebote bei öffentlicher Auftragsausschreibung** (Bieterkartelle, z. B. bei Bauaufträgen)

  Solche Absprachen werden zusätzlich strafrechtlich verfolgt.

- **Absprachen über das Produktionsprogramm**

  Hier geht es darum, sich abzusprechen, wer welche Produkte erzeugt bzw. nicht erzeugt. Das heißt, auch die Vereinbarung, bestimmte Produkte nicht oder nicht mehr zu erzeugen, ist verboten. Verboten ist z. B. auch die Absprache, bestimmte Erfindungen nicht zu nutzen.

Vom Kartellverbot bestehen nur wenige **Ausnahmen**:

- **Buchpreisbindung**
- **Wettbewerb zwischen Mitgliedern einer Genossenschaft (Genossenschaftsprivileg)**
- **Bagatellkartelle:**

  Bagatellkartelle beziehen sich auf Absprachen zwischen Unternehmen, die an einem relevanten Teilmarkt (z. B. einer Stadt) gemeinsam nicht mehr als 10 % Marktanteil haben. Z. B. dürfen Fahrschulen in einer Stadt die Preise nicht absprechen, weil sie im relevanten Teilmarkt mehr als 10% Marktanteil haben.

Werden bestimmte Grenzen überschritten, müssen auch Zusammenschlüsse von Unternehmen durch Kapitalbeteiligung angemeldet werden und können untersagt werden. Die Anmeldung erfolgt bei der österreichischen **Bundeswettbewerbsbehörde.** Diese untersucht Wettbewerbsverzerrungen und sorgt für deren Beseitigung. Ihre Kompetenz entfällt, wenn die EU-Kommission ein Verfahren in einem Einzelfall einleitet.

Eine Übersicht über die Tätigkeiten der Bundeswettbewerbsbehörde finden Sie unter www.bwb.gv.at.

Beispiele

Die Übernahme der AUA durch die deutsche Lufthansa im Jahr 2009 wurde durch die EU-Kommission überprüft und genehmigt. Jedoch musste die Lufthansa Start- und Landerechte auf den Strecken zwischen Wien und Brüssel bzw. zwischen Wien und verschiedenen deutschen Städten an Konkurrenten abgeben.

Im Dezember 2012 wurde die Übernahme der Mobilfunksparte von „Orange" durch „3" von der EU-Kommission unter der Auflage genehmigt, dass „3" Frequenzen an neue Mitbewerber verkauft.

Für Wettbewerbsfragen ist in Österreich das Kartellgericht zuständig.

6 Unternehmensentflechtungen
[Divestments]

Unternehmensentflechtungen führen zur **Auflösung** von Unternehmenszusammenschlüssen.

Gründe dafür sind:

- **gesetzliche Gründe,** weil ein Unternehmenszusammenschluss dem Kartellrecht widerspricht bzw. die Kartellbehörden (z. B. der EU) Auflagen erteilen.

  Infolge der Auflagen der EU-Kommission musste z. B. der niederländische Finanzkonzern ING bis 2013 das Versicherungsgeschäft abgeben.

- **betriebswirtschaftliche Überlegungen**

  Betriebswirtschaftliche Überlegungen führen zur Unternehmensentflechtung, wenn
  - Unternehmensteile nicht mehr zur strategischen Ausrichtung des Unternehmens passen,
  - innerhalb des Unternehmens Schwerpunkte gebildet und daraufhin Unternehmensteile abgestoßen werden, weil sie innerhalb des eigenen Unternehmens nicht gewinnbringend geführt werden können,
  - die erwarteten Vorteile eines Unternehmenszusammenschlusses nicht erreicht wurden.

  Im Herbst 2014 trennte sich Siemens von seiner Haushaltsgerätesparte (Übernahme durch Bosch), um sich auf seine vier Hauptgeschäftsfelder (Energie, Medizintechnik, Industrie, Infrastruktur) zu konzentrieren.

Üben – Anwenden

Ü 5.03: Zusammenschluss C

2017 wurde in den Medien berichtet, dass zwei österreichische Werbeagenturen planen, gegenseitig Kapitalanteile zu übernehmen.

a) Welche Art des Zusammenschlusses würde in diesem Fall vorliegen? Verwenden Sie für Ihre Antwort die Begriffe aus der einleitenden Grafik.

b) Wäre ein derartiger Zusammenschluss vermutlich genehmigungspflichtig?

Ü 5.04: Zusammenschluss in der Sportartikelbranche B

Ein Schihersteller erwirbt einen Hersteller für Tennisschläger und ein Unternehmen für Sportmoden. Welche Art des Zusammenschlusses liegt vor?

Ü 5.05: Erhebungsaufgabe D

Sammeln Sie Berichte über Zusammenschlüsse und Entflechtungen von Unternehmen. Welche Gründe werden für diese Maßnahmen angegeben? Welche Probleme treten auf?

Versuchen Sie auch Stellungnahmen der Mitarbeiter/innen für und gegen Zusammenschlüsse und Entflechtungen zu finden. Wie werden diese begründet?

Ü 5.06: Kapitalverflechtung, Begriffe B

Sie lesen im Wirtschaftsteil einer Tageszeitung: „Ein neuer Automobilkonzern entstand – die Variant Motor Corporation erwarb Mehrheitsanteile an zwei englischen und einer schwedischen Automobilfabrik."

a) Ist der Begriff „Konzern" hier richtig gebraucht?

b) Welche Form der Kapitalverflechtung liegt hier vor?

c) Welche Ziele könnte die Variant Motor Corporation mit diesen Beteiligungen verfolgen?

Ü 5.07: Trust B

Drei Ölgesellschaften sollen zu einem „Öltrust" verschmolzen werden.

a) Was heißt das?

b) Welche Möglichkeiten gibt es dafür?

Ü 5.08: Multis B

Sie lesen in einer Tageszeitung: „Schon wieder Kritik an den Ölmultis." Was könnte damit gemeint sein?

Ü 5.09: Übernahme C

In großen Tageszeitungen inseriert die ABC-Motorcorporation, dass sie bereit ist, Aktien der XYZ-Car-Development-Corporation zu einem Kurs von USD 25,– pro Stück aufzukaufen. Der aktuelle Börsenkurs beträgt USD 21,–.

a) Wird es sich eher um ein freundliches oder eher um ein feindliches Übernahmeangebot handeln? Bitte begründen Sie Ihre Ansicht.

b) Welche Interessen könnte die ABC-Motorcorporation an der Übernahme haben? Nennen Sie drei wesentliche Gründe.

c) Nennen Sie drei Möglichkeiten, wie sich die XYZ-Car-Development-Corporation gegen eine derartige Übernahme absichern kann.

Ü 5.10: Wettbewerbsvorschriften, Kartellrecht C

Nehmen Sie an, die österreichischen Bierbrauer würden beschließen, den gesamtösterreichischen Markt nicht durch alle Bierbrauer vollständig zu beliefern, sondern ihn – um Transportkosten zu sparen – untereinander in drei Regionen aufzuteilen.

Ist eine solche vertragliche Vereinbarung zulässig?

Ü 5.11: Absprachen, Zulässigkeit C

Zwei Lebensmitteleinzelhändler in einer Kleinstadt beschließen, die Preise für Tiefkühlprodukte sowie für Käse, Butter und Milch abzusprechen. In der Kleinstadt finden sich auch Filialen von drei großen Lebensmittelketten.

Verstößt eine solche Absprache gegen das österreichische Kartellrecht? Begründen Sie Ihre Antwort!

☐ Ja, weil

☐ Nein, weil

Sichern

Gründe für Unternehmenszusammenschlüsse
Unternehmenszusammenschlüsse dienen dazu, die Wettbewerbsfähigkeit der Unternehmen zu stärken und die Konkurrenz auszuschalten.

reasons for business combinations
Business combinations serve to strengthen the competitiveness of companies and to shut out the competition.

Richtungen von Unternehmenszusammenschlüssen
Unternehmenszusammenschlüsse können horizontal, vertikal oder diagonal erfolgen.

direction of business combinations
Business combinations can take place horizontally, vertically or diagonally.

Grundlagen von Unternehmenszusammenschlüssen
Als rechtliche Basis für Unternehmenszusammenschlüsse kommen ein vertragsmäßiger und ein kapitalmäßiger Zusammenschluss infrage.

principles for business combinations
The legal basis for business combinations can be a contract or the purchase of a sufficient number of shares.

Unternehmenskooperationen
Unternehmenskooperationen dienen der Verbesserung der Wettbewerbsfähigkeit. Sie erfolgen auf vertraglicher Basis. Wichtige Formen sind:
- strategische Allianz
- Wertschöpfungspartnerschaft
- virtuelles Unternehmen
- Beherrschungsvertrag

business cooperations
Cooperations between businesses serve to improve competitiveness. They take place on a contractual basis. Important forms are:
- strategic alliance
- value-added partnership
- virtual company
- domination agreement

Konzerne
Konzerne sind Unternehmenszusammenschlüsse auf Kapitalbasis unter einheitlicher Leitung. Drei Formen lassen sich unterscheiden: horizontale, vertikale und diagonale Konzerne.

groups
Groups are business combinations on a capital basis and under unified control. Three forms can be differentiated: horizontal, vertical and diagonal.

Holding
Eine Holdinggesellschaft ist die Dachgesellschaft eines Konzerns.

holding company
A holding company is the parent company of the group.

Fusionen
Fusionen sind die totale Verschmelzung von Unternehmen.

merger
Mergers are the complete blending or fusion of companies.

Mergers & Acquisitions
„Mergers und Acquisitions" wird in der Wirtschaftspraxis als Oberbegriff für Unternehmenszusammenschlüsse gebraucht. Merger bezeichnet eine Fusion, Acquisition eine Übernahme. Eine genaue Unterscheidung dieser Vorgänge ist nicht möglich. Übernahmen gibt es als friendly und als hostile Take-over.

mergers & acquisitions
"Mergers and Acquisitions" (M&A) is used as the general term for the blending or fusion of businesses. A merger is a fusion, an acquisition a take-over. It is not possible to make a clear distinction between these two processes. M&A can be a friendly or a hostile take-over.

Konsequenzen von Unternehmenszusammenschlüssen

Mit Unternehmenszusammenschlüssen sind oft verbunden:
- Bewertungsprobleme
- organisatorische Probleme
- Veränderungen in der Unternehmenskultur
- Schließung von Unternehmensstandorten
- Abwehrstrategien
- Beschränkungen des Wettbewerbs

consequences of business combinations

Business combinations are often connected with:
- valuation problems
- organisational problems
- changes in corporate culture
- closing-down of company locations
- defensive strategies
- reductions in competition

Wettbewerbsrechtliche Bestimmungen

Laut Kartellgesetz 2005 sind Kartelle mit wenigen Ausnahmen verboten. Unternehmenszusammenschlüsse durch Kapitalbeteiligung sind unter bestimmten Voraussetzungen meldepflichtig.
Als zuständige Behörde wurde in Österreich die Bundeswettbewerbsbehörde eingerichtet.

competition law requirements

According to the Anti-Trust Law 2005, trusts are forbidden with just a few exceptions. Under certain circumstances business combinations by purchasing shares must be reported to the authorities. The authority responsible in Austria is the Competition Authority.

Entflechtungen

Die Auflösung von Unternehmenszusammenschlüssen kann aus rechtlichen oder betriebswirtschaftlichen Überlegungen erfolgen.

divestments

Dissolving business combinations can take place for legal or business reasons.

ID: 5013

Im SbX finden Sie eine Audio-Wiederholung der englischen Beiträge sowie eine Bildschirmpräsentation mit den Grafiken dieser Lerneinheit.

ID: 5014

W 5.01: Zusammenschlüsse von Unternehmen, Begriffe A
Nach welchen Merkmalen kann man Zusammenschlüsse von Unternehmen unterscheiden?

W 5.02: Übernahme B
Ein großer Erzeuger von Backwaren übernimmt 51 % einer Kaffeehauskette, um sich den Absatz für seine Backwaren zu sichern.
Welche Art von Zusammenschluss liegt vor?
☐ horizontal   ☐ vertikal   ☐ diagonal

W 5.03: Unternehmenskooperationen B
Wozu dienen Unternehmenskooperationen und auf welcher Basis erfolgen sie?

W 5.04: Holding A
Was ist eine Holding?

W 5.05: Unternehmenskooperationen B
In welchen Bereichen findet man häufig Unternehmenskooperationen?

W 5.06: Konzern A
Was sind die Merkmale eines Konzerns?

W 5.07: Trust A
Was ist ein Trust?

W 5.08: M&A A
Was versteht man unter M&A?

W 5.09: Konzern, Kooperation B
Bitte ordnen Sie die folgenden Begriffe richtig zu (Mehrfachzuordnungen sind möglich.):

	Konzern	Kooperation
a) vertraglicher Zusammenschluss		
b) Zusammenschluss durch Kapitalbeteiligung		
c) Zusammenschluss durch Verschmelzung		
d) wirtschaftliche Selbständigkeit bleibt erhalten		
e) rechtliche Selbständigkeit bleibt erhalten		

W 5.10: Wesentliche Beteiligung B
Eine Raffinerie beteiligt sich mit 51 % an einem Chemieunternehmen, das Kunststoffe aus Erdölprodukten herstellt.
Welche der folgenden Aussagen treffen auf diesen Zusammenschluss zu? (Mehrfachlösungen möglich)

a) ☐ Es handelt sich um ein Kartell.
b) ☐ Es handelt sich um einen Konzern.
c) ☐ Es handelt sich um einen vertikalen Zusammenschluss.
d) ☐ Es handelt sich um einen horizontalen Zusammenschluss.

W 5.11: Zusammenschluss B
Eine Hotelkette wird mit einem Chemieunternehmen und einem Flugzeugmotorenwerk kapitalmäßig verflochten. Die rechtliche Selbständigkeit der Unternehmen bleibt jedoch erhalten.
Welche Aussagen treffen auf diesen Sachverhalt zu? (Mehrfachlösungen möglich)

a) ☐ Es handelt sich um einen Trust.
b) ☐ Es handelt sich um einen Sachkonzern.
c) ☐ Es handelt sich um einen Finanzkonzern.
d) ☐ Es handelt sich um einen horizontalen Zusammenschluss.
e) ☐ Es handelt sich um einen vertikalen Zusammenschluss.
f) ☐ Es handelt sich um einen diagonalen Zusammenschluss.

W 5.12: Multinationale Konzerne A
Führen Sie drei Punkte an, die zur Kritik an den multinationalen Konzernen führen.

W 5.13: Wettbewerbskontrolle in Österreich A
Welche Institutionen sind in Österreich mit Wettbewerbsfragen befasst?

W 5.14: Unternehmensentflechtung A
Welche Überlegungen führen zu Unternehmensentflechtungen?

W 5.15: Zulässigkeit von Absprachen B
Sie lesen in der Zeitung, dass die österreichischen Müllereiunternehmen eine Absprache getroffen haben, um die Absatzbereiche gebietsmäßig aufzuteilen. Welche der folgenden Aussagen trifft auf diesen Sachverhalt zu?

a) ☐ Eine derartige Absprache ist in Österreich rechtlich unzulässig.
b) ☐ Eine derartige Absprache ist zwar rechtlich zulässig, jedoch meldepflichtig.
c) ☐ In Österreich sind Unternehmer berechtigt, jederzeit eine derartige Absprache zu treffen. Eine Meldpflicht besteht nicht.

→ Lernen ◐ Üben ◉ Sichern ⇨ Wissen

SbX
W 5.16
mit automatischer
Aufgabenkontrolle
ID: 5014

Weitere Aufgabe zur Lernkontrolle im SbX
Überprüfen Sie mit der folgenden Aufgabe, ob Sie Ihr Wissen erfolgreich anwenden können!

W 5.16: Unternehmenskooperation und -konzentration A
Themenübergreifendes Kreuzworträtsel zu Unternehmenskooperation und -konzentration!

SbX
Tests
ID: 5014

Tests mit automatischer Aufgabenkontrolle
Überprüfen Sie mit diesen Tests, ob Sie Ihr Wissen erfolgreich anwenden können!

Test: Arten von Zusammenschlüssen B
Test: Unternehmenszusammenschlüsse und Wettbewerbsrecht B

English questions

E 5.01: DIY Genius GmbH is a large "do-it-yourself" provider of raw materials with shops in Austria, Hungary, the Czech Republic and Slovakia. Their total revenue was € 320 million last year and their profits after tax were € 35 million. They wish to expand and are actively looking for partners. The owners approached SvenHus AB, another giant in the industry which has a very strong presence in northern Europe and have started negotiations. They are considering a sale to them for many reasons.

a) Describe, using the correct terms, what type of combination of companies this would be.
b) Explain what reasons you can see for this project to go ahead.
c) State what the legal basis for this combination of companies would be if it went ahead.
d) State what the direction of this business combination would by and why.
e) Say why this is not a cooperation.

E 5.02: Use the internet to do some research. Find an example of each of the following. In each case give reasons why you think the combination happened and describe the characteristics of the type of combination concerned:

a) a merger
b) a strategic alliance
c) a takeover
d) a value-added partnership

Ein kurzer Kompetenz-Check, bevor's weitergeht!

Kompetenz-Check

	☺	😐	☹
Ich kann Arten und Ziele von Unternehmenszusammenschlüssen beschreiben.			
Ich kann unterschiedliche Arten von Unternehmenskooperationen beschreiben.			
Ich kann die Ziele multinationaler Konzerne kritisch analysieren.			
Ich kann die Ziele von Mergers und Acquisitions kritisch analysieren.			
Ich kann verschiedene Arten der Übernahme von Unternehmen unterscheiden.			
Ich kann die Probleme von Mergers und Acquisitions charakterisieren.			
Ich kann Strategien zur Abwehr feindlicher Übernahmen beschreiben.			
Ich kann die wettbewerbsrechtlichen Beschränkungen von Unternehmenskooperationen erläutern.			
Ich kann anhand von Beispielen beurteilen, ob die wettbewerbsrechtlichen Vorschriften durch Unternehmenskooperationen verletzt werden.			

Lerneinheit 2
Unternehmen bewerten

SbX
Alle SbX-Inhalte zu dieser Lerneinheit finden Sie unter der ID: 5020.

Wenn AT&T den Unterhaltungskonzern Time Warner um 85 Mrd. $ kaufen möchte, erwirbt AT&T nicht nur die Senderrechte oder die Gebäude von Time Warner, sondern auch den guten Namen, den Kundenstamm, die Absatzorganisation, d.h. die Chance auf die zukünftigen Erträge.

In der modernen Unternehmensbewertung werden vor allem die zukünftigen Erträge für die Bewertung herangezogen. Da diese Prognosen schwierig sind, ist die Bewertung eines bestehenden Unternehmens ein komplexes Problem.

Lernen

SbX ID: 5021

1 Grundlagen der Unternehmensbewertung
[Principles of business valuation]

Der Wert eines bestehenden Unternehmens ist schwer zu ermitteln. Wird ein Unternehmen als Ganzes erworben, so werden sowohl der Verkäufer als auch der Käufer versuchen, das Unternehmen zu bewerten, um Anhaltspunkte für den Kaufpreis zu erhalten.

Für die Bewertung sind zwei Faktoren maßgebend:
- der Wert des Vermögens und des Fremdkapitals
- die zukünftigen Erträge, die das Unternehmen vermutlich erzielen wird

Bei der Bewertung von **Großunternehmen** arbeiten spezialisierte Unternehmensbewerter nur mehr mit **Ertragswerten,** d.h., sie diskontieren die zukünftigen finanziellen Überschüsse auf den Barwert.

Bei kleinen und mittleren Unternehmen wird meist mit **Näherungsverfahren** gearbeitet.

Rechnerische Bewertung

Die Ergebnisse der rechnerischen Bewertung eines Unternehmens sind nur eine Basis für die Verhandlungen zwischen Verkäufer und Käufer.

Die verschiedenen Verfahren führen zu unterschiedlichen Ergebnissen. Käufer und Verkäufer werden daher danach trachten, jene Bewertungsmethode zu betonen, die ihnen größere Vorteile bringt. Verschiedene Sachverständige kommen oft zu Differenzen von bis zum Doppelten des niedrigeren Werts.

Die Bewertung eines Unternehmens als Ganzes spielt auch dann eine Rolle, wenn ein Gesellschafter ausscheidet und sein Anteil ausgezahlt werden soll.

Die folgende Übersicht zeigt vereinfachte Bewertungsverfahren für kleine und mittlere Unternehmen.

Grafik
Verfahren zur Bewertung von Klein- und Mittelunternehmen

2 Die Bewertung von kleinen und mittleren Unternehmen
[The valuation of small and medium-sized enterprises]

Bei den Verfahren zur Bewertung von kleinen und mittleren Unternehmen sind der **Substanzwert** oder der **Ertragswert** ausschlaggebend.

Der Substanzwert
[Net asset value]

Beim Substanzwert werden alle Vermögensgegenstände zum Tageswert bewertet und davon die Verbindlichkeiten des Unternehmens abgezogen. Dabei werden meist folgende Wertansätze verwendet:

- Grundstücke mit dem Verkehrswert
- Gebäude und sonstiges Anlagevermögen mit den Wiederbeschaffungswerten abzüglich Abschreibungen
- Roh-, Hilfs- und Betriebsstoffe mit dem Wiederbeschaffungswert
- Waren und Fertigerzeugnisse mit den Wiederbeschaffungswerten, jedoch höchstens mit dem erzielbaren Verkaufspreis
- Forderungen mit dem Wert, mit dem sie vermutlich eingehen werden
- Wertpapiere mit dem Börsenkurs am Bewertungsstichtag
- Geld und Bankguthaben mit dem Nennwert

Besondere Mängel sind durch Abschläge zu berücksichtigen (Gebäude in besonders schlechtem Bauzustand, veralteter Lagerbestand, veralteter Maschinenpark etc.).

Bilanzierung Vorsichtsprinzip

Bei der Bilanzierung gilt das Vorsichtsprinzip als Leitprinzip. D. h.:
- Der historische Anschaffungswert ist die Bewertungsobergrenze.
- Die Abschreibungsdauer wird vorsichtig, d. h. eher zu kurz, angesetzt.
- Die Bewertung von Umlaufvermögen erfolgt nach dem strengen Niederstwertprinzip.

Daher zeigt die Bilanz in der Regel einen viel geringeren als den tatsächlichen Wert der Unternehmenssubstanz. Alle diese „stillen Reserven" sind bei der Substanzbewertung aufzulösen.

Probleme beim Substanzwertverfahren

- Die Wiederbeschaffungswerte zum Bewertungszeitpunkt sind schwer zu ermitteln.

Beispiele

Maschinen werden wahrscheinlich in der gleichen Form und Ausstattung nicht mehr auf dem Markt sein.

Wenn Grundstücke in einer bestimmten Lage selten verkauft werden, ist ein Wiederbeschaffungswert schwer zu ermitteln.

Bei Gebäuden haben sich häufig die Bauweise und damit die Haltbarkeit und der Nutzwert geändert (z. B. Betonbau statt Ziegelbau, Verbesserung der Wärmedämmung), ein Wiederbeschaffungswert kann daher nicht errechnet werden.

- Das Substanzwertverfahren berücksichtigt zwei Faktoren nicht, nämlich
  - immaterielle Werte, die in der Bilanz nicht aufscheinen (Kundenstamm, Betriebsorganisation, geschultes Personal, gute Auslandsbeziehungen etc.), und
  - die zukünftige Ertragskraft des Unternehmens.

Der Ertragswert
[Capitalised earnings method]

Die Ertragswertverfahren gehen davon aus, dass betriebswirtschaftlich nicht der Substanzwert von Interesse ist, sondern **die zukünftigen Erträge,** die mit diesem Unternehmen erzielt werden können. Da jedoch zukünftige Erträge weniger wert sind als Barbeträge, werden

- die zukünftigen Erträge geschätzt und
- für eine bestimmte Betrachtungsdauer
- mit einem zu wählenden Zinssatz diskontiert.

Barwert einer ewigen Rente

Im einfachsten Fall geht man davon aus, dass der Gewinn für eine lange Zeitperiode gleichbleibt.

Man verwendet die Formel für den Barwert der „ewigen Rente".

$$\text{Ertragswert} = \frac{\text{geschätzter Jahresgewinn}}{\text{Zinssatz}} \times 100$$

Beispiel

geschätzter Jahresertrag: € 240.000,–, Zinssatz: 8 %

$$\text{Ertragswert} = \frac{240.000}{8} \times 100 = € 3.000.000,–$$

Der Ertragswert ist nach dieser Rechnung jener Geldbetrag, den man zum gewählten Zinssatz anlegen muss, um den Jahresgewinn zu erzielen.

Zweistufige Verfahren

Zweistufige Verfahren gehen davon aus, dass die Gewinne der nächsten Jahre (etwa 4 bis 7 Jahre) genauer geschätzt werden können. Erst danach wird mit einer pauschalen Gewinnschätzung weitergerechnet.

Wie bei der Investitionsrechnung geht man bei diesen zweistufigen Verfahren meist vereinfacht davon aus, dass die Erträge am Jahresende anfallen.

Beispiel

Der Erfolg der nächsten 5 Jahre wird wie folgt geschätzt:

1. Jahr: Verlust € 200.000,–; 2. Jahr: Verlust € 100.000,–; 3. Jahr: Gewinn € 300.000,–; 4. Jahr: Gewinn € 400.000,–; 5. Jahr: Gewinn € 500.000,–. Ab dem 6. Jahr wird pauschal mit einem Gewinn von je € 400.000,– gerechnet. Als Kalkulationszinssatz werden 8 % verwendet.

Die Gewinne und Verluste der ersten 5 Jahre werden einzeln auf den Barwert abgezinst. Natürlich muss man das Vorzeichen beachten. Ab dem 6. Jahr wird wieder mit einer ewigen Rente gerechnet. Da der Barwert der ewigen Rente auf den Beginn des 6. Jahres (= Ende des 5. Jahres) bezogen wird, muss er noch um 5 Jahre abgezinst werden.

Manchmal werden die Erträge überhaupt nur für eine beschränkte Periode abgezinst, d. h., es wird auf den Teil mit der ewigen Rente verzichtet. Allerdings werden dann längere Perioden (z. B. 20 Jahre) berücksichtigt.

$-200.000 : 1{,}08 - 100.000 : 1{,}08^2 + 300.000 : 1{,}08^3 +$
$+ 400.000 : 1{,}08^4 + 500.000 : 1{,}08^5 =$ € 602.000,–

ewige Rente: $\dfrac{400.000 \times 100}{8} : 1{,}08^5 =$ € 3.403.000,–

gesamter Ertragswert € 4.005.000,–

(Hätte man von Anfang an mit einer pauschalen Gewinnschätzung von € 400.000,– gerechnet, hätte sich ein Unternehmenswert von 400.000 : 0,08 = 5 Millionen Euro ergeben.)

Hinweis:
Bei Einzelunternehmen und Personengesellschaften ist es üblich, von den prognostizierten Gewinnen einen Unternehmerlohn für die mittätigen Unternehmer abzuziehen.

Hat der Erwerber die Absicht, das Unternehmen nach einiger Zeit weiterzuveräußern, erhält man den Unternehmenswert mit der gleichen Berechnung. Statt der ewigen Rente wird der erhoffte Verkaufserlös abgezinst.

Beispiel

Angabe wie oben, jedoch soll das Unternehmen nach 5 Jahren weiterverkauft werden. Der Verkaufserlös soll etwa 3 Millionen Euro betragen.

Der Barwert der Erfolge in den nächsten 5 Jahren ergibt sich
wie oben mit € 602.000,–
Der Verkaufserlös wird 5 Jahre abgezinst: $3.000.000 : 1{,}08^5 =$ € 2.042.000,–
gesamter Ertragswert € 2.644.000,–

Die Beispiele zeigen, dass der rechnerische Unternehmenswert erheblich vom Rechenverfahren abhängt.

Kombinierte Verfahren
[Combined methods]

Obwohl in der betriebswirtschaftlichen Theorie eindeutig die Ertragswertmethoden bevorzugt werden, findet man bei der Bewertung von Klein- und Mittelbetrieben zahlreiche Kombinationen.

(1) Einfache Kombinationsformen

Aus Substanzwert und Ertragswert wird ein Durchschnittswert ermittelt. Dabei kann einer der beiden Werte stärker gewichtet werden.

- reines Mittelwertverfahren:

$$\frac{\text{Substanzwert} + \text{Ertragswert}}{2}$$

- ungleiche Gewichtung, z. B.:

$$\frac{\text{Substanzwert} + 2 \times \text{Ertragswert}}{3}$$

(2) Das Übergewinnverfahren

Das Übergewinnverfahren geht vom Substanzwert aus und addiert den Barwert der Erträge, die man mehr zu erzielen hofft als bei einer langfristigen Kapitalanlage.

Kann der Übergewinn länger beibehalten werden, ist das bereits auf das neue Management zurückzuführen und daher für den Kaufpreis nicht relevant.

Allerdings geht man in der Regel nur von einer beschränkten Prognosedauer aus. Dies wird damit begründet, dass in Branchen, in denen hohe Gewinne erzielbar sind, die Konkurrenz bald wachsen und den Ertrag auf einen durchschnittlichen Ertrag herunterdrücken wird. Üblich sind Fristen von 3 bis 8 Jahren.

Beispiel

Selbstverständlich könnte man auch für jedes der 5 Folgejahre mit unterschiedlichen Gewinnen rechnen.

Substanzwert nach Auflösung der stillen Reserven: € 10 Millionen
Die prognostizierten Erträge des Unternehmens betragen etwa € 800.000,– pro Jahr.
Der Zinssatz für eine langfristige Kapitalanlage beträgt 3 %. Die Berechnungsperiode für den Übergewinn beträgt 5 Jahre.

Substanzwert:	€ 10.000.000,–
Übergewinn: (800.000 – 3 % v. 10.000.000) = 500.000	
Die Übergewinne werden für 5 Jahre (vgl. die Angabe) abgezinst:	
$500.000 : 1,03 + 500.000 : 1,03^2 + 500.000 : 1,03^3 +$	
$+ 500.000 : 1,03^4 + 500.000 : 1,03^5 =$	€ 2.290.000,–
Unternehmenswert	€ 12.290.000,–

3 Die Probleme der Unternehmensbewertung
[The problems of business valuation]

Die drei Hauptprobleme sind:

(1) Wie genau kann man die zukünftigen Rückflüsse schätzen?

Zusätzlich ist bei der Prognose der Rückflüsse zu fragen:

- Welche Rückflüsse sollen verwendet werden (z. B. der Cashflow vor oder nach Steuern, das EBIT, der Jahresüberschuss)?
- Wie soll die steuerliche Situation berücksichtigt werden (z. B. bei Kapitalgesellschaften nur die Körperschaftsteuer oder auch die Kapitalertragsteuer auf die Ausschüttungen)? Wie berücksichtigt man bevorstehende Steueränderungen?
- Wie kann man bei Personengesellschaften die oft sehr unterschiedliche steuerliche Situation der Gesellschafter berücksichtigen?
- Wie soll man zukünftige wirtschaftliche Entwicklungen (Wachstum, Erhöhung der Konkurrenz etc.) berücksichtigen bzw. sind die zukünftigen wirtschaftlichen Zuwächse nicht eher vom neuen Management abhängig als vom Potenzial des gekauften Unternehmens?

Für die Prognose der zukünftigen Erfolge ist daher eine mittelfristige Finanzplanung und eine Prognose-Gewinn-und-Verlust-Rechnung notwendig. Diese liegt im besten Fall für 3 bis 7 Jahre vor. Bei Klein- und Mittelbetrieben fehlt sie meist völlig.

(2) Mit welchem Zinssatz soll man diskontieren?

- Von welchem Basiszinssatz soll man ausgehen (von einer risikolosen langfristigen Staatsanleihe, von der Rendite eines Aktienportefeuilles, von der subjektiven Renditeerwartung des Käufers)?
- Mit welchem Zuschlag soll man das Unternehmerrisiko abgelten? (Soll dieser Zuschlag je nach Branche und/oder je nach Land unterschiedlich sein?)

(3) Welche Betrachtungsdauer kommt infrage?

- Für wie viele Jahre sollen Erfolge prognostiziert und diskontiert werden?

Diese Vielzahl von Problemen führt in der Praxis zu einer Mehrzahl von Verfahren und oft zu erheblichen Abweichungen der Bewertungsgutachten. Dies wiederum führt zu intensiven Diskussionen und manchmal auch zu nachträglichen Klagen (z. B. gegen die Gutachter).

Beispiele

Besonders deutlich wird das Problem, wenn Unternehmen im Eigentum von Bund, Ländern und Gemeinden privatisiert werden und diskutiert wird, ob der Verkaufspreis angemessen oder zu gering ist.

Viele Unternehmenskäufe erwiesen sich trotz zahlreicher Gutachten im Nachhinein als zu teuer. Beispiele sind der Erwerb von Chrysler durch Mercedes und der Erwerb von Rover durch BMW. Mercedes verlor bis zum Wiederverkauf von Chrysler rund € 35 Milliarden. BMW verlor durch die Übernahme von Rover rund € 9 Milliarden.

Bei Klein- und Mittelbetrieben umgeht man die angeführten Probleme häufig durch sogenannte Multiplikatorverfahren. Es wird mit einem Vielfachen des Gewinns oder des Umsatzes gerechnet. Die Multiplikatoren sind branchenspezifisch.

Die Bewertung von großen Unternehmen ist eine Tätigkeit für hochbezahlte Spezialisten. Daher konnte hier nur eine Übersicht über die Methoden gegeben und auf die Probleme hingewiesen werden.

Für Interessierte wird auf das Gutachten „Unternehmensbewertung" der Kammer der Wirtschaftstreuhänder, Fachsenat für Betriebswirtschaft und Organisation (KFS/BW 1) verwiesen (Suchbegriff im Internet: Unternehmensbewertung, Kammer der Wirtschaftstreuhänder).

4 Der Firmenwert („Goodwill")
[Goodwill]

Der Firmenwert ist die **Differenz** aus **Unternehmenswert** und **Substanzwert**. Der „Goodwill" stellt den geschätzten Wert für den guten Namen, den Kundenstamm, die vorhandene Beschaffungs-, Produktions- und Absatzorganisation, das Know-how der Mitarbeiter/innen etc. des Unternehmens dar.

Der Firmenwert ergibt sich bei allen Verfahren aus:

> Unternehmenswert (z. B. Ertragswert) – Substanzwert

Die Ermittlung des Firmenwerts ist vor allem für die Bilanzierung wichtig, da er aktiviert und abgeschrieben wird.

Zum Beispiel wäre er beim Übergewinnverfahren gleich den abgezinsten Übergewinnen (im Beispiel also ca. € 1,3 Millionen).

In der Praxis werden zur Ermittlung des Firmenwerts bei Klein- und Mittelbetrieben häufig sogenannte Multiplikatormethoden herangezogen:

Multiplikatoren werden auch laufend unter **www.finance-research.de/multiples** veröffentlicht.

Beispiele für Umsatzmultiplikatoren (für den Jahresumsatz):
- Bäckereien: 14–28 %
- Wirtschaftsprüferkanzleien: 110–140 %
- Speditionen: 5–25 %
- Frauenarzt/Frauenärztin: 26–56 %
- Einzelhandel mit Computern: 6–25 %

Beispiele für Gewinnmultiplikatoren (meist für das EBiT):
- Computerhandel: 3,25 bis 6
- Gaststätten: 3,75 bis 7,5

Der Unternehmenswert ergibt sich dann aus Substanzwert + Firmenwert.

Üben – Anwenden

Ü 5.12: Diskussionsaufgabe, Bewertungsproblem D

Können Sie sich vorstellen, dass der Firmenwert eines Unternehmens negativ ist?

Ü 5.13: Unternehmensbewertung, Firmenwert mittleres Unternehmen C

Gegeben sind: Substanzwert: € 20 Millionen; geschätzte Erträge in den nächsten 10 Jahren jeweils € 1.600.000,–; dann soll mit pauschalen Erträgen von € 1.200.000,– gerechnet werden.

Als Kalkulationszinssatz werden 6 % verwendet.

a) Berechnen Sie den Unternehmenswert und verwenden Sie als Basis nur die Gewinnschätzung für die folgenden 10 Jahre.

b) Berechnen Sie den Unternehmenswert mit dem zweistufigen Verfahren.

c) Berechnen Sie den Unternehmenswert nach dem einfachen Mittelwertverfahren und verwenden Sie die Ergebnisse laut a) und b).

d) Berechnen Sie den Wert des Unternehmens mit der Übergewinnmethode, wobei Sie die Gewinnschätzungen für die ersten 10 Jahre heranziehen.

e) Wie hoch wäre in allen Fällen der Firmenwert?

f) Welche Daten würden Sie benötigen, um die Discounted-Cashflow-Methode anzuwenden?

g) Wie verändern sich die Ergebnisse von a), b) und d), wenn Sie einen Kalkulationszinssatz von 8 % verwenden?

h) Erläutern Sie am gegebenen Beispiel die Hauptprobleme der Unternehmensbewertung.

Sichern

Unternehmensbewertung	Bei der Unternehmensbewertung wird versucht, Anhaltspunkte für den Wert eines Unternehmens zu gewinnen. Moderne Verfahren der Unternehmensbewertung versuchen jene finanziellen Überschüsse zu prognostizieren, die die Unternehmer (Gesellschafter) in Zukunft vermutlich entnehmen können, und zinsen diese auf den Barwert ab (Diskontierungsverfahren). Die Verfahren werden von Spezialisten angewandt.
business valuation	Business valuation tries to find leads concerning the value of a business. Modern methods of business valuation try to predict the financial surpluses that the owners will probably be able to withdraw in the future and discount these to obtain the net present value (NPV). Specialists use these methods.
Vereinfachte Verfahren bei Klein- und Mittelbetrieben	Für vereinfachte Verfahren bei Klein- und Mittelbetrieben wird ein Mittelwert zwischen Substanzwert und Ertragswert verwendet (manchmal wird der Ertragswert doppelt gewichtet).
	Für den Ertragswert werden die prognostizierten Jahresgewinne (vor oder nach Steuern) herangezogen.
	Der Firmenwert wird oft näherungsweise durch einen Multiplikator für den Umsatz oder den Gewinn ermittelt, der je nach Branche verschieden ist. Der Unternehmenswert ergibt sich dann aus Substanzwert + Firmenwert.
simplified methods for small and medium-sized enterprises	A simplified method for small and medium-sized enterprises is to take the mean value between the net asset value and the capitalised earnings method (sometimes the capitalised earnings are given double weighting).
	The predicted annual profits (before or after tax) are used for the capitalised earnings.
	An approximation of goodwill is often achieved by taking a multiple of the turnover or profit. The multiplier used is different from industry to industry. The value of the company is then the net asset value plus the goodwill.

Firmenwert	Der abgeleitete („derivative") Firmenwert ist die Differenz zwischen dem Unternehmenswert (bzw. dem Kaufpreis) und dem Substanzwert. Er ist zu aktivieren und abzuschreiben.
goodwill	The derivative goodwill is the difference between the value of the company (or the purchase price) and the net asset value. It must be capitalised and amortised.
Probleme der Unternehmensbewertung	Die Prognose der Geldflüsse über einen langen Zeitraum ist sehr ungenau. Der Zinssatz hat einen großen Einfluss auf das Ergebnis. Die Wahl der Betrachtungsdauer beeinflusst das Ergebnis. Daher wird versucht, verschiedene Entwicklungen, z.B. Inflation oder Wachstum, durch Zu- bzw. Abschläge zu berücksichtigen.
problems in business valuation	Predicting cash flows over longer periods of time is very inexact. The interest rate has a great influence on the results. The choice of calculation period influences the result. Therefore, additions and deductions are made for various developments, e.g. inflation or growth.

SbX ID: 5023 Im SbX finden Sie eine Audio-Wiederholung der englischen Beiträge sowie eine Bildschirmpräsentation mit der Grafik dieser Lerneinheit.

Wissen

SbX ID: 5024

W 5.17: Unternehmensbewertung, Verfahren [A]
Welche Verfahren zur Bewertung eines Unternehmens als Ganzes kennen Sie?

W 5.18: Unternehmensbewertung, Daten [A]
Welche Daten benötigt man, wenn man ein Unternehmen als Ganzes bewerten will?

W 5.19: Unternehmensbewertung, Probleme [A]
Welche Probleme ergeben sich bei der Ermittlung des Substanzwerts und welche bei der Ermittlung des Ertragswerts?

W 5.20: Ergebnisse der Unternehmensbewertung [B]
Warum kommen verschiedene Unternehmensbewerter meist zu sehr unterschiedlichen Ergebnissen?

W 5.21: Firmenwert [A]
Wie ermittelt man den Firmenwert?

W 5.22: Firmenwert [B]
In welchem der folgenden Fälle ergibt sich bei den üblichen Berechnungsmethoden ein positiver Firmenwert?
a) ☐ Wenn der Substanzwert größer ist als der Ertragswert.
b) ☐ Wenn der Substanzwert kleiner ist als der Ertragswert.

W 5.23: Firmenwert C

Können Sie aus den folgenden Angaben den Firmenwert berechnen? Begründen Sie Ihre Antwort!

Aktiva, bewertet zu Tageswerten 5 Millionen Euro

Passiva, bewertet zu Tageswerten 3 Millionen Euro

Kalkulationszinssatz 5 %

☐ Ja, weil

☐ Nein, weil

W 5.24: Ertragswert, Problematik B

Führen Sie die zwei wichtigsten Gründe an, warum die Ermittlung des Ertragswerts eines Unternehmens sehr problematisch ist.

SbX Test ID: 5024

Test mit automatischer Aufgabenkontrolle

Überprüfen Sie mit diesem Test, ob Sie Ihr Wissen erfolgreich anwenden können!

Test: Wie Unternehmen bewertet werden

English questions

E 5.03: The valuation of a company can be done in several different ways.

a) State which methods of calculation you would use in the valuation of the following companies.

1. DIY Genius GmbH is a large "do-it-yourself" provider of raw materials with shops in Austria, Hungary, the Czech Republic and Slovakia. Their total revenue was € 320 million last year and their profits after tax were € 35 million. They are considering a sale to a Swedish company, SvenHus AB, another giant in the industry. This would give them access into other markets in northern Europe.

2. SOUND OG is a company which sells sound systems to bands. The company estimates it receives revenue of € 400,000.00 a year. Tracy Bell, one of the three partners, whose investments were of equal parts, wants to leave the company. A valuation of the company is necessary to decide how much her investment is worth today.

b) Explain why different valuation systems were chosen for the above companies.

c) Give general reasons why the valuation of the above companies may not be accurate in spite of their best efforts.

E 5.04: The valuation of a company depends on having figures available with which to calculate a value. However, there are other less tangible factors involved.

a) Explain what "goodwill" means as a concept.

b) Explain how "goodwill" can be expressed in figures.

Ein kurzer Kompetenz-Check, bevor's weitergeht!

Kompetenz-Check

	☺	😐	☹
Ich kann die Probleme bei der Bewertung von Unternehmen als Ganzes beschreiben.			
Ich kann die grundsätzlichen Verfahren zur Unternehmensbewertung unterscheiden.			
Ich kann den Diskontierungszinssatz mit unterschiedlichen Methoden ermitteln und die Ermittlung problematisieren.			
Ich kann vereinfachte Verfahren zur Bewertung von kleineren und mittleren Unternehmen beschreiben und problematisieren, insbesondere • das Substanzwertverfahren, • das Ertragswertverfahren und • kombinierte Verfahren, wie z. B. das Übergewinnverfahren.			
Ich kann die Probleme der Unternehmensbewertung charakterisieren.			
Ich kann Verfahren zur Ermittlung des Firmenwerts („Good will") anwenden.			

6 KAUFVERTRÄGE IN DER INTERNATIONALEN GESCHÄFTSTÄTIGKEIT

Worum geht's in diesem Kapitel?

Die jeweils aktuellen Daten zum Außenhandel finden Sie unter www.statistik.at/web_de/statistiken/aussenhandel/index.html.

Österreich exportiert und importiert jährlich Waren im Wert von rund 130 Milliarden Euro, das ist um 70 % mehr als das gesamte österreichische Bundesbudget von rund 77 Milliarden Euro oder ca. 37 % des Bruttoinlandsprodukts (Stand 2016). Das heißt, ohne Außenhandel könnte die österreichische Wirtschaft nicht existieren.

Für den Außenhandel gilt natürlich alles, was Sie bereits im Band 1 zum Thema Kaufvertrag gelernt haben. Aber im Außenhandel werden Kaufverträge über größere Entfernungen, zwischen Staaten mit unterschiedlichen rechtlichen Vorschriften und zwischen Partnern, die einander weniger gut kennen und oft nicht die gleiche Sprache sprechen, abgeschlossen.

Kaufverträge im Außenhandel müssen daher genauer formuliert werden (meist schriftlich). Lieferung und Zahlung werden besser abgesichert, staatliche Regeln, wie Zölle, Einfuhrbeschränkungen, Devisenbestimmungen usw., sind zu beachten.

Wenn Sie dieses Kapitel bearbeiten, erwerben Sie die folgenden in der Bildungs- und Lehraufgabe des Lehrplans angeführten Kompetenzen:

Sie können
- die Risiken bei internationalen Kaufverträgen identifizieren,
- Liefer- und Zahlungsbedingungen bei internationaler Geschäftstätigkeit festlegen.

In diesem Kapitel finden Sie Übungsaufgaben, praxisbezogene Fallbeispiele und Aufgaben zur Lernkontrolle zur Überprüfung Ihrer Kompetenzen auf den Handlungsebenen **A Wiedergeben, B Verstehen** und **C Anwenden.**

Dieses Kapitel umfasst folgende Lerneinheiten:

1 Liefern über die Grenze

2 Zahlungsbedingungen im Außenhandel

> Lernen ○ Üben ○ Sichern ○ Wissen

Lerneinheit 1
Liefern über die Grenze

Gerda hat vor kurzem einen Bio-Gemischtwarenhandel eröffnet und bestellt bei einem ungarischen Landwirt frisches Lammfleisch, da sie durch den Direktimport günstigere Preise erhält. Vereinbart wird die Lieferung bis zum Großmarkt Wien Inzersdorf.

Leider wartet Gerda vergeblich auf das Eintreffen der bestellten Ware zum vereinbarten Liefertermin. Erst durch umständliches Nachforschen erfährt sie, dass an der Grenze für das Lammfleisch keine Einfuhrgenehmigung erteilt wurde, da die Begleitpapiere mangelhaft waren. Durch die Lieferverzögerung war das Fleisch verdorben und nicht mehr zu verkaufen. Der Verkäufer weist jedes Verschulden seinerseits von sich und besteht auf Bezahlung der Ware.

Erst jetzt macht sich Gerda Gedanken: Wer hat sich um entsprechende Begleitpapiere zu kümmern? Gibt es Lieferbedingungen, die im internationalen Handel verwendet werden können und Kosten und Risiko genau regeln?

SbX – Alle SbX-Inhalte zu dieser Lerneinheit finden Sie unter der ID: 6010.

> Lernen

SbX ID: 6011

1 Die Bedeutung des Außenhandels für Österreich
[The importance of international trade for Austria]

Die Bedeutung des Außenhandels ist für kleinere Staaten wie Österreich größer als für große Staaten, da

- viele Rohstoffe und Agrarprodukte eingeführt werden müssen,
- viele Fertigprodukte aufgrund des kleinen Binnenmarkts nur zu sehr hohen Kosten hergestellt werden könnten und daher ebenfalls eingeführt werden müssen,
- aufgrund der großen Importabhängigkeit viel exportiert werden muss, um die Importe mit Devisen bezahlen zu können.

Beispiel Viele Jahre hindurch konnte Österreich die Devisen für die Pkw-Importe mit den Exporterlösen der Autozulieferindustrie (Motoren, Einspritzpumpen, Sitzüberzüge etc.) bezahlen.

Ein- und Ausfuhranteile – Österreich 2016 (in Mrd. Euro und in Prozent):

	Exporte		Importe	
	in Mrd. Euro	in Prozent	in Mrd. Euro	in Prozent
insgesamt	131,1	100	135,7	100
EU 28	91,2	69,6	96,9	71,4
EU 19 (Eurozone)	51,6	39,4	77,4	57
13 neue EU-Länder (ab 2004)	23,2	17,7	20	14,7
Deutschland	40,1	30,6	50,4	37,1
Italien	8,4	6,4	8,4	6,2
Frankreich	5,3	4,0	3,7	2,7
Schweiz	7,2	5,5	7,1	5,2
USA	9,0	6,9	5,3	3,9
China	3,3	2,5	8,0	5,9

Quellen: www.statistik-austria.at, www.wko.at, zuletzt abgerufen am 05.07.2017

Die Tabelle zeigt,

- dass Österreich etwas weniger exportiert als importiert,
- dass rund 70 % des österreichischen Außenhandels mit der EU erfolgen,
- dass die neuen EU-Länder sehr wichtige Handelspartner darstellen, in die etwas mehr exportiert als aus ihnen importiert wird,
- dass rund 31 % der Exporte nach und rund 37 % der Importe aus Deutschland erfolgen,
- dass aus China mehr als das Doppelte importiert als nach China exportiert wird.

2 Risiken im Außenhandel
[The risks of international trade]

Unter einem **Risiko** versteht man die Gefahr, bei einer unternehmerischen Tätigkeit sein eingesetztes Kapital zu verlieren oder die geplanten Gewinne nicht zu erzielen.

Schon bei Kaufverträgen im Inland sind Käufer und Verkäufer verschiedenen Risiken ausgesetzt. So kann z. B. der Verkäufer nie sicher sein, ob der Kunde die Ware auch wirklich annehmen und zahlen wird, wenn er auf Ziel liefert. Genauso riskant ist es für den Käufer, darauf zu vertrauen, dass er mängelfreie Ware zum vereinbarten Zeitpunkt bekommt.

Im Außenhandel kommen noch weitere Risiken hinzu:

Übersicht
Risiken der internationalen Geschäftstätigkeit

Risiken der internationalen Geschäftstätigkeit			
Risiken für den Verkäufer/Exporteur		Risiken für den Importeur	
Marktrisiko	falsche Einschätzung des Auslandsmarkts: ungeeignetes Produkt, Fehleinschätzung der abzusetzenden Menge etc.	Lieferungsrisiko	Gefahr, dass der Lieferant die Lieferfrist, die vereinbarte Menge oder Qualität nicht einhält
Preisrisiko	Gefahr von Preisveränderungen		
Kredit-/ Dubiosenrisiko	Gefahr, dass der Käufer bei der Gewährung von Lieferantenkrediten später als vereinbart oder gar nicht zahlt		
Annahmerisiko	Gefahr, dass der Käufer die Ware nicht annimmt oder Mängel beanstandet, die nur schwer zu überprüfen sind		
Länderrisiko	schwierige ökonomische, rechtliche, soziale und politische Rahmenbedingungen im geplanten Absatzland		
Kursrisiko	Gefahr, dass der Wechselkurs der vereinbarten Vertragswährung sinkt und der Verkäufer einen geringeren Umsatz macht	Kursrisiko	Gefahr, dass der Wechselkurs der vereinbarten Vertragswährung steigt und der Käufer für die Lieferung mehr bezahlen muss
Transportrisiko	Risiko der Beschädigung oder des Verlusts der Ware auf dem Transportweg (bei Lieferung frei Haus)	Transportrisiko	Risiko der Beschädigung oder des Verlusts der Ware auf dem Transportweg (bei Lieferung ab Werk)

Für Importeur und Exporteur ist es wichtig,
- diese Risiken rechtzeitig zu erkennen,
- sinnvolle und nicht zu teure Maßnahmen zur Absicherung gegen diese Risiken zu treffen.

Die Auswahl von geeigneten Liefer- und Zahlungsbedingungen und die Ausstellung von speziellen Dokumenten helfen bei der Minimierung dieser Risiken.

3 Dokumente im Außenhandel
[Documents in international trade]

Dokumente helfen dabei, die vertragsgemäße Lieferung nachzuweisen.

(1) Rechnungen (Fakturen) im Außenhandel

Fakturen (Rechnungen) haben Sie bereits im I. Jahrgang kennengelernt.

- **Zollrechnung:**

Die Zollrechnung ist eine Rechnung, die mit einem Ursprungsvermerk versehen ist. Daraus ersieht man, aus welchem Land die Ware kommt. Die Zollrechnung ist die Grundlage für die Verzollung der Ware im Empfängerland.

- **Pro-Forma-Rechnung:**

Die Pro-Forma-Rechnung ist eine vorläufige Rechnung, die vor Vertragsabschluss beziehungsweise vor Lieferung der Ware ausgestellt wird. Sie dient zur Beantragung einer eventuell erforderlichen Importlizenz.

(2) Ursprungsnachweise

- **Warenverkehrsbescheinigung (WVB):**

Die Warenverkehrsbescheinigung weist den Ursprung von Waren nach. Die WVB ist erforderlich für die Inanspruchnahme von begünstigten Zöllen oder Zollbefreiungen und wird von den Zollbehörden beglaubigt.

- **Ursprungszeugnis:**

Das Ursprungszeugnis weist ebenfalls den Ursprung von Waren nach und dient der Export- und Importkontrolle von Warenströmen (Kontingenten). Ursprungszeugnisse werden von den Handelskammern ausgestellt. Sie sind nur noch in wenigen Ländern zwingend erforderlich.

Übungsbeispiel

Ü 6.01: Dokumente im Außenhandel B

Überlegen Sie, ob es dem Exporteur Kosten verursacht, wenn er die angeführten Versanddokumente (zusätzlich zu den auch im Inland üblichen Frachtdokumenten) beibringen muss.

4 Die Lieferbedingungen im Außenhandel
[Terms of delivery in international trade]

Ist im Kaufvertrag nichts vereinbart worden, so gehen auch im internationalen Handel Kosten und Risiko bei der Niederlassung des Verkäufers auf den Käufer über.

Der Ort des Kostenübergangs bzw. der Ort des Risiko-/Eigentumsübergangs wird im Außenhandel im Kaufvertrag genau festgelegt.

Wie im Binnenhandel haben sich auch im Außenhandel Kurzformulierungen zur Regelung des Eigentums- und Kostenübergangs entwickelt (sogenannte „Preisklauseln").

Die Incoterms 2010 (Übersicht) [The Incoterms 2010 (Overview)]

Damit Preisklauseln nicht unterschiedlich ausgelegt werden, hat die Internationale Handelskammer in Paris (IHK) einheitliche Auslegungsregeln für 11 unterschiedliche Möglichkeiten veröffentlicht.

Das Hauptziel dieser Regelung ist es, Pflichten und Rechte von Verkäufer und Käufer eindeutig festzulegen.

Dazu zählen:

- Ort der Erfüllung der Lieferungsverpflichtung (= Ort des Risiko- bzw. Eigentumsübergangs)
- Ort, an dem die Kosten für Fracht, Versicherung etc. vom Verkäufer auf den Käufer übergehen (= Ort des Kostenübergangs)
- Regelung, wer für die Beschaffung von Transportmitteln und Transportpapieren verantwortlich ist (Wer muss, wer darf z. B. das Schiff oder die Fluggesellschaft auswählen?)
- Regelungen, wer die Ausfuhr-, Durchfuhr- und Einfuhrformalitäten einschließlich der Verzollung und der Nebengebühren besorgen bzw. bezahlen muss

Verbindlichkeit der Incoterms

Die Incoterms sind nicht allgemein verbindlich. Es muss daher von den Vertragspartnern **vereinbart werden,** dass diese Regelungen gelten.

Die Klauseln werden in vier verschiedene Gruppen eingeteilt.

Übersicht
Die Incoterms 2010

Die Nummern in Klammer beziehen sich auf die Beschreibungen der wichtigsten Klauseln ab der nächsten Seite.

Die Incoterms 2010			
Gruppe	Abkürzung	Risikoübergang	Kostenübergang
Gruppe E (E-Klauseln) (Käufer trägt die gesamten Kosten.)			
Ex Works (ab Werk)	EXW	ab Werk des Verkäufers	
Gruppe F (F-Klauseln) (Haupttransport vom Käufer bezahlt)			
Free Carrier (1) (frei Frachtführer)	FCA	bei Übergabe an den im Vertrag benannten Frachtführer	
Free Alongside Ship (frei Längsseite Seeschiff)	FAS	am Verladekai des vom Käufer benannten Seeschiffs im Verschiffungshafen	
Free on Board (2) (frei an Bord Seeschiff)	FOB	an Bord des vom Käufer benannten Seeschiffs im Verschiffungshafen	
Gruppe C (C-Klauseln) (Haupttransport wird vom Verkäufer bezahlt.)			
Cost and Freight (3) (Kosten und Fracht bezahlt)	CFR	an Bord des Schiffs im Verschiffungshafen	an Bord des Schiffs im Bestimmungshafen
Cost, Insurance, Freight (4) (Kosten, Versicherung und Fracht bezahlt)	CIF	an Bord des Schiffs im Verschiffungshafen	an Bord des Schiffs im Bestimmungshafen
Carriage Paid to … (5) (frachtfrei … benannter Bestimmungsort)	CPT	bei Übergabe an den ersten Frachtführer	im genannten Bestimmungsort
Carriage and Insurance Paid to … (6) (frachtfrei versichert … benannter Bestimmungsort)	CIP	bei Übergabe an den ersten Frachtführer	im genannten Bestimmungsort
Gruppe D (D-Klauseln) (Verkäufer übernimmt Kosten und Risiko bis zum Bestimmungsort.)			
Delivered at Place (geliefert benannter Ort)	DAP	beim Lieferort	
Delivered at Terminal (geliefert Terminal)	DAT	an einem benannten Terminal im Bestimmungshafen oder -ort	
Delivered, Duty Paid (frei Bestimmungsort, verzollt)	DDP	im Bestimmungsort (verzollt)	

Hinweise:
- Bei den Klauseln der Gruppen E, F und D (siehe Übersicht) gehen Risiko und Kosten an einem Ort vom Verkäufer auf den Käufer über. Man spricht daher oft von sogenannten **„Einpunktklauseln"**.
- Bei den Klauseln der Gruppe C bezahlt der Verkäufer zwar den „Haupttransport", das Risiko geht jedoch bereits bei der Übergabe an den benannten Frachtführer auf den Käufer über. Risiko- und Kostenübergang erfolgen demnach an verschiedenen Orten. Man spricht von sogenannten **„Zweipunktklauseln"**.
- FAS, FOB, CIF und CFR werden ausschließlich für den Schiffsverkehr empfohlen.
- Alle anderen Klauseln bezeichnet man als **„Multimodalklauseln"**. Sie werden verwendet, wenn mehrere unterschiedliche Transportmittel genutzt werden.

Die wichtigsten Klauseln [The most important clauses]

(1) FCA – Free Carrier (frei Frachtführer, benannter Ort)

Verkäufer:

Der Verkäufer trägt alle Kosten und Gefahren bis zur Übergabe an den vom Käufer genannten Frachtführer am genannten Ort.

Käufer:

Der Käufer muss den Frachtführer (bzw. den Spediteur) nennen und trägt alle Kosten und Risiken ab der Übergabe.

Die Klausel kann im Land-, Luft- und Seetransport verwendet werden.

Anmerkung:

Bei Übergabe am Ort des Verkäufers hat dieser die Kosten für die Beladung zu tragen. Bei Übergabe an einem anderen Ort genügt es, wenn der Verkäufer die Ware unausgeladen auf dem Transportmittel bereitstellt, mit dem geliefert wurde.

Der Originaltext der Klauseln ist auf Englisch. Die deutsche Übersetzung wird jeweils in Klammer angegeben.

SbX
Folien mit grafischen Darstellungen der Klauseln im Außenhandel in der Bildschirmpräsentation zu dieser Lerneinheit: ID: 6011 Diese Folien entsprechen den Abbildungen im Schritt „Sichern" auf Seite 215 und 216.

Beispiel

Verkäufer: Salzburg, Käufer: Berlin, Klausel: FCA Berlin

Der Verkäufer trägt
- das Transportrisiko und die Transportkosten bis zur Übergabe an den ersten Frachtführer.

Der Käufer
- muss den Frachtführer/Spediteur nennen und
- trägt das Transportrisiko und die Transportkosten von der Übergabe an den ersten Frachtführer bis nach Berlin.

(2) FOB – Free on Board (frei an Bord des Seeschiffs im benannten Verschiffungshafen)

Verkäufer trägt:
- Kosten und Risiko des Transports bis zum Abgangshafen (einschließlich aller Formalitäten)
- Kosten der Verladung auf das vom Käufer benannte Schiff

Käufer trägt:
- alle weiteren Kosten und Risiken (Seetransport, Versicherung, Ausladen etc.)

Als Liefernachweis gilt das Board Receipt (Mate's Receipt = eine Bestätigung, dass die Ware in äußerlich gutem Zustand an Bord übernommen wurde).

Die Klausel wird nur im Schiffsverkehr verwendet.

Beispiel

Verkäufer: Wien, Käufer: Chicago, Klausel: FOB Hamburg

Der Verkäufer muss
- Transportrisiken und Transportkosten bis Hamburg tragen,
- die Ware zur Ausfuhr freimachen und alle bei der Ausfuhrabfertigung entstehenden Kosten und Abgaben tragen,
- die Verladung besorgen und die Risiken der Verladung tragen.

Der Vertrag ist erfüllt, wenn die Ware in äußerlich gutem Zustand in Hamburg die Reling des vom Käufer benannten Schiffs passiert.

(3) CFR – Cost and Freight (Kosten und Fracht bezahlt)

(4) CIF – Cost, Insurance, Freight (Kosten, Versicherung und Fracht bezahlt)

Die Klauseln CFR und CIF werden nur im See- und im Binnenschiffsverkehr verwendet.

Für CFR und CIF gilt:

Verkäufer:

Der Verkäufer trägt Kosten und Fracht bis zum benannten Bestimmungshafen, er hat im Versandhafen für die Verladung auf das vom Käufer benannte Schiff zu sorgen und trägt bei „CIF" zusätzlich die Kosten der Seeversicherung.

Der Verkäufer trägt das Risiko jedoch nur bis zur Verladung im Verschiffungshafen (exakt bis zum Übergang über die Reling des Schiffs).

Lerneinheit 1: Liefern über die Grenze

Bei „CFR" muss der Käufer auch selbst für die Seeversicherung sorgen.

Käufer:

Der Käufer trägt die Kosten des Ausladens im Bestimmungshafen und alle weiteren Kosten (Verzollung, Weitertransport etc.).

Der Käufer trägt auch das volle Transportrisiko für den Seetransport (ab Übergang über die Schiffsreling), d. h., er muss sich im Schadensfall selbst mit der Versicherung auseinandersetzen.

Beispiel

Verkäufer: Klagenfurt, Käufer: Chicago, Verschiffungshafen: Genua, Bestimmungshafen: New York, Klausel: CIF New York

Der Verkäufer trägt
- Kosten und Risiko einschließlich Verladung bis Genua,
- Fracht- und Versicherungskosten bis New York.

Der Käufer trägt
- Risiko des Seetransports von Genua nach New York (d. h., er hat sich im Schadensfall mit der Versicherung auseinanderzusetzen),
- Kosten und Risiko des Ausladens in New York,
- alle weiteren Kosten und Risiken (Zoll, Lagerung, Weitertransport).

Wäre statt CIF New York CFR New York vereinbart worden, müsste der Importeur selbst für die Seeversicherung sorgen.

CIF-/CFR-Klausel

Die CIF- bzw. CFR-Klausel hat folgenden Sinn:

- Sie ermöglicht es dem Importeur, Angebote aus verschiedenen überseeischen Orten leicht miteinander zu vergleichen.
  Einem Wiener Importeur werden gleichwertige Waren aus New York, Rio und Tokio angeboten. Für die Exporteure wäre es schwierig, Angebote frei Wien zu erstellen. Sie können jedoch z. B. CIF Genua anbieten. Der Wiener Importeur kann nun die Angebote leicht miteinander vergleichen.

- Jeder Partner hat jene Handlungen durchzuführen, die näher bei seiner Niederlassung liegen. Der Versand ist Aufgabe des Exporteurs, die Übernahme und Kontrolle der Ware im Bestimmungshafen sind Aufgaben des Importeurs oder dessen Beauftragten.

(5) CPT – Carriage Paid to (frachtfrei … benannter Bestimmungsort)

(6) CIP – Carriage and Insurance Paid to (frachtfrei versichert … benannter Bestimmungsort)

Für CPT und CIP gilt:

Verkäufer:

Der Verkäufer trägt die Frachtkosten (bei CIP auch die Versicherungskosten) bis zum benannten Bestimmungsort. Das Risiko geht jedoch bereits bei der Übergabe an den ersten Frachtführer auf den Käufer über.

Käufer:

Der Käufer trägt somit das gesamte Transportrisiko, jedoch nicht die Transportkosten.

Beispiel

Verkäufer: Salzburg, Käufer: Köln, Klausel: CPT Köln, Bahnversand

Der Salzburger Verkäufer
- trägt die gesamten Transportkosten bis nach Köln,
- trägt jedoch das Risiko nur bis zur Übergabe an den ersten Frachtführer (d. h., bringt er die Ware mit dem eigenen Lkw bis zum Salzburger Hauptbahnhof und handelt es sich um eine Wagenladung, dann muss er die Ware verladen und dann an die ÖBB übergeben; ab diesem Zeitpunkt trägt das Risiko der Kölner Käufer).

Der Kölner Käufer
- trägt das Risiko der Bahnfracht (d. h., treten Schäden auf, so muss sich der Kölner Käufer mit der Versicherung oder mit der Bahn auseinandersetzen).

Wäre statt CPT Köln CIP Köln vereinbart worden, müsste der Exporteur die Transportversicherung abschließen und bezahlen.

Übungsbeispiele

Ü 6.03 mit automatischer Aufgabenkontrolle
ID: 6011

Ü 6.02: Incoterms – FCA C

Ein österreichischer Büromöbelerzeuger verkauft Büromöbel mit der Klausel FCA Wien-Hauptbahnhof nach Prag. Noch auf österreichischem Gebiet werden die Waren bei einem Zugunglück beschädigt.
Wer muss sich mit der Eisenbahn wegen des Schadenersatzes auseinandersetzen?

Ü 6.03: Kosten- und Risikoübergang C

Ein Grazer Importeur importiert Kaffee aus Brasilien. Die Lieferung erfolgt von Rio de Janeiro über Genua nach Graz.
Kreuzen Sie an, wer bei den Klauseln „CIF Genua" bzw. „FOB Rio" die einzelnen Kosten und Risiken trägt.

	CIF Genua		FOB Rio	
	Käufer (1)	Verkäufer (2)	Käufer (3)	Verkäufer (4)
a) Kosten der Verladung in Rio				
b) Kosten des Seetransports				
c) Risiko des Seetransports				
d) Kosten des Entladens in Genua				
e) Zoll an der österreichischen Grenze				
f) Transportkosten Genua – Graz				

Üben – Anwenden

Ü 6.04: Vertragsgestaltung im Außenhandel B

Ein Wiener Exporteur hat die Möglichkeit, nach Brasilien zu exportieren. Der brasilianische Abnehmer fordert den Abschluss eines Kontrakts in portugiesischer Sprache.
Welche Probleme könnte dies für den Österreicher mit sich bringen?

Ü 6.05: Incoterms – CPT C

Ein Grazer Werkzeugmaschinenerzeuger exportiert nach Rom. Es gilt die Klausel CPT Rom, Bahnversand per Wagenladung.
Der Grazer bringt die Werkzeugmaschinen mit eigenem Lkw zum Bahnhof in Graz. Bitte beschreiben Sie genau, wo das Transportrisiko auf den italienischen Importeur übergeht.

Ü 6.06: Incoterms C

Ein österreichischer Fahrradproduzent verkauft Fahrräder in die USA. Die Ware soll mit der Bahn nach Hamburg und von dort mit dem Schiff nach New York gehen und sodann mit Lkw nach Washington geliefert werden.
a) Welche Kaufvertragsklauseln wären denkbar?
b) Wer müsste sich mit wem auseinandersetzen, wenn die Fahrräder beim Seetransport infolge eines Schiffsbrandes vernichtet würden?
c) Wen trifft bei den einzelnen Klauseln eine Erhöhung der Transportkosten zwischen Vertragsabschluss und Versendung, wenn nicht vereinbart wurde, derartige Preisänderungen zu berücksichtigen?

Sichern

Kaufverträge im Außenhandel
Wegen der besonderen Risiken ist es im Außenhandel wichtig, Kaufverträge sorgfältig zu gestalten und Lieferbedingungen genau festzulegen.

contracts of sale in international trade
Due to the special risks associated with international trade, it is important that contracts of sale are drafted carefully and the delivery terms are clearly stated.

Incoterms
Incoterms sind Lieferklauseln in Kurzform. Ihre Bedeutung wird von der Internationalen Handelskammer (IHK) in Paris festgelegt.

Manche Klauseln gelten für jede Transportart, manche nur für den Seeverkehr. Die folgenden Übersichten zeigen grafisch, welche Klauseln jeweils gelten.

Eine Hilfe zur Unterscheidung der verschiedenen Klauseln bieten die Bezeichnungen „Einpunktklauseln" und „Zweipunktklauseln". (Die Bezeichnungen sind umgangssprachlich, sie kommen in den Incoterms nicht vor.)

Incoterms
Incoterms are short forms for the terms of delivery. Their meaning is defined by the International Chamber of Commerce (ICC) in Paris.

Some clauses apply to all forms of transport; others only to sea and inland waterway transport. The following overview gives a graphic representation of which clauses apply in each case.

The descriptions "one-point clauses" and "two-point clauses" are a helpful way to distinguish the various clauses. These descriptions are used in everyday language but are not part of the official Incoterms.

Einpunktklauseln
Bei Einpunktklauseln gehen Kosten und Risiko (Eigentum) an einem Ort vom Verkäufer auf den Käufer über.

one-point clauses
In case of one-point clauses the costs and risk (ownership) are transferred from the seller to the buyer at one place.

Einpunktklauseln für jede Transportart, auch für kombinierten Verkehr
FCA ist die wichtigste Klausel, sie kommt auch häufig im Luftverkehr vor.

one-point clauses for any form of transport, including combined transport
FCA is the most important clause that is also often used in air transport.

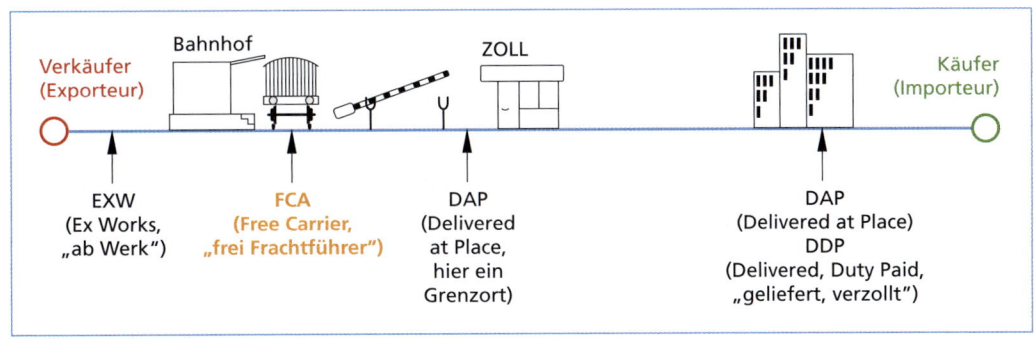

Einpunktklauseln für den Seeverkehr
one-point clauses for sea and inland waterway transport

FOB ist die wichtigste Einpunktklausel für den Seeverkehr.

FOB is the most important one-point clause used in sea and inland waterway transport.

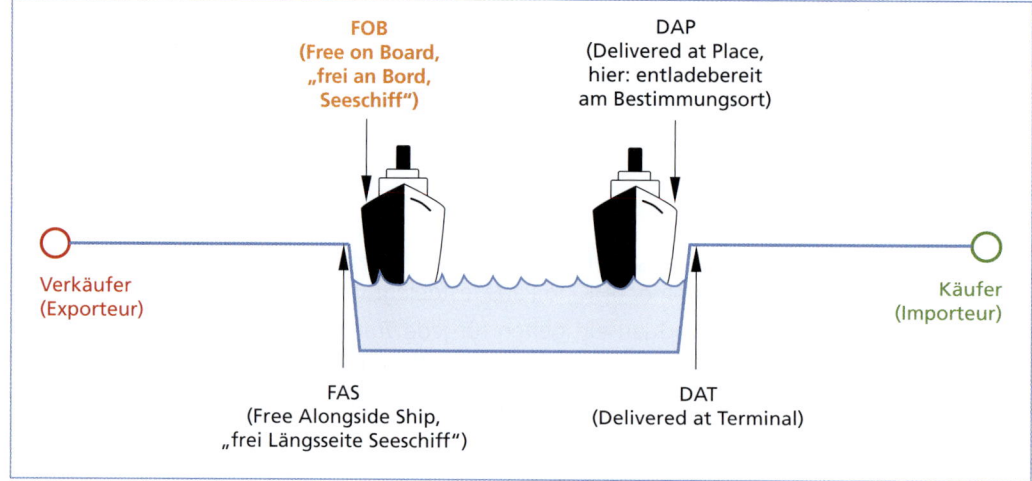

Zweipunktklauseln
two-point clauses

Bei Zweipunktklauseln gehen Kosten und Risiko (Eigentum) an verschiedenen Orten vom Verkäufer auf den Käufer über.

In case of two-point clauses the costs and risk (ownership) are transferred from the seller to the buyer at two different places.

Zweipunktklauseln für jede Transportart, auch für kombinierten Verkehr
two-point clauses for any form of transport, including combined transport

CPT und CIP sind die wichtigsten Zweipunktklauseln für den kombinierten Verkehr.

CPT and CIP are the most important two-point clauses for combined transport.

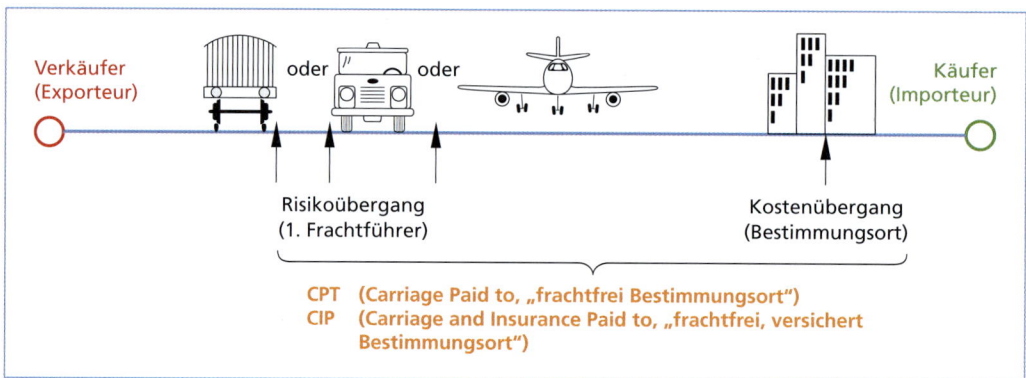

Zweipunktklauseln für den Seeverkehr
two-point clauses for sea and inland waterway transport

CIF und CFR sind die wichtigsten Zweipunktklauseln für den Seeverkehr.

CIF and CFR are the most important two-point clauses for sea and inland waterway transport.

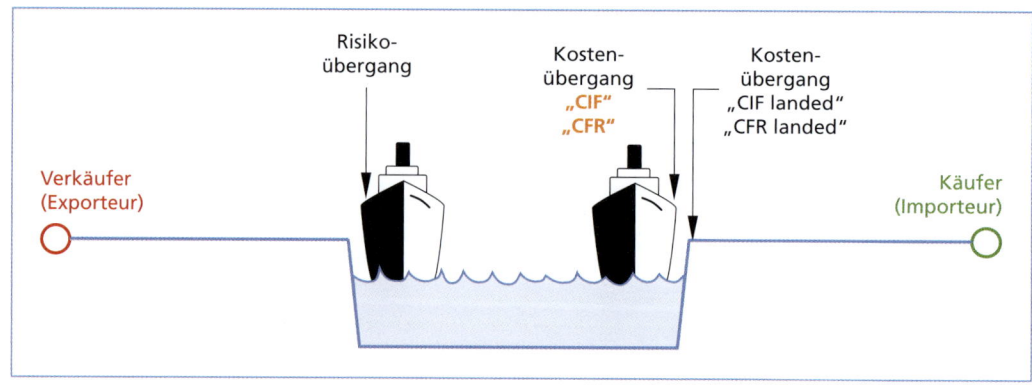

SbX
ID: 6013

Im SbX finden Sie die englische Zusammenfassung als Audio-Wiederholung sowie eine Bildschirmpräsentation mit den Grafiken dieser Lerneinheit.

Wissen

SbX ID: 6014

W 6.01: Kaufverträge – Vertragssprache A
Welche Bedeutung hat die Vertragssprache im Außenhandel?

W 6.02: Dokumente im Außenhandel A
Was sind die wichtigsten Versanddokumente?

W 6.03: Incoterms 2010 A
Was sind „Incoterms", wo sind sie geregelt?

W 6.04: Kaufverträge im Außenhandel B
Warum werden im Außenhandel Kaufverträge fast immer schriftlich abgeschlossen?

W 6.05: Incoterms 2010 – Geltungsbereich B
Gelten die Incoterms automatisch für alle Außenhandelsgeschäfte?

W 6.06: Incoterms 2010 B
Warum spricht man von „Einpunktklauseln" und von „Zweipunktklauseln"?

W 6.07: CIF B
Warum ist die Regelung bei der Klausel „CIF" so kompliziert?

W 6.08: Kosten- und Risikoübergang B
Wo erfolgt der Kosten- und Risikoübergang bei den folgenden Klauseln?

FCA:

CIP:

FOB:

CPT:

CIF:

W 6.09: FCA C
Ein österreichischer Exporteur verkauft eine Wagenladung Trachtenstoffe nach Paris FCA Bregenz.

	Verkäufer (1)	Käufer (2)
a) Wer zahlt die Kosten der Verladung in Bregenz?		
b) Wer zahlt die Kosten der Zufuhr zum Bahnhof Bregenz?		
c) Wer trägt das Risiko der Fracht bis Paris?		

W 6.10: CPT C
Ein Salzburger Exporteur liefert Waren als Stückgut CPT Hamburg mithilfe eines Salzburger Straßenfrächters. Die Zulieferung zur Abfertigungsstelle des Straßenfrächters erfolgt mit dem Lkw des Exporteurs.
Wo geht das Transportrisiko und wo gehen die Kosten vom Verkäufer auf den Käufer über?

Weitere Aufgabe zur Lernkontrolle im SbX

W 6.11: Lieferbedingungen B
Stellen Sie sich einem Quiz mit fünf Fragen zum Thema Lieferbedingungen!

MUSTERUNTERNEHMEN

SbX
H2Ö-Aufgabe
ID: 6014

H2Ö-Aufgabe: Kauf von Gläsern in Tschechien C

Bearbeiten Sie das Fallbeispiel zur H2Ö GmbH im SbX.

Die Ausgangssituation

Die H2Ö GmbH in Aflenz handelt mit österreichischem Quellwasser höchster Qualität, Fruchtsirupen aus biologischer Landwirtschaft und Erzeugnissen aus österreichischen Glasmanufakturen.

Ihre Aufgabe im Unternehmen

Sie arbeiten in den Sommerferien als Praktikant/in in der H2Ö GmbH. Im Zusammenhang mit der Planung und Vorbereitung eines Kaufs von Gläsern in Tschechien werden Sie ersucht, Fragen und Aufgabenstellungen zu den Rahmenbedingungen eines solchen Imports zu bearbeiten.

Die Aufgabenstellungen und Informationen für die Bearbeitung finden Sie im SbX.

English questions

E 6.01: Ben has recently started working in the Export Department of Hans Gruber & Söhne, an Austrian wine merchant. He has learned that there are many special risks that have to be considered when dealing with international partners. What special risks in international trade can you think of?

E 6.02: Ben needs to take extra care and attention when drafting contracts of sale with international partners. He is also careful to include the appropriate Incoterm. How do these measures reduce the risk for his employer?

E 6.03: How many differences can you find between the Incoterms FCA and CIF?

Ein kurzer Kompetenz-Check, bevor's weitergeht!

Kompetenz-Check

	☺	😐	☹
Ich kann die Bedeutung des Außenhandels für die österreichische Wirtschaft beschreiben.			
Ich kann die verschiedenen Risiken im Außenhandel charakterisieren.			
Ich kann die im Außenhandel üblichen Dokumente beschreiben.			
Ich kann den Kosten- und den Risikoübergang bei den verschiedenen Kaufvertragsklauseln laut Incoterms feststellen.			
Ich kann die Vor- und Nachteile bestimmter Kaufvertragsklauseln für Exporteure und Importeure beschreiben.			

Lerneinheit 2
Zahlungsbedingungen im Außenhandel

SbX — Alle SbX-Inhalte zu dieser Lerneinheit finden Sie unter der ID: 6020.

Im Außenhandel werden häufig Zahlungsbedingungen vereinbart, die auch im Inlandsgeschäft üblich sind (z. B. Lieferung auf Ziel, ohne weitere Vereinbarung).

Je weiter die Partner voneinander entfernt sind und je weniger sie einander kennen, desto vorsichtiger sind sie bei der Vereinbarung der Zahlung.

Die Zahlungsbedingungen, die speziell für den Außenhandel entwickelt wurden, sollen nach Möglichkeit zwei Risiken ausschalten:
- das Annahmerisiko (Risiko, dass der Käufer die Annahme der Ware verweigert, obwohl rechtzeitig und in vereinbarter Menge und Qualität geliefert wurde),
- das Dubiosenrisiko (Risiko, dass der Käufer nicht rechtzeitig oder überhaupt nicht bezahlt).

Lernen

SbX ID: 6021

1 Welche Zahlungsbedingungen gibt es im Außenhandel?
[What terms of payment are used in international trade?]

Exportmärkte sind in der Regel **Käufermärkte mit starker internationaler Konkurrenz.** Es ist daher nicht immer leicht für den Verkäufer (Exporteur), günstige Zahlungskonditionen durchzusetzen.

Ob es gelingt, Zahlungsbedingungen durchzusetzen, die dem Verkäufer fast völlige Sicherheit geben, ist eine Frage der Marktstellung von Käufer und Verkäufer.

Die folgende Grafik zeigt sowohl jene Zahlungsbedingungen, die auch im Inland üblich sind, als auch jene, die speziell für den Außenhandel entwickelt wurden. Bei letzteren wurde auch angegeben, welche Risiken vermieden oder vermindert werden können.

Grafik: Zahlungsbedingungen im Außenhandel

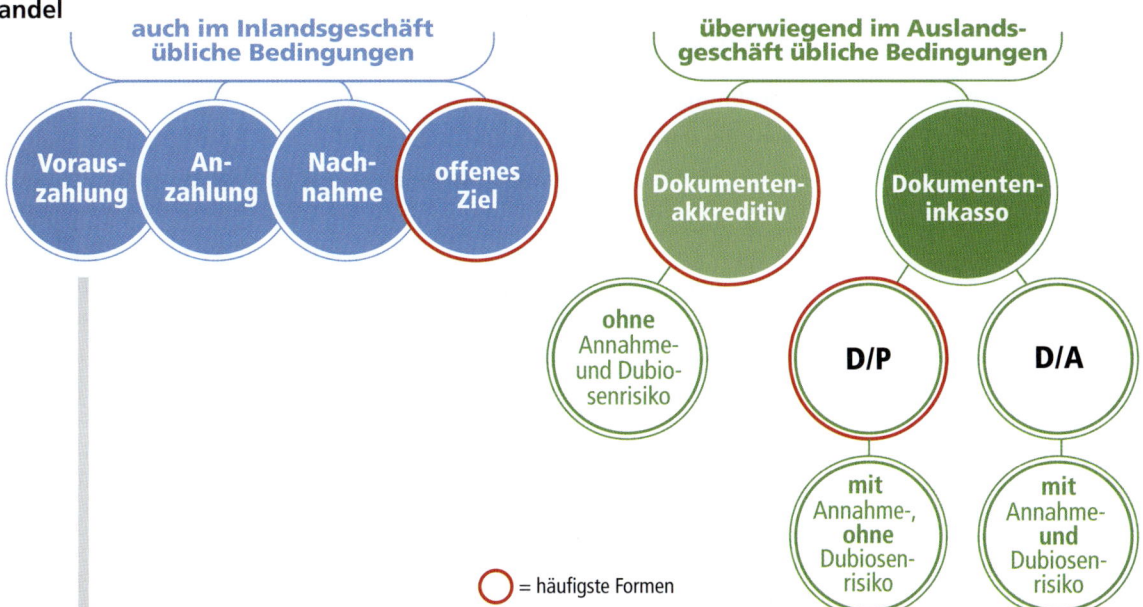

Vorauszahlung, Anzahlung, Nachnahme und offenes Ziel

Sie sind als Zahlungsbedingungen bereits aus dem Inlandsgeschäft bekannt. Im Außenhandel haben sie folgende Bedeutung:

- **Vorauszahlungen** sind selten. (Käufermarkt!)
- **Anzahlungen** kommen gelegentlich bei Aufträgen für spezielle Produktionen mit langer Fertigungsdauer vor (Flugzeuge, Schiffe, Walzwerke etc.).
- **Nachnahme** ist in Mittel- und Westeuropa als Post-, Bahn- und Spediteurnachnahme üblich.
- **Offenes Ziel** ist im Außenhandel mit westeuropäischen Ländern üblich.

Die anderen Zahlungsbedingungen werden zunächst kurz definiert. Eine genaue Darstellung folgt in den nächsten Abschnitten.

Dokumentenakkreditiv

Ein Kreditinstitut sagt im Auftrag des Käufers zu,

- den Rechnungsbetrag
- gegen Übergabe der Dokumente (Frachtpapiere, Ursprungszeugnisse etc.)
- an den Verkäufer auszuzahlen.

Dokumenteninkasso

- **Documents against Payment (D/P)**
  Die Dokumente brauchen nur gegen Zahlung übergeben zu werden.
- **Documents against Acceptance (D/A)**
  Die Dokumente brauchen nur gegen Akzeptleistung des Käufers ausgefolgt zu werden.

Sowohl bei D/P als auch bei D/A besteht keine Sicherheit gegen das Annahmerisiko. Bei D/A besteht zusätzlich die Gefahr, dass der Käufer den Wechsel nicht einlöst.

2 Das Dokumentenakkreditiv
[The documentary letter of credit]

Das Dokumentenakkreditiv gibt beiden Parteien eine gewisse Sicherheit.

(1) Was ist ein Akkreditiv?

Ein Akkreditiv ist

- ein Auftrag des Käufers (Importeurs)
- an sein Kreditinstitut (seine „Hausbank"),
- gegen Nachweis der Lieferung (Übergabe der Dokumente)
- einen bestimmten Betrag (Rechnungsbetrag)
- auszuzahlen oder durch eine andere Bank auszahlen zu lassen.

- Der Verkäufer erhält den Rechnungsbetrag, wenn er rechtzeitig und vertragsgerecht liefert. Die Zahlung erfolgt „Zug um Zug".
- Der Käufer braucht nur zu bezahlen, wenn die Ware rechtzeitig eintrifft und die Dokumente den Vertragsbestimmungen entsprechen.

Beachten Sie: Geprüft werden beim Akkreditiv nur die Dokumente, nicht jedoch die Ware selbst. Abweichungen zwischen Dokumenten und Ware gehen daher zulasten des Käufers, der Mängelrügen im internationalen Verkehr schwer durchsetzen kann, wenn bereits gezahlt wurde.

(2) Die Merkmale des Akkreditivs

Akkreditive sind **immer**

- **unwiderruflich** (sonst würden sie keine Sicherheit gegen das Annahmerisiko bieten),
- **befristet** (sonst könnte der Käufer nie mehr über den Betrag verfügen, wenn der Verkäufer nicht liefert).

Akkreditive können sich durch folgende Merkmale voneinander unterscheiden:

- **Bestätigung:** Wird die Eröffnung vom Kreditinstitut des Verkäufers **bestätigt** und nicht nur **mitgeteilt**, so haftet auch dieses Kreditinstitut für die Einlösung und nicht nur die Bank des Käufers.
- **Übertragbarkeit:** Nur wenn ein Akkreditiv von der eröffnenden Bank ausdrücklich als „übertragbar" bezeichnet wurde, darf es im Auftrag des Erstbegünstigten an andere Personen ausbezahlt werden (z. B. wenn jemand anderer als der ursprüngliche Lieferant liefern soll).
- **Teilbarkeit:** Zahlungen für Teillieferungen sind zulässig, wenn sie im Akkreditiv nicht ausdrücklich ausgeschlossen wurden.

Beispiel

Im Holzexport werden in der Regel große Mengen geliefert. Sind Teillieferungen nicht ausgeschlossen, können innerhalb der Akkreditivfrist mehrere Teilmengen geliefert und das Akkreditiv stufenweise ausgenützt werden.

Fristen

Bei jedem Akkreditiv sind einige Fristen zu beachten:

- **Verfallfrist**

  Jedes Akkreditiv hat eine Verfallfrist. Bis zu diesem Zeitpunkt müssen die Dokumente bei der Bank eingelangt sein, sonst verfällt das Akkreditiv.

Eine Verlängerung der Verfallfrist ist über Ansuchen des Verkäufers an den Käufer möglich.

Beispiel

„Befristet bis 22. Jänner 20.." heißt, dass die Dokumente spätestens am 22. Jänner vor Ende der Öffnungszeiten des Kreditinstituts eingelangt sein müssen.

- **Vorlagefrist der Dokumente ab Ausstellungsdatum**

  Häufig ist eine genaue Frist festgesetzt, innerhalb welcher das Konnossement oder andere Frachtpapiere ab ihrer Ausstellung übergeben werden müssen.

  Wurde keine derartige Frist vereinbart, so weisen die Kreditinstitute in der Regel Frachtdokumente zurück, die älter als 21 Tage sind.

- **Verladefrist**

  Es kann auch angegeben werden, bis zu welchem Zeitpunkt die Ware verladen sein muss, um das Akkreditiv in Anspruch nehmen zu können. Die Verladefrist ist selbstverständlich kürzer als die Verfallfrist, da der Verkäufer die Dokumente erst nach der Verladung der Ware an die Bank weiterleiten kann.

(3) Die Abwicklung des Akkreditivs

Die Internationale Handelskammer (IHK) in Paris hat „Einheitliche Richtlinien und Gebräuche für Dokumenten-Akkreditive" (ERA) veröffentlicht. Diese werden von den Kreditinstituten der meisten Staaten anerkannt.

Die Abwicklung eines **Dokumentenakkreditivs**:

Grafik
Dokumentenakkreditiv – Abwicklung

An einem Akkreditiv sind meistens beteiligt:

1. der Auftraggeber (Importeur)
2. die Akkreditivbank (Hausbank des Importeurs)
3. der Begünstigte (Exporteur)

meist noch

4. eine Korrespondenzbank (Bank im Land des Exporteurs = Zahlstelle)

Das Akkreditiv ist (im Unterschied z. B. zu Scheck oder Wechsel) weder in Österreich noch in anderen Ländern gesetzlich geregelt.

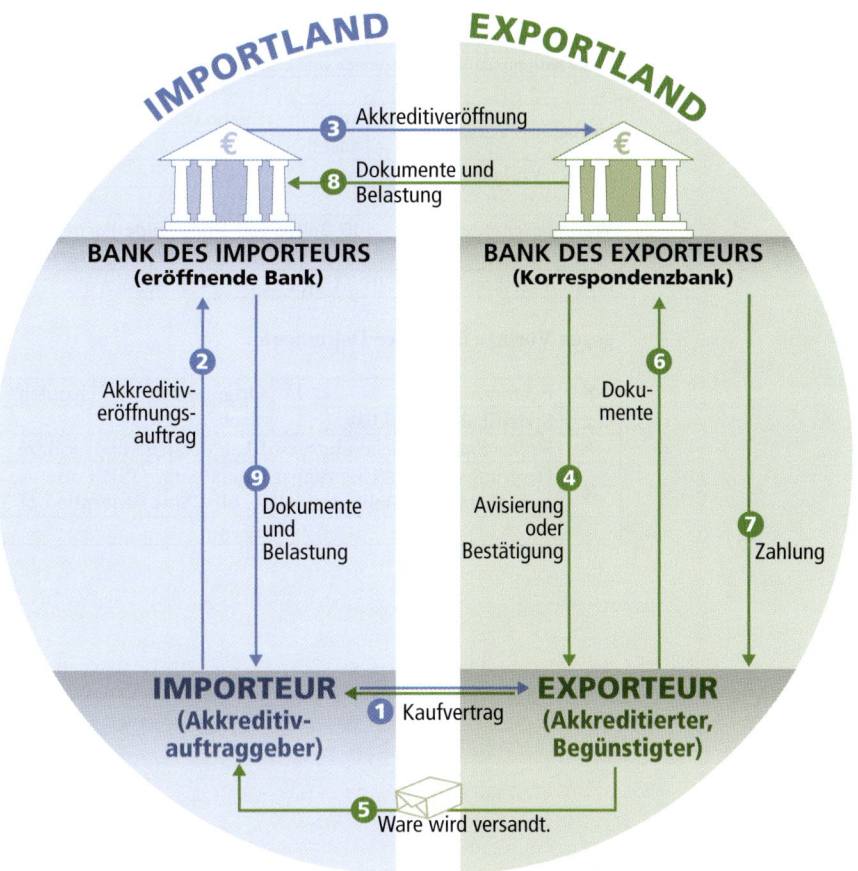

Die Initiative geht beim Dokumentenakkreditiv vom Importeur aus, der seiner Bank den Akkreditiv-eröffnungsauftrag erteilt.

Musterbeispiel

M 1: Akkreditiv-Eröffnungsauftrag (Seite 1)

An die BAWAG P.S.K. Bank für Arbeit und Wirtschaft und Österreichische Postsparkasse Aktiengesellschaft z.H. Dokumentengeschäft 1018 Wien, Georg-Coch-Platz 2 ü/Geschäftsstelle:	**DOKUMENTEN-AKKREDITIV-AUFTRAG** Ich/wir ersuche/n um Eröffnung des folgenden unwiderruflichen Dokumentenakkreditives mittels SWIFT:

Bitte Zutreffendes ankreuzen bzw. ergänzen:

Bank des Begünstigten/Korrespondenzbank:	Auftraggeber: M. Kogler KG Richard-Strauss-Str. 47 A-1230 Wien Bearbeiter: Friedl Telefon: 00431 665 23 44-17 Telefax: 00431 665 23 44-45

Das Akkreditiv ist:		übertragbar	X	nicht übertragbar

gültig bis: 27.1. 20..	gültig bei:	X	BAWAG P.S.K., Wien
			Korrespondenzbank d. BAWAG P.S.K. in:

Begünstigter (Name und Anschrift):	Währung/Betrag: € 15.000,–		
No. 1 Silk Factory 94 Nanmen Road Cang Lang District Suzhou 215007 China	Zahlung fällig:	X	bei Sicht
			Tage nach Präsentation
			Tage nach Verladetermin
	zahlbar bei	X	BAWAG P.S.K.
			BAWAG P.S.K. Korrespondenzbank

Teilverladungen sind		gestattet	X	nicht gestattet
Umladungen sind	X	gestattet		nicht gestattet

(unter bestimmten Voraussetzungen sind laut ERA Umladungen generell gestattet!!)

Verladung/Versand	von:	Suzhou
	nach:	Wien
Letzter Verladetermin:		12.1. 20..

Warenbeschreibung:	10 Ballen (50 lfm.) Seide karminrot (No. 17)
	10 Ballen (50 lfm.) Seide mitternachtsblau (No. 49)
Fracht/Preiskondition (CIF, FOB, etc.):	CIF Hamburg

gegen Vorlage folgender Dokumente:

X	Faktura:	1	Original +	2	Kopien
X	Spezifikation/Packliste		-fach		
X	Voller Satz Versicherungszertifikat/Versicherungspolizze				
X	Ursprungszeugnis/Ursprungszeugnis gem. GSP Form A, ausgestellt bzw. gegengezeichnet von (zuständige Behörde/Stelle): All-China Federation of Industry & Commerce				

Musterbeispiel

M 1 (Fortsetzung): Akkreditiv-Eröffnungsauftrag (Seite 2)

Frachtdokument: Versand mit / *despatch by* :

	Überseeschiff / *ocean vessel*: "voller Satz eines reinen an Bord Bills of lading, .../ *full set of clean on board Bill of Lading....*"
	LKW / *truck (camion)*: "LKW-Frachtbrief (CMR), Exemplar für den Absender, gestempelt und original unterfertigt.../ *international truck waybill (CMR), copy for shipper, stamped and originally signed, ...*"
	Luftfracht / *airfreight*: "internationaler Luftfrachtbrief, 3. Original für den Absender .../ *international air waybill, 3rd original for shipper ....*"
	Eisenbahn / *railway*: „Frachtbriefduplikat bahnamtlich gestempelt, .../ *rail waybill duly stamped, ...*"
X	**verschiedenen Transportmitteln (mind.2) = multimodaler Transport /multimodales Transportdokument** *different modes of transport (minimum 2) = multimodal transport:"multimodal transport document....*"
	Kurierdienst oder Post / *courier or post*: "Kurierempfangsbestätigung oder Postaufgabeschein gestempelt oder authentisiert .../ *courier receipt or post office receipt duly stamped or authenticated...*"
	sonstige/*others*: "Spediteurbescheinigung (FCR, FCT..ect.), ausweisend den unwiderruflichen Versand.../ *Forwarding agents certificate (FCR, FCT etc..), evidencing irrevocable despatch of goods....*"

ausweisend/*evidencing*:

-	verladen an die Order / *consigned to the order of*:	
-	die Vermerke / *marked*	
-	Verständigungsadressat / *notify*:	
-	Versender, Absender / *shipper, consignor*:	
-	sonstige Angaben und Vermerke / *further details*:	

Außerhalb der BAWAG P.S.K. anfallende Kosten gehen	X	zu meinen/unseren Lasten.
		zu Lasten des Begünstigten.

Hinzufügung der Bestätigung seitens Ihres Korrespondenten erforderlich:	X	ja		nein

Überweisung zu Lasten meines/unseres Kontos IBAN:	AT62 6000 0000 7714 7415

Vorlagefrist für die Dokumente:	10	Tage nach Verladedatum

Dieses Akkreditiv unterliegt den Einheitlichen Richtlinien und Gebräuchen für Dokumenten-Akkreditive (=ERA) gemäß Publikation der Internationalen Handelskammer, Paris, soweit nicht im Ausland anderes Recht und andere Usancen maßgebend sind.

M. KOGLER KG
Richard-Strauss-Str. 47
A-1230 Wien

Wien, 22. November 20..
Ort/Datum

Firmenmäßige Zeichnung des Auftraggebers

(4) Dokumente beim Akkreditiv

- Verladedokumente (Frachtbriefdoppel, Konnossement)
- Versicherungsdokumente (z. B. Versicherungspolizze)
- Handelsrechnungen
- sonstige Dokumente (z. B. Ursprungszeugnisse – vor allem für Zollbegünstigungen)

(5) Auszahlung des Akkreditivbetrags

- Sichtzahlung: Zahlung sofort bei Übergabe der Dokumente
- hinausgeschobene Zahlung: erst nach einer bestimmten Frist (z. B. nach 4 Wochen)

(6) Vorteile und Probleme des Akkreditivs

Vorteile für den Exporteur:

Werden die Dokumente fristgerecht eingereicht, so erhält er prompte Zahlung. Das Akkreditiv sichert gegen das Annahme- und gegen das Dubiosenrisiko.

Probleme für den Exporteur:

Wird die Verladung aus verschiedenen Gründen verzögert, so verfällt das Akkreditiv. Es muss um Verlängerung angesucht werden.

Vorteile für den Importeur:

Die Zahlung erfolgt nicht eher, als die vorgeschriebenen Dokumente bei der Bank eingetroffen sind. Der Verkäufer wird bemüht sein, rechtzeitig zu liefern, da sonst das Akkreditiv verfällt.

Probleme für den Importeur:

Geprüft werden nur die Dokumente, aber nicht die Ware selbst. Mängelrügen sind schwer durchzusetzen, da der Rechnungsbetrag bereits ausgezahlt ist, wenn die Ware geprüft werden kann.

Übungsbeispiel

Ü 6.07: Akkreditiv C

Ein österreichischer Unternehmer importiert aus London Kinderbekleidung. Die Bank des Österreichers ist die Oberbank in Salzburg. Die Bank des Exporteurs ist die Barclays Bank, London.
a) Stellen Sie den Ablauf des Akkreditivgeschäfts grafisch dar. Welche Dokumente könnten benötigt werden?
b) Ermöglicht das Akkreditiv dem Österreicher die bessere Durchsetzung von Mängelrügen?
c) Warum wird der Österreicher das Akkreditiv befristet erstellen?
d) Warum wird der Engländer ein unwiderrufliches Akkreditiv verlangen?
e) Der Engländer kann zum vereinbarten Termin nur einen Teil der vereinbarten Menge liefern. Ist es möglich, das Akkreditiv auch zum Teil auszunützen?

3 Das Dokumenteninkasso (D/P und D/A)
[Documentary collections (D/P and D/A)]

Im Unterschied zum Akkreditiv hat der **Exporteur** bei der Versendung der Ware **keine Sicherheit,** dass der Importeur die Ware annehmen wird. Die Vereinbarung eines Dokumenteninkassos ist daher für den Käufer (Importeur) bedeutend günstiger als für den Verkäufer (Exporteur).

(1) Was versteht man unter einem Dokumenteninkasso?

Der Exporteur (Verkäufer)

- beauftragt seine Bank (Einreicherbank),
- die Dokumente über die versandte Ware
- an den Importeur nur auszufolgen,
- wenn gezahlt wird **(D/P – Documents against Payment)** oder
- wenn der Importeur einen Wechsel akzeptiert **(D/A – Documents against Acceptance).**

Es ergeben sich somit zwei Formen des Dokumenteninkassos:

- **D/P (Documents against Payment):** Die Dokumente werden nur gegen Zahlung ausgefolgt. Es handelt sich um ein Zug-um-Zug-Geschäft.
- **D/A (Documents against Acceptance):** Die Dokumente werden ausgefolgt, wenn der Importeur einen auf ihn gezogenen Wechsel akzeptiert. Der Exporteur gewährt dem Importeur ein Zahlungsziel gegen Wechselakzept.

(2) Abwicklung des Dokumenteninkassos

Grafik Dokumenteninkasso – Abwicklung

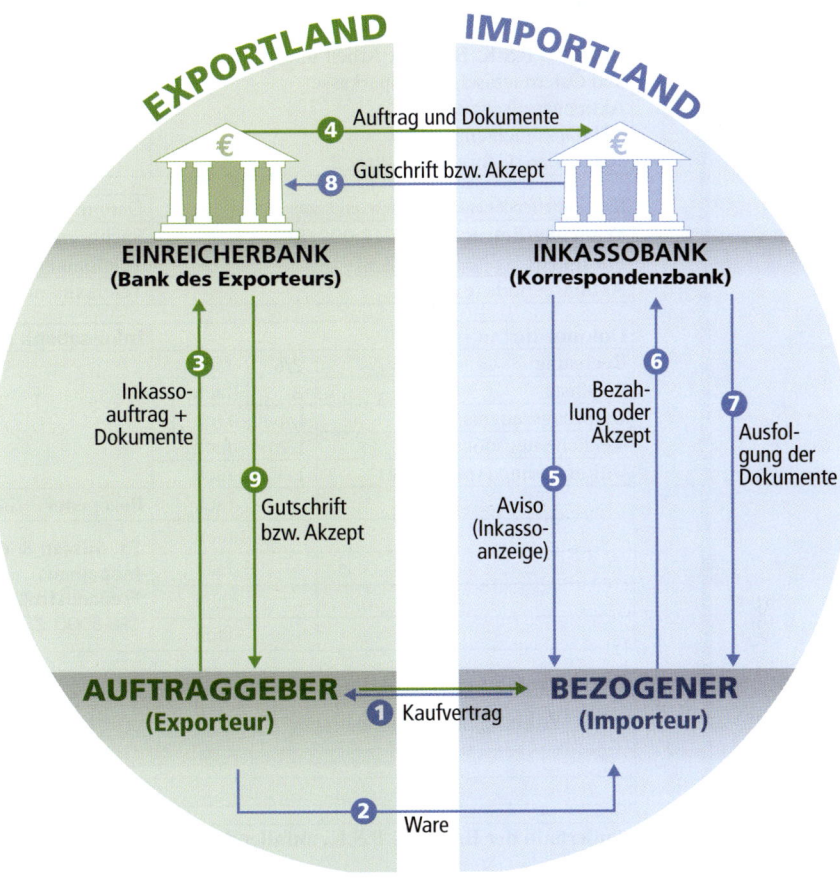

Die Initiative geht vom Exporteur (Verkäufer) aus. Die Ware wird versandt ohne Sicherstellung, dass der Importeur (Käufer) die Ware annimmt, zahlt oder akzeptiert.

Falls ein Akzept durch die Inkassobank einzuholen war (D/A), kann der akzeptierte Wechsel
- dem Aussteller zurückgesandt werden (vgl. die Grafik),
- bis zur Fälligkeit bei der Inkassobank bleiben, die ihn dann kassiert und den Betrag weiterleitet,
- durch die Inkassobank oder die Hausbank für Rechnung des Ausstellers diskontiert werden.

Übungsbeispiel

Ü 6.08: Dokumenteninkassoauftrag C

Die Firma Möbelmarkt in 1190 Wien verkaufte der Firma Süssen & Co in Zürich zwei Schlafzimmer. Die Zahlung erfolgt über ein Dokumenteninkasso, das der Verkäufer von der BAWAG P.S.K. durchführen lässt. Diese veranlasst durch die Inkassobank Credit Suisse First Boston in Zürich die Ausfolgung der Dokumente an den Bezogenen gegen Zahlung.

Analysieren Sie den auf der folgenden Seite abgebildeten Dokumenteninkassoauftrag.

a) Wer ist Exporteur, wer ist Importeur?
b) Wer erteilt den Inkassoauftrag?
c) Welche Banken werden eingeschaltet?
d) Welche Regelungen bezüglich der Spesen sind auf dem Formular vorgesehen?

Einschreiben		**DOKUMENTEN-INKASSO-AUFTRAG**
An die BAWAG P.S.K. Bank für Arbeit und Wirtschaft und Österreichische Postsparkasse Aktiengesellschaft z.H. Dokumentengeschäft 1018 Wien, Georg-Coch-Platz 2		Ich/wir ersuche/n Sie, die beiliegenden Dokumente wie folgt zum Inkasso weiterzuleiten, und den Erlös nach Eingang unserem unten angeführten Konto gutzuschreiben:

Bitte Zutreffendes ankreuzen bzw. ergänzen:		Datum:	22. November 20..
Währung/Betrag:	€ 12.000,00	Sachbearbeiter:	Pigler
Fälligkeit:	Sicht	Telefonnummer:	
Aktionsperiode (evtl.):		Telefaxnummer:	

Dokumente (Art + Anzahl)			**Inkassobank** (Name/Anschrift/Telex-Nr./SWIFT):
Rechnung	2/6	-fach	
Packliste	2	-fach	
Ursprungszeugnis	1/4	-fach	
Versicherungsdokument	1/2	-fach	
Bill of Lading (voller Satz)	1	-fach	
		-fach	**Bezogener** (Name/Adresse/Telefon-Nr.):
		-fach	Fa. Süssen & Co.
		-fach	Möbelhaus
		-fach	Freilandstraße 53
		-fach	CH-8000 Zürich

Die Dokumente sind dem Bezogenen auszufolgen gegen:			
X	**Zahlung** des Inkassobetrages		**Akzeptierung** des beiliegenden Wechsels (bleibt zum Inkasso bei Inkassobank)
			Mit Protest im Falle der Nichtzahlung

Außerhalb der BAWAG P.S.K. anfallende Kosten gehen		zu meinen/unseren Lasten.
	X	zu Lasten des Bezogenen
	Bei Nichtzahlung der fremden Spesen **keine** Ausfolgung der Dokumente	

Im Falle von Schwierigkeiten soll die Meldung an BAWAG P.S.K. erfolgen per:	X	Telex/SWIFT
		Brief

Überweisung des Inkassoerlöses an BAWAG P.S.K. soll erfolgen per:	X	Telex/SWIFT
		Brief

Bitte um Gutschrift des Erlöses auf mein/unser **Konto IBAN:**	AT62 6000 0000 7714 7415

Weitere Weisungen:

Dieses Inkasso unterliegt den Einheitlichen Richtlinien Inkassi gemäß Publikation der Internationalen Handelskammer, Paris, soweit nicht im Ausland anderes Recht und andere Usancen maßgebend sind.

MÖBELMARKT
Heiligenstädter Lände 89
1190 Wien

Wien, 22.11.20..
Ort/Datum

Firmenstempel und kontomäßige Zeichnung des Auftraggebers

Lerneinheit 2: Zahlungsbedingungen im Außenhandel

Ü 6.09: Akkreditiv B
Kann man sagen, dass bei Zahlung mittels Akkreditivs ein Zug-um-Zug-Geschäft vorliegt?

Ü 6.10: Analyse eines Akkreditivauftrags C
Sehen Sie sich den abgebildeten Akkreditivauftrag auf den Seiten 222f. an.
a) Wer sind die Akkreditivbeteiligten?
b) Welche Merkmale weist das Akkreditiv auf?
c) Welche Bedeutung kommt der Bedingung über den Versandtermin zu?
d) Welche Auswirkung hat die Zahlbarstellung des Akkreditivs in Wien für den Exporteur?
e) Welches Warengeschäft liegt dem Akkreditiv zugrunde?
f) Welche Dokumente werden für die Einlösung des Akkreditivs benötigt?

Ü 6.11: Dokumenteninkasso C
Nehmen Sie an, anstelle von D/P wird D/A vereinbart. Welches zusätzliche Risiko trifft den Exporteur?

Ü 6.12: Zahlungsbedingungen im Außenhandel C
Ein Exportmarkt ist stark umkämpft. Welche Zahlungsbedingung ist wahrscheinlicher – das Akkreditiv oder das Dokumenteninkasso? Warum ist das so?

SbX
Ü 6.13
Rechercheaufgabe
ID: 6022

Weitere Übungsaufgabe im SbX

Ü 6.13: Liefer- und Zahlungsbedingungen im Außenhandel C
Bearbeiten Sie Aufgabenstellungen zu Liefer- und Zahlungsbedingungen im Außenhandel unter Nutzung von Internetquellen!

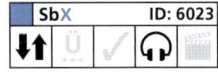

Zahlungsbedingungen	Im Außenhandel sind neben den Zahlungsbedingungen, die auch bei Inlandsgeschäften vereinbart werden, zwei weitere Zahlungsbedingungen üblich: das Dokumentenakkreditiv und das Dokumenteninkasso.
terms of payment	In international trade two further terms of payment are common in addition to the terms of payment used for domestic trade: the documentary letter of credit and documentary collections.
Dokumentenakkreditiv	Beim Dokumentenakkreditiv sagt ein Kreditinstitut im Auftrag des Käufers zu, den Rechnungsbetrag gegen rechtzeitige Übergabe der Dokumente (Frachtpapiere, Ursprungszeugnis) an den Verkäufer auszuzahlen.
the documentary letter of credit (L/C)	With the documentary letter of credit the financial institution (normally the bank) of the buyer agrees to pay the seller the amount of the invoice in exchange for timely receipt of the documents (transport documents, certificate of origin).
Merkmale von Akkreditiven	Akkreditive sind immer • befristet: damit der Verkäufer innerhalb einer bestimmten Frist liefern muss. • unwiderruflich: damit der Käufer innerhalb der Lieferfrist nicht widerrufen kann. Akkreditive können sein • bestätigt: Auch die Bank des Verkäufers haftet. • übertragbar: Auch andere Lieferanten dürfen liefern. • teilbar: Teillieferungen sind möglich.

characteristics of letters of credit	Letters of credit are always • valid for a limited time: So the seller has to deliver within a certain period. • irrevocable: So the buyer cannot cancel the agreement within the delivery period. Letters of credit can be • confirmed: Also the bank of the seller is liable. • transferable: A different supplier can also supply the goods. • divisible: Part-deliveries are possible.
Fristen	Folgende Fristen sind zu beachten: Verfallfrist: Dokumente müssen bei der Bank einlangen. Vorlagefrist: gilt ab Ausstellungsdatum der Dokumente Verladefrist: Verladung muss erfolgt sein.
deadlines	The following deadlines apply expiry date: The bank must receive the documents by this date. submission date: valid from when the documents are issued loading date: Shipment must have been loaded by this date.
Vorteile	Das Akkreditiv sichert den Verkäufer gegen Annahme- und Dubiosenrisiko. Es erhöht die Wahrscheinlichkeit, dass der Verkäufer rechtzeitig liefert.
advantages	The letter of credit protects the seller from the risk of non-acceptance and non-payment of the goods. It increases the probability that the seller will deliver on time.
Nachteile	Das Akkreditiv verfällt jedoch, wenn der Exporteur nicht rechtzeitig liefern kann (Verlängerung mit Zustimmung des Importeurs möglich). Der Importeur kann beim Akkreditiv nur die Dokumente (und nicht die Ware) prüfen. Die Durchsetzung von Mängelrügen nach Bezahlung ist daher schwierig.
disadvantages	The letter of credit expires when the exporter can't deliver on time (extension possible if the importer agrees). The importer can only check the documents (and not the goods) when letters of credit are used. Once payment has been made it is difficult to complain about any defects.
Dokumenteninkasso	Beim Dokumenteninkasso beauftragt der Exporteur seine Bank, die Dokumente über die versandte Ware nur dann an den Importeur auszufolgen, wenn dieser zahlt (D/P) oder einen auf ihn gezogenen Wechsel akzeptiert (D/A). D/P sichert nur gegen Dubiosenrisiko, nicht gegen Annahmerisiko. D/A verringert nur das Dubiosenrisiko, da Wechsel eher bezahlt werden als offene Forderungen.
documentary collections	In the case of documentary collections, the exporter instructs his bank to hand over the documents for the goods shipped only if the importer has paid (D/P) or has accepted a time draft (bill of exchange) drawn on them (D/A). D/P protects only from the risk of non-payment, not from the risk of non-acceptance. D/A only reduces the risk of non-payment, since a time draft (bill of exchange) is more likely to be paid than outstanding invoices – but the importer can fail to honour the draft.
 ID: 6023	**Im SbX finden Sie die englische Zusammenfassung als Audio-Wiederholung sowie eine Bildschirmpräsentation mit den Grafiken dieser Lerneinheit.**

Wissen

W 6.12–W 6.15 mit automatischer Aufgabenkontrolle ID: 6024

W 6.12: Zahlungsbedingungen im Außenhandel B

Ordnen Sie die folgenden Zahlungsbedingungen nach dem Risiko, das der Exporteur bezüglich Zahlung und Annahme durch den Käufer eingeht.
Bezeichnen Sie die Zahlungsbedingung mit dem geringsten Risiko mit (1), die mit dem zweitgeringsten mit (2) usw.

D/P ☐
D/A ☐
Akkreditiv ☐

W 6.13: Merkmale eines Akkreditivs B

Welche zwei Merkmale treten bei der Akkreditivstellung immer auf?
a) ☐ unwiderruflich
b) ☐ bestätigt
c) ☐ befristet
d) ☐ übertragbar
e) ☐ Teilverladung möglich

W 6.14: Dokumenteninkasso B

Ein Innsbrucker Exporteur liefert nach Boston, USA. Die Hausbank des Exporteurs ist die Bank für Tirol und Vorarlberg. Die Bank des amerikanischen Importeurs ist die Mellon-Bank.
Als Zahlungsbedingung wird D/A vereinbart. Wer sind die Beteiligten?

	Exporteur	Importeur	Mellon-Bank	Bank für Tirol und Vorarlberg
Wechselaussteller				
Bezogener				
Begünstigter				

W 6.15: Akkreditiv C

Wie beurteilen Sie die folgenden Aussagen:

a) Die Bestimmungen über das Akkreditiv sind in Österreich im Unternehmensgesetzbuch geregelt.

☐ Richtig   ☐ Falsch, richtig ist:

b) Akkreditive sind immer befristet, da sonst der Käufer nie mehr über den Betrag verfügen könnte, wenn der Verkäufer nicht liefert.

☐ Richtig   ☐ Falsch, richtig ist:

c) Ist ein Akkreditiv nicht bestätigt, haftet die eröffnende Bank nicht für die Einlösung.

☐ Richtig   ☐ Falsch, richtig ist:

d) In einem Käufermarkt wird eher D/P vereinbart werden als ein Akkreditiv.

☐ Richtig   ☐ Falsch, richtig ist:

W 6.16 mit automatischer Aufgabenkontrolle ID: 6024

Weitere Aufgabe zur Lernkontrolle im SbX

W 6.16: Zahlungsbedingungen im Außenhandel B

Stellen Sie sich einem Quiz mit fünf Fragen zu Zahlungsbedingungen im Außenhandel!

English questions

E 6.04: Ben now knows about two new methods of payment that are not used in domestic trade. What are these called? Why are special methods of payment needed in international trade?

E 6.05: What is the role of the buyer's bank in a documentary letter of credit? What must the exporter do in order to get paid?

E 6.06: Ben must prepare documents for each export shipment of wine. Which documents might he have to prepare?

E 6.07: Letters of credit have several important characteristics. Match the characteristic with the correct definition.

	Characteristic		Definition
1.	confirmed:	a)	If necessary, a different supplier can be chosen than was originally agreed.
2.	divisible:	b)	In order to obtain payment, the exporter must meet the deadline stated in the L/C.
3.	irrevocable:	c)	It is not necessary to send all the goods in one consignment.
4.	transferable:	d)	Not only the bank of the importer, but also the bank of the seller is obliged to pay if the importer fails to pay.
5.	valid for a limited time:	e)	The buyer cannot withdraw from the agreement without the consent of the seller.

E 6.08: Ben knows that there are three important dates in connection with the letter of credit: the expiry date, the submission date and the loading date. Read the following short conversation between Ben and the bank employee and identify the three dates for this particular consignment of wine.

Ben: Good morning, John! How are you?
John: Fine, thanks. How was your weekend?
Ben: Too short as usual! John, I just wanted to go over the details of the consignment of wine for Jamie Oliver's new restaurant in Hong Kong.
John: OK, let me just get the papers. Yes, what arrangements have you made?
Ben: Well, the forwarding agent will pick up the crates on 10 October, and has guaranteed that they will be loaded on the ship on the same day.
John: OK, that's fine.
Ben: This means we should be able to get the complete set of documents to you on 12 October. I think this means that we are well within the deadline stated in the letter of credit?
John: I see no problems there, Ben. The deadline in the L/C is actually ten days later, so you look good to go on that!
Ben: Thanks, John. Speak to you later. Bye!
John: Always a pleasure, Ben. Bye!

E 6.09: Ben understands that an L/C protects Hans Gruber against two main risks. What are they? However, there are potential disadvantages for the buyer and seller as well. Explain why.

Lerneinheit 2: Zahlungsbedingungen im Außenhandel

Ein kurzer Kompetenz-Check, bevor's weitergeht!

Kompetenz-Check

	☺	😐	☹
Ich kann jene Zahlungsbedingungen nennen, die fast nur im Außenhandel eingesetzt werden.			
Ich kann die wesentlichen Merkmale eines Akkreditivs beschreiben.			
Ich kann charakterisieren, gegen welche Risiken das Akkreditiv den Verkäufer schützt.			
Ich kann die Abwicklung eines Akkreditivs beschreiben.			
Ich kann einen Akkreditiveröffnungsauftrag analysieren.			
Ich kann die Zahlungsbedingungen D/P und D/A unterscheiden.			
Ich kann charakterisieren, gegen welche Risiken D/P und D/A den Verkäufer schützen.			
Ich kann die Abwicklung von D/P und D/A beschreiben.			
Ich kann Aufträge zur Abwicklung von D/P und D/A analysieren.			
Ich kann die Problematik von Akkreditiv, D/P und D/A aus der Sicht des Käufers beurteilen.			

Stichwortverzeichnis (Deutsch – Englisch)

Die Seitenzahlen verweisen auf die Stellen, an denen der jeweilige Begriff im sachlichen Zusammenhang erklärt wird. Manche Begriffe können in der englischen Übersetzung nur umschrieben werden.

Abnehmerkredit 69, 75
buyer credit

Abschreibungsfinanzierung 58, 59
depreciation financing

Akkreditiv 220, 227
letter of credit

Aktie 134, 146
shares

Aktie, Rendite 135, 146
return on a share

Aktienanleihe 139
reverse convertible bonds

Akzeptkredit 70, 75
acceptance credit

Amortisationsrechnung, statische 116, 126
static payback period

Amortisationsrechnung, statische – Beurteilung 118, 126
evaluation of the static payback period

Anlage, in Sachwerten 158
investing in intrinsic values

Anlegerprofile 154
investor profiles

Anleihe 136, 146
bonds

Anleihe, Rendite 137, 146
return on a bond

Anleiheschuldner 146
bond debtor

Asset-Allocation 153, 159

Außenfinanzierung 54, 61ff.
external financing

Außenfinanzierung, Anlässe 73
situations for external financing

Außenfinanzierung, Arten 61
types of external financing

Außenfinanzierung, Bedeutung 61
importance of external financing

Außenhandel, Bedeutung für Österreich 208
importance of international trade for Austria

Außenhandel, Dokumente 210
documents in international trade

Außenhandel, Lieferbedingungen 210
terms of delivery in international trade

Außenhandel, Risiken 209
risks of international trade

Außenhandel, Zahlungsbedingungen 219, 227
terms of payment in international trade

Auszahlungen 44, 49
cash outflows

Avalkredit 71, 75
guaranteed credit

Banken, rechtliche Grundlagen in Österreich 11, 18
the legal foundation of banking in Austria

Besicherung 62, 74
security required

Börse, Handelssysteme 168, 174
trading systems at the stock exchange

Börse, Marktbetreuung 171, 175
market management

Börsegang 172, 174
going public

Börsengeschäfte, Abwicklung 171, 175
executing a stock market deal

Börsenindex 166
the stock market index

CIF 212
Cost, Insurance, Freight

CIP 213
Carriage and Insurance Paid to

Computerbörse 168
computerised trading

Dokumentenakkreditiv 220, 227
documentary letter of credit

Dokumenteninkasso 224, 228
documentary collections

Eigen- und Fremdfinanzierung, Unterschiede 53, 54
differences between equity and debt financing

Eigenfinanzierung 12, 19
equity capital

Eigenfinanzierung 54, 57
self-financing

Einlagenfinanzierung (Eigenkapital) 62, 73
increasing equity or owner's capital

Einpunktklauseln 211, 215
one-point clauses

Einzahlungen 44, 49
cash inflows

Emittent und Haftung 138, 147
issuer and liability

Erfolgskennzahlen 84, 93
performance indicators

Ertragslage 79, 92
profitability

Ertragswert 199
capitalised earnings method

Factoring 66, 74

FCA 212
Free Carrier

Finanzbedarf 45, 49
cash deficit

Finanzbedarf, kurzfristiger 51, 54
short-term financing requirements

Finanzbedarf, langfristiger 52, 54
long-term financing requirements

Finanzdienstleistungen 2ff., 6
financial services

Finanzdienstleistungsunternehmen 3, 5
financial services provider

Finanzlage 81, 93
financing situation

Finanzplan 46, 49
cash budget

Finanzüberschuss 45, 49
cash surplus

FinTechs 3

Firmenwert 202, 204
goodwill

FOB 212
Free on Board

Forderungszessionskredit 70, 75
assignment of receivables

Fremdfinanzierung 12, 19
debt capital

Fremdfinanzierung 54, 57
debt financing

Fusion 186, 193
merger

Holding 184, 193
holding company

Incoterms 210, 215

Individualversicherung 26, 38
individual insurance

Innenfinanzierung 54, 56ff.
internal financing

Innenfinanzierung, Arten 57
types of internal financing

Innenfinanzierung, Bedeutung 56
importance of internal financing

Interessenversicherung 34, 38
indemnity insurance

Investition 104, 106
investment

Investitionsarten 104, 106
types of investment

Investitionsmanagement 105, 106
capital budgeting

Investitionsmangement, Tools 109, 125
tools in capital budgeting

Investitionsprozess 105, 106
capital budgeting process

Investitionsrechenverfahren, statisches 112, 125
static capital budgeting methods

Investitionsrechenverfahren, statische – Beurteilung 118, 126
evaluation of the static methods

Investitionsrechnung, dynamische 118, 126
dynamic capital budgeting

Investitionsrechnung, dynamische – Herausforderungen 121, 126
challenges in dynamic capital budgeting

Investmentfonds 141, 147
investment funds

Investmentzertifikat 141 147
investment fund certificates

IPO 172, 174
Initial Public Offering

Kapitalanlageentscheidung 151, 159
investment decision

Kapitalwertmethode 120, 126
net present value method

Kennzahlen, Aussage 80
significance of ratios

Kennzahlen, Einschränkung der Aussagekraft 87, 93
limited significance of ratios

Kennzahlenbereiche 79, 92
types of ratios

Kennzahleninterpretation, Vorgangsweise 89, 94
procedure for interpreting ratios

Kennzahlensysteme 88, 93
ratio models

Kommunalschuldverschreibung 139, 147
municipal bond

Kontokorrentkredit 65, 74
overdraft facility (line of credit)

Konzern 186, 193
groups

Kostenvergleichsrechnung 112, 125
cost comparison

Kostenvergleichsrechnung, Beurteilung 118, 125
evaluation of the cost comparison method

Kreditaufnahme, Häufigkeit 62, 74
borrowing frequency

Kredite, Kosten 64, 74
borrowing costs

Kredite, langfristige 65, 74
long-term loans

Kreditfinanzierung (Fremdkapital) 62, 73
increasing debt or borrowed capital

Kreditgeschäft 14, 19
lending activities

Kreditinstitute, Aufgaben 7, 18
tasks of financial institutions

Kreditinstitute, Eigengeschäft 16, 20
trading on own account by financial institutions

Kreditinstitute, Geschäftsfelder 8, 18
business activities of financial institutions

Kreditinstitute, Kapitalaufbringung 12
how financial institutions are financed

Kreditprüfung 96, 100
credit report

Kreditprüfung, durch Lieferanten 99, 100
credit check by suppliers

Kreditrisiko 14, 20
credit risk

Kundeneinlagen 12
deposits by customers

Kursblatt 156, 160
quotations list

Leasing 67, 74

Lieferantenkredit 65, 74
trade credit

Lieferantenkredit, langfristiger 69, 75
long-term trade credit

Lombardkredit 69, 75
lombard facility or loan

Maßnahmen, risikopolitische 23, 37
risk management policies

Merger & Acquisitions 186, 193

Orderbuch 169, 175
order book

Ordertypen 169, 175
types of order

Personenversicherung 32, 38
insurance of persons

Pfandbrief 139, 147
covered bond

Präsenzbörse 168
floor trading

Rating 138, 147

Rentabilitätskennzahlen 85, 93
profitability ratios

Rentabilitätsvergleichsrechnung 115, 125
average rate of return

Rentabilitätsvergleichsrechnung, Beurteilung 118, 126
evaluation of the average rate of return

Risiko 23, 37
risk

Rückstellungsfinanzierung 58, 59
provision financing

Scoringmethode 110, 125
weighted scoring method

Selbstfinanzierung 57, 59
self-financing

Sicherstellung, personale 63
personal securities

Sicherstellung, reale 63
real securities

Sozialversicherung 26, 38
social insurance

Stabilität, finanzielle 79, 92
financial stability

Substanzwert 198
net asset value

Summenversicherung 33, 38
fixed-sum insurance

Trust 184

Umschichtungsfinanzierung 58, 59
restructuring financing

Unternehmen, Finanzquellen 52
sources of finance for the company

Unternehmensbewertung 197, 203
business valuation

Unternehmensbewertung, Klein- und Mittelbetriebe 198, 203
valuation of small and medium-sized enterprises

Unternehmensbewertung, kombinierte Verfahren 200
combined methods of business valuation

Unternehmensbewertung, Probleme 201, 204
problems of business valuation

Unternehmensentflechtung 191, 194
divestments

Unternehmenskooperation 182, 193
business cooperations

Unternehmenszusammenschluss 180
business combinations

Unternehmenszusammenschluss, auf vertraglicher Basis 182
business combinations by contract

Unternehmenszusammenschluss, durch Kapital 183
business combinations by buying shares

Unternehmenszusammenschluss, Gründe 181, 193
reasons for business combinations

Unternehmenszusammenschluss, Konsequenzen 187, 194
consequences of business combinations

Unternehmenszusammenschluss, Richtungen 181, 193
direction of business combinations

Unternehmenszusammenschluss, wettbewerbsrechtliche Grundlagen 189, 194
competition law requirements

Veranlagungspyramide 153, 159
investment pyramid

Vermögens- und Kapitalstruktur, Kennzahlen 80, 92
ratios for asset and capital structure

Vermögensversicherung 30, 38
insurance of assets

Versicherungen, wirtschaftliche Bedeutung 25, 37
economic importance of insurance

Versicherungsaufsicht 29
insurance supervision

Versicherungsformen 33, 38
types of insurance

Versicherungsvertrag 27, 38
contract of insurance

Versicherungszweige 30, 38
sub-divisions of insurance

Wandelanleihe 140, 147
convertible bonds

Warenbörsen 172, 175
commodity exchanges

Wechseldiskontkredit 70, 75
discounting bills of exchange

Wertpapierbörsen 163
securities markets

Wertpapierdepot 155
investment portfolio account

Wertpapiere 132, 145
securities (financial instruments)

Wertpapiere, Handelsaussetzung 170, 175
suspension of trading

Wertpapiere, Handelsunterbrechung 170, 175
interruption in trading

Wertpapiere, Kursbildung 169
setting prices

Wertpapiererträge, Besteuerung 160
taxation of gains on securities

Wertpapierhandel 168, 174
trading securities

Wertpapierhandel, Formen 169, 175
forms of trading

Wertpapierhandel, Marktmanipulation 170, 175
market manipulation

Wertpapierkauf 154
buying securities

Wertpapierkurs 156, 160
price of securities

Wertpapier-Portfolio 154, 160
securities portfolio

Wiener Börse 164
The Vienna Stock exchange

Wohnbauanleihe 147
mortgage bonds

Zahlungen 44
cash inflows and outflows

Zahlungen, einmalige 45, 49
one-time (one-off) payments

Zahlungen, laufende 45, 49
current payments

Zinseszinsenrechnung 119
compound interest calculation

Zweipunktklauseln 211, 216
two-point clauses

Bildnachweis

Seite 2 (Hand und Geld): Myvector/Shutterstock.com, (Mops): Timolina/Shutterstock.com
Seite 3 (Smartphone): mapichai/Shutterstock.com
Seite 4 (Bewertung): Tashatuvango/Shutterstock.com
Seite 7 (Aktienkurs): isak55/Shutterstock.com
Seite 16 (Standard & Poor's): gary yim/Shutterstock.com
Seite 23 (Gipsbein): Harald Lueder/Shutterstock.com, (Feuerlöscher): JonasSanLuis/iStock.com
Seite 27 (Augenarzt): endostock/Fotolia.com
Seite 29 (brennendes Haus): Gemenacom/Shutterstock.com
Seite 30 (Autounfall): Daniel Bujack/Fotolia.com
Seite 32 (Haus): pics/Fotolia.com
Seite 33 (Ärztin): Daniel Cviatkov Yordanov/Shutterstock.com
Seite 45 (Plan): 13Imagery/Shutterstock.com
Seite 47 (Bücher): hidesy/iStock.com, (Ring): Africa Studio/Shutterstock.com
Seite 52 (Goldschmied): vichie81/Shutterstock.com
Seite 53 (3 Icons): Aha-Soft/Shutterstock.com, (Sprechblasen): D-Line/Shutterstock.com
Seite 56 (Zahnräder): pedrosek/Shutterstock.com, (Pflanze): Ekarin Apirakthanakorn/Shutterstock.com
Seite 58 (Euro-Zeichen): Bambuh/Shutterstock.com, (Geld im Glas): EggHead-Photo/Shutterstock.com
Seite 61 (Geschäftsmann hält Geld): el lobo/Shutterstock.com
Seite 63 (Unterschrift): Pressmaster/Shutterstock.com, (Haus auf Münzen): Voronin76/Shutterstock.com
Seite 67 (Lieferwagen): Rob Wilson/Shutterstock.com
Seite 68 (Baumaschine): Milos Stojiljkovic/Shutterstock.com
Seite 69 (Getränkedosen): urbanbuzz/Shutterstock.com
Seite 72 (Alfa Romeo): Dong liu/Shutterstock.com
Seite 79 (Zahlen): vlastas/Shutterstock.com
Seite 97 (Unterlagen prüfen): Rido/Shutterstock.com
Seite 98 (Würfel): Vasiliy Yakobchuk/Fotolia.com
Seite 105 (Mischpult): Ilan Amith/Fotolia.com
Seite 110–117 (Webstuhl): tdhster/Shutterstock.com
Seite 123 (Teller): Viola F. Holtz/Fotolia.com
Seite 132 (Shareholder): pichetw/Shutterstock.com
Seite 134 (Aktienkurs): William Potter/Shutterstock.com
Seite 138 (Rückzahlung): Alexander Raths/Shutterstock.com, (Fitch): r.nagy/Shutterstock.com
Seite 151 (Entscheidungen): Rawpixel.com/Shutterstock.com
Seite 152 (Sanduhr): Sergey Panychev/Shutterstock.com, (Gold): Foto-Ruhrgebiet/Shutterstock.com
Seite 163 (Würfel): Maxx-Studio/Shutterstock.com
Seite 167 (Aktienkurs): Ciurea Adrian/Shutterstock.com
Seite 180 (Time Warner): Roman Tiraspolsky/Shutterstock.com
Seite 182 (Rihanna): Debby Wong/Shutterstock.com
Seite 197 (Unternehmensbewertung): designer491/Shutterstock.com
Seite 213 (Frachtschiff): travellinglight/iStock.com, (Taurus): ÖBB

Info- und Übersichtsgrafiken, illustrative Grafiken, fiktive Logos:

3, 12, 27, 44, 51, 66, 79, 96, 132, 141, 151, 153, 215, 216, 221, 225: Noa Croitoru-Weissman

7, 8, 23, 24, 25, 30, 35, 57, 61, 62, 67, 68, 80, 104, 109, 112, 133, 142, 154, 158, 164, 180, 183, 198, 219: MANZ Verlag Schulbuch

Alle anderen Quellenangaben befinden sich bei den Abbildungen. Sämtliche an dieser Stelle nicht angeführten Fotos und Abbildungen wurden von den Autorinnen und Autoren bzw. von MANZ Verlag Schulbuch selbst erstellt. Alle Rechte für diese Abbildungen liegen bei den Autorinnen und Autoren bzw. bei MANZ Verlag Schulbuch. Wir haben uns bemüht, alle Inhaber/innen von Bildrechten ausfindig zu machen. Sollten dennoch Urheberrechte verletzt worden sein, bitten wir um Kontaktaufnahme mit uns.